Cosmopolite 3

Méthode de français B1

Nathalie Hirschsprung

Tony Tricot

Mathias van der Meulen

Emmanuelle Garcia

Avec la collaboration
de Anne Veillon (Sons du français)
Marine Antier (S'exercer)
Nelly Mous (DELF)

hachette
FRANÇAIS LANGUE ÉTRANGÈRE

Achevé d'imprimer en Juin 2020 par L.E.G.O. S.p.A., Lavis (TN) - Italy
Dépôt légal : Février 2018
Édition : 04
15/9358/0

Couverture : Nicolas Piroux

Conception graphique : Eidos, Anne-Danielle Naname

Mise en pages : Anne-Danielle Naname, Adeline Calame, Laure Gros

Secrétariat d'édition : Astrid Rogge

Illustrations : Nicolas Piroux

Cartographie : AFDEC

Enregistrements audio, montage et mixage : Studio Quali'sons – David Hassici

Maîtrise d'œuvre : Françoise Malvezin, *Le Souffleur de mots*

Tous nos remerciements à Anna Mubanga Beya et Joëlle Bonenfant

ISBN : 978-2-01-513547-2

© HACHETTE LIVRE, 2018
58, rue Jean Bleuzen, 92178 Vanves
http://www.hachettefle.fr

Avant-propos

Cosmopolite 3 s'adresse à un public de grands adolescents et adultes. Il correspond au niveau B1 du CECRL et représente 160 heures d'enseignement / apprentissage. À la fin de **Cosmopolite 3**, les étudiants peuvent se présenter à l'épreuve du DELF B1.

Cosmopolite 3 est le fruit de notre expérience d'enseignants et de formateurs en France et à l'étranger, ce qui nous a conduits à proposer des univers thématiques proches des objectifs et des préoccupations des étudiants de ce niveau. Nous avons eu à cœur, tout au long de l'ouvrage, de donner des clés, des outils et des ressources pour les amener à « se débrouiller » en français, en France et dans des pays francophones.
Ainsi, nous avons sélectionné des supports et proposé des tâches permettant aux étudiants d'apprendre à gérer avec succès des situations variées de la vie quotidienne dans le cadre de leur projet personnel ou professionnel, au cours d'un voyage ou d'une mobilité.
La culture est abordée de manière transversale dans les leçons, visant à faire acquérir aux étudiants un savoir-être interculturel mais aussi à leur faire découvrir un échantillonnage varié d'œuvres culturelles contemporaines.

Nous souhaitons à toutes et à tous un bon voyage dans la vie quotidienne en France et dans les pays où la langue française est pratiquée ainsi qu'une expérience gratifiante d'enseignement et d'apprentissage du français avec **Cosmopolite**.

Les auteur-e-s

Cosmopolite 3 est composé de 8 dossiers. Ces huit dossiers comportent :

• **une double page d'ouverture active**
Elle contextualise le dossier et permet aux étudiants de faire le point sur la thématique en remobilisant les connaissances acquises dans les niveaux précédents. Cette double page présente également un contrat d'apprentissage, qui illustre la **perspective actionnelle** dans laquelle s'inscrit la méthode. En effet, **deux projets** sont proposés au début du dossier (un projet de classe et un projet ouvert sur le monde). Pour les réaliser, les étudiants vont acquérir et/ou mobiliser des **savoirs, savoir-faire, savoir agir** et des **compétences générales**, **langagières** et **culturelles**.

• **six doubles pages leçons : quatre doubles pages « en contexte » et deux doubles pages** *Focus Langue* **« grammaire, mots et expressions, sons et intonation »**
Chaque leçon a pour objectif de faire acquérir les compétences nécessaires à la réalisation des projets. Les doubles pages « en contexte » plongent les utilisateurs dans des univers **authentiques**, en France et un peu partout dans le monde. Une typologie variée de supports et de discours (écrits et audio) leur est proposée, accompagnée d'une **démarche inductive** de compréhension des situations, d'acquisition de compétences langagières (conceptualisation grammaticale et lexicale) et de savoir-faire. Dans les doubles pages « en contexte » sont intégrés des renvois vers les doubles pages *Focus Langue* « grammaire, mots et expressions, sons et intonation », qui sont elles-mêmes en lien avec les exercices (*S'exercer*) et les précis à retrouver en fin de manuel. L'**expression écrite et orale** des étudiants est sollicitée au moyen d'activités intermédiaires et de tâches finales à réaliser de manière collaborative.

• **une double page** *Stratégies* **et** *Projets*
La page consacrée au développement de stratégies d'apprentissage est composée de deux éléments :
– un travail sur les matrices de discours oraux et écrits et sur la structuration de ces discours pour que l'étudiant se les approprie réellement ;
– la rubrique *Apprenons ensemble !* qui se présente sous la forme de résolution de problèmes. À partir d'un corpus constitué de difficultés rencontrées au cours de l'apprentissage, des étudiants extérieurs « s'invitent » et exposent leur problème. Ils font appel à la classe pour acquérir des techniques / stratégies et les aider à résoudre leur problème.
La page *Projets* est consacrée au projet de classe. Elle propose un guidage facilitant. Le projet ouvert sur le monde, mentionné en fin de page, est développé dans le guide pédagogique.

• **une double page de préparation au DELF B1**
Cette double page propose une évaluation formative et prépare au DELF B1. Elle est complétée par une épreuve complète à la fin de l'ouvrage, un portfolio dans le cahier d'activités et des tests dans le guide pédagogique.
Les démarches que nous suggérons sont structurées et encadrées, y compris dans les modalités de travail. Nous nous sommes attachés à offrir des parcours clairs et rassurants, tant pour l'enseignant que pour l'étudiant.

MODE D'EMPLOI

1 Structure du livre de l'élève

■ **8 dossiers** de 8 doubles pages.

■ **Des annexes :**
- des exercices d'entraînement (grammaire, mots et expressions, sons et intonation)
- une épreuve complète DELF B1
- un précis de phonétique
- un précis grammatical
- des tableaux de conjugaison
- une carte de l'Europe

■ Un **lexique alphabétique multilingue** et les **transcriptions** dans un livret encarté

2 Descriptif d'un dossier (18 pages)

Une ouverture de dossier active

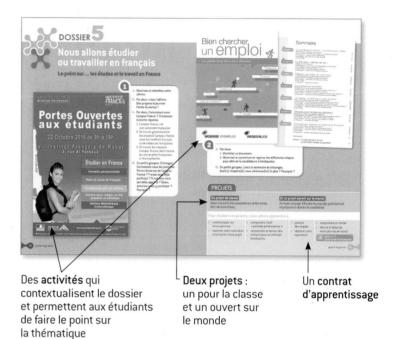

Des **activités** qui contextualisent le dossier et permettent aux étudiants de faire le point sur la thématique

Deux projets : un pour la classe et un ouvert sur le monde

Un **contrat** d'apprentissage

4 leçons en contexte : 1 leçon = 1 double page

Les **savoir-faire** et les **savoir-agir**

Des **documents** visuels, écrits, oraux et vidéo authentiques

Des **activités intermédiaires de production** pour préparer la tâche finale et ponctuer l'apprentissage

Des **tâches finales** *À nous !* pour structurer l'apprentissage

Des **renvois** vers les pages *Focus Langue*

Deux doubles pages *Focus Langue*

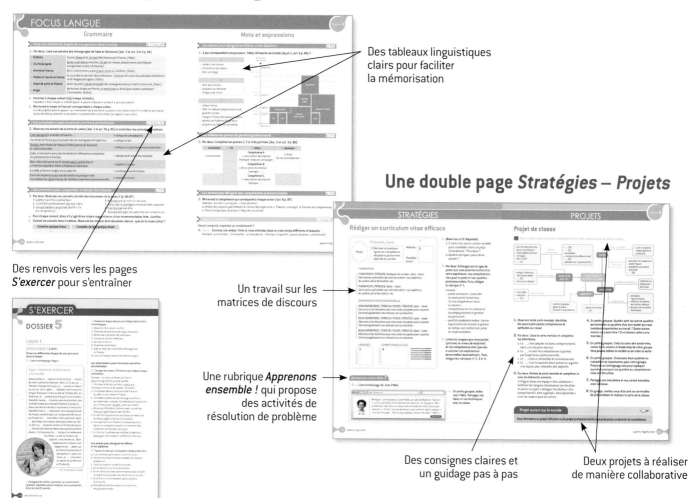

Des tableaux linguistiques
clairs pour faciliter
la mémorisation

Une double page *Stratégies – Projets*

Des renvois vers les pages
S'exercer pour s'entraîner

Un travail sur les
matrices de discours

Une rubrique **Apprenons
ensemble !** qui propose
des activités de
résolution de problème

Des consignes claires et
un guidage pas à pas

Deux projets à réaliser
de manière collaborative

Une double page de préparation au DELF B1 – Un bilan du dossier organisé par compétences

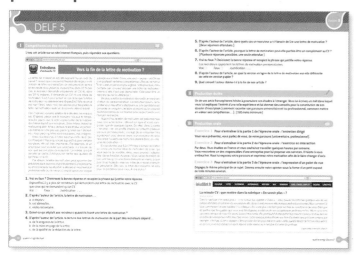

TABLEAU DES CONTENUS

DOSSIER 3 – Nous organisons des sorties, des événements

LEÇONS	Types et genres de discours	Savoir-faire et savoir agir	Grammaire	Mots et expressions	Sons et intonation
1 Et si on sortait ? p. 48-49	Infographie Site de conseils 🎧 Conversation	– Parler des sorties – Conseiller – Proposer une sortie	– Les expressions pour conseiller – Les expressions pour mettre en relief	– Commenter des données chiffrées – Exprimer l'accord et le désaccord	Hésitation et interrogation
2 Esprit d'équipe ! p. 50-51	Page d'accueil d'un site Internet 🎧 Conversation Mél	– Choisir une sortie en groupe – Convaincre / Hésiter – Informer sur un événement	– L'expression du but pour convaincre – Quelques verbes prépositionnels pour informer sur un événement	– Les activités de groupe en contexte professionnel – Exprimer une hésitation	
3 En famille p. 54-55	Articles (2) 🎧 Émission de radio	– Parler d'événements familiaux – Comprendre des coutumes – Comprendre des différences culturelles	– Les pronoms *en* et *y* pour remplacer un lieu, une chose ou une idée – La négation (2) pour exprimer une restriction – L'expression de l'opposition et de la concession	– Les membres d'une famille – Décrire une cérémonie de mariage	Variations rythmiques et mélodiques
4 Un air de fête p. 56-57	▶ Vidéo Extrait d'étude sociologique	– Découvrir de nouvelles soirées – Décrire des comportements	– Les pronoms démonstratifs et indéfinis pour décrire des comportements	– Décrire des comportements entre amis	
Stratégies	Organiser un événement sur les réseaux sociaux				
Projets	**Un projet de classe :** collaborer pour organiser un événement avec des francophones **Un projet ouvert sur le monde :** créer un guide d'activités pour des francophones				

DOSSIER 4 – Nous contribuons au développement durable

LEÇONS	Types et genres de discours	Savoir-faire et savoir agir	Grammaire	Mots et expressions	Sons et intonation
1 Communautés durables p. 66-67	Article 🎧 Émission de radio (points de vue d'auditeurs)	– Rendre compte d'une expérience – Exprimer l'adhésion et émettre des réserves	– Quelques adjectifs et pronoms indéfinis pour exprimer ou nuancer la quantité	– Décrire des relations de voisinage – Exprimer l'adhésion et émettre des réserves	Les sons [y], [ɥ], [u]
2 Consommation responsable p. 68-69	Articles 🎧 Émission de radio	– Proposer des solutions – Débattre d'un sujet polémique	– Le participe présent pour préciser une action – Les adverbes de manière pour donner des précisions *(Adverbes en –ment)* – Les adverbes de quantité / d'intensité pour nuancer son avis	– Débattre d'un sujet polémique – Parler du gaspillage alimentaire	
3 Local, social et solidaire p. 72-73	Page d'accueil d'un site Internet 🎧 Émission de radio Site Internet de prêt	– Identifier un projet de développement local et durable – Inciter à agir	– Quelques verbes prépositionnels pour exprimer le but d'une action – L'infinitif et le subjonctif pour exprimer le but d'une action – Inciter à agir	– Les termes pour parler du microcrédit social et solidaire – Parler du crédit et de l'épargne	L'intonation pour persuader
4 Agir au quotidien p. 74-75	▶ Vidéo Planche de BD	– Identifier des éco-gestes – Persuader quelqu'un de faire quelque chose		– Quelques termes pour s'exprimer en français familier – Décrire une bande dessinée	
Stratégies	Progresser à l'écrit (1)				
Projets	**Un projet de classe :** réaliser notre charte régionale de développement durable **Un projet ouvert sur le monde :** imaginer un projet participatif pour notre ville				

TABLEAU DES CONTENUS

DOSSIER 5 – Nous allons étudier ou travailler en français					
LEÇONS	**Types et genres de discours**	**Savoir-faire et savoir agir**	**Grammaire**	**Mots et expressions**	**Sons et intonation**
1 Étudier, pour quoi faire ? p. 84-85	🎧 Témoignages Schéma Lettre (candidature)	– Communiquer sur son parcours – Exprimer sa motivation et présenter son projet	– Situer les différentes étapes de son parcours dans le temps – Les articulateurs pour structurer une lettre de motivation	– Les termes pour désigner les filières et les diplômes	Passé composé, imparfait ou conditionnel ?
2 Valoriser sa candidature p. 86-87	Article d'information 🎧 Émission de radio	– Comprendre l'outil « portfolio professionnel » – Comprendre et donner des conseils pour un entretien d'embauche	– Les structures pour comprendre et donner des conseils	– Les différentes parties du portfolio professionnel – Les termes pour désigner des compétences professionnelles	
3 Acquérir une expérience professionnelle p. 90-91	🎧 Émission de radio (témoignages) Article	– Prendre des risques – Valoriser son expérience		– Donner ses impressions – Fairer un bilan personnel et professionnel	La mise en relief de certains mots
4 Le monde du travail vu par… p. 92-93	▶ Vidéo Extrait de livre	– Comprendre un métier – Décrire le début de sa journée de travail	– Le pronom *où* (2) pour donner des précisions sur le lieu ou sur le temps – Le gérondif pour exprimer la simultanéité – Différencier le gérondif et le participe présent	– Les termes pour désigner les compétences d'un chargé de clientèle	
Stratégies	Rédiger un curriculum vitae efficace				
Projets	**Un projet de classe** : créer une carte des compétences et des savoir-faire de notre classe **Un projet ouvert sur le monde** : formuler un projet d'études ou un projet professionnel et préparer un dossier de candidature				

DOSSIER 6 – Informons-nous, exprimons-nous !					
LEÇONS	**Types et genres de discours**	**Savoir-faire et savoir agir**	**Grammaire**	**Mots et expressions**	**Sons et intonation**
1 Vous avez dit « médias » ? p. 102-103	Une de magazine Article Forum 🎧 Émission de radio	– Analyser la une d'un magazine – Comparer les médias traditionnels et les médias sociaux – Relater un événement	– L'expression de la concession pour débattre d'un sujet – La voix passive pour insister sur le résultat d'une action / L'accord du participe passé	– Analyser la une d'un magazine	Les sons [ø] et [œ]
2 Tous journalistes ? p. 104-105	Article 🎧 Émission de radio (interview)	– Structurer un article de presse – Rapporter des faits passés	– Les indicateurs de temps pour préciser le moment où on parle	– Les termes de l'écriture journalistique – Les termes des médias traditionnels / participatifs	
3 Info ou intox ? p. 108-109	Site Internet Article de presse 🎧 Reportage radio	– Repérer des fake news – Analyser des fake news	– Quelques verbes prépositionnels pour parler de l'information et de la désinformation	– Les termes de l'information et la désinformation	Troncation et niveau de langue
4 Des vies de journalistes p. 110-111	▶ Vidéo Planche de BD	– Capter l'attention d'un public – Expliquer et argumenter	– Les procédés de mise en évidence pour capter l'attention : l'emphase	– Insister sur des faits significatifs et interpeller l'interlocuteur	
Stratégies	Écrire un bon article				
Projets	**Un projet de classe** : à partir d'un sujet d'actualité, écrire un article avec de fausses informations **Un projet ouvert sur le monde** : créer la une de notre magazine francophone et choisir un média pour nous faire connaître				

DOSSIER 7 – Nous nous intéressons à l'innovation française

LEÇONS	Types et genres de discours	Savoir-faire et savoir agir	Grammaire	Mots et expressions	Sons et intonation
1 Jeunes talents francophones p. 120-121	Carte d'identité Encart 🎧 Émission de radio Article	– Comprendre une émission qui présente une innovation scientifique – Découvrir de jeunes talents francophones et leurs réalisations	– Les pronoms relatifs composés pour éviter les répétitions – Quelques structures pour expliquer l'utilité et le fonctionnement d'une innovation	– Introduire un sujet dans une émission / un reportage (1)	Les sons [r] et [l]
2 Innovations françaises p. 122-123	Une de journal Photo légendée Article (édito) 🎧 Émission de radio	– Expliquer simplement une découverte scientifique – Présenter une innovation technologique		– Quelques activités pour faire du sport et se relaxer – Partager une découverte scientifique – Introduire un sujet dans une émission / un reportage (2)	
3 Économie de l'innovation p. 126-127	🎧 Émission de radio Brève Article de presse	– Faire comprendre un concept innovant – Exprimer une opinion	– Établir une progression chronologique dans une argumentation	– Parler de l'économie de l'innovation – Expliquer quelque chose à quelqu'un – Identifier les caractéristiques du texte d'opinion	La prononciation ou non du « e »
4 Progrès et dérives p. 128-129	Article ▶ Vidéo 🎧 Émission de radio	– Imaginer le futur – Envisager les conséquences positives et négatives d'une innovation	– L'expression du doute et de la certitude	– Humaniser un objet – Exprimer l'inquiétude	
Stratégies	Progresser à l'écrit (2)				
Projets	**Un projet de classe** : réaliser la carte des innovations francophones préférées de la classe **Un projet ouvert sur le monde** : imaginer les conséquences d'une découverte dans un article à publier en ligne				

DOSSIER 8 – Nous nous intéressons à la culture

LEÇONS	Types et genres de discours	Savoir-faire et savoir agir	Grammaire	Mots et expressions	Sons et intonation
1 De l'art pour tous p. 138-139	🎧 Émission de radio Photos d'œuvres Article de presse Extrait de rapport d'activité	– Faire une critique positive d'un événement culturel – Présenter une œuvre – Exprimer son enthousiasme	– Exprimer la manière et la ressemblance – Le superlatif pour exprimer l'enthousiasme	– Exprimer un jugement positif	L'expression de l'enthousiasme
2 Que le spectacle commence ! p. 140-141	Programme de spectacles Affiche 🎧 Interview Biographie	– Parler des spectacles vivants – S'informer sur la carrière d'un artiste	– Les temps de l'infinitif pour comprendre une chronologie	– Les termes pour parler des spectacles vivants	
3 Qu'en pensez-vous ? p. 144-145	Annonce 🎧 Émission de radio 🎧 Conversation téléphonique Critique de film	– Comprendre un palmarès – Commenter des films – Réagir à une critique	– La double pronominalisation pour éviter de répéter	– Les termes pour récompenser et féliciter – Les jugements positifs et négatifs pour commenter	La liaison obligatoire et la liaison facultative
4 Lire en français p. 146-147	▶ Vidéo Extrait d'essai	– Trouver des livres francophones – S'interroger sur l'importance de la lecture	– L'interrogation pour organiser sa réflexion	– Les termes pour parler du livre et de la librairie	
Stratégies	Rédiger une critique				
Projets	**Un projet de classe** : organiser une exposition d'un de nos artistes francophones préférés **Un projet ouvert sur le monde** : réaliser une carte de découvertes culturelles francophones du monde et la partager avec d'autres étudiants de français				

Et si on allait vivre ailleurs ?

Le point sur... nos villes préférées

1

a. Observez ces deux affiches. Comment peut-on participer au concours ?

b. Quelle photo préférez-vous ? Pourquoi ?

c. En petits groupes. Échangez.
1. Selon vous, qu'est-ce qu'une ville qui bouge ? Proposez votre définition.
2. Quelle image avez-vous de Paris ? Est-ce une ville qui bouge ? Pourquoi ?
3. Citez les villes de votre pays qui bougent. Justifiez.

2

a. Observez ce plan. Que représente-t-il ?

b. En petits groupes. Quelles villes et quels quartiers sont représentés ?

c. En petits groupes. Échangez.
1. Que pensez-vous de ce plan ?
2. Cette ville est-elle idéale ? Justifiez.
3. Quels quartiers de quelles villes ajouteriez-vous ?

PROJETS

Un projet de classe

Présenter les villes où nous aimerions vivre :
expliquer les raisons de notre choix et décrire
le quartier de nos rêves.

Et un projet ouvert sur le monde

Créer un support original pour présenter notre ville
aux francophones qui souhaiteraient s'y expatrier.

Pour réaliser ces projets, nous allons apprendre à :

▸ identifier des critères
▸ rendre compte d'un classement
▸ mettre en garde

▸ exprimer des souhaits et des intentions / formuler une demande
▸ donner des informations sur un logement
▸ échanger des informations au téléphone

▸ caractériser un lieu
▸ donner des conseils / décrire une situation hypothétique
▸ parler de nos liens avec une ville

▸ décrire des souvenirs
▸ décrire notre arrivée dans une ville étrangère

Vidéo n° 1
Vivre la ville

LEÇON

1 Vivre ailleurs ?

- Identifier des critères
  ▸ Doc. 1
- Rendre compte d'un classement ▸ Doc. 2
- Mettre en garde
  ▸ Doc. 3

document 1

http://etudiant.lefigaro.fr

LE FIGARO ·fr
étudiant

Menu En direct Journal

Top 10 des villes préférées des 18-35 ans

Villes	Les +	Les –
1. Amsterdam	ouverture d'esprit, start-up	logement, prix de la bière
2. Berlin	ouverture d'esprit, vie nocturne	emploi
3. Munich	emploi, transports	festivals, logement
4. Lisbonne	transports, alimentation	emploi, débit Internet
5. Anvers	débit Internet, vie nocturne	tourisme, alimentation
6. Barcelone	tourisme, santé	emploi, festivals
7. Lyon	santé, transports	alimentation, prix de la bière
8. Cologne	vie nocturne, transports	tourisme, débit Internet
9. Paris	santé, transports, tourisme	emploi, logement, prix de la bière
10. Vancouver	start-up, ouverture d'esprit	logement, vie nocturne

La capitale néerlandaise Amsterdam est la ville préférée des jeunes d'après Nestpick, une plate-forme de location de logements. Au total, huit villes françaises figurent dans le top 100.

1. Observez cette page extraite du site lefigaro.fr (doc. 1). Répondez.

a. Quels sont les sept pays présents dans ce top 10 ? Quel continent est le plus représenté ? Qui sont les personnes interrogées ?

b. À quoi correspondent les colonnes « Les + » et « Les – » ?

2. Par deux. Lisez le tableau (doc. 1).

a. Listez les douze critères retenus pour classer ces dix villes.

b. Quels critères vous semblent essentiels ? Lesquels vous semblent originaux ? Pourquoi ?

3

En petits groupes.

a. Quels autres critères (essentiels ou originaux) aimeriez-vous ajouter ? Pourquoi ?

b. Quels sont les + et les – de votre ville d'origine ? Ou de la ville où vous étudiez le français ?

c. Choisissez trois critères positifs et trois critères négatifs pour cette ville.

4. Observez cet article du journal *20 minutes* (doc. 2). De quelles villes parle-t-on ? Pourquoi ?

5. Par deux. Lisez l'article (doc. 2).

a. Listez les villes du top 5.

b. Retrouvez les critères retenus pour établir ce classement.

c. Classez ces critères.

La vie culturelle	...
La vie nocturne	...
L'emploi	...
L'alimentation	...
Le climat et la proximité de la mer	..., le nombre d'heures de soleil par an
Les transports	...
Le coût de la vie	...

▸ p. 17, n° 1

document 2

http://www.20minutes.fr

Actualité   Entertainment   Sport   Économie   Locales   High-Tech   Planète By the Web   T'as vu ?   Vidéos   Jeux

Bordeaux   Strasbourg   Toulouse   Lille   Lyon   Marseille   Montpellier   Nantes   Nice   Paris   Rennes

Rennes ville préférée des expatriés, Nantes et Bordeaux sur le podium

PALMARÈS Le classement a été établi par le site The Local…

La ville de Rennes fait le buzz auprès de la communauté étrangère. Dans un classement établi par le site The Local, la capitale bretonne s'impose comme « la meilleure ville française pour les expatriés ». La voisine Nantes se place deuxième devant Bordeaux, Toulouse puis Paris.

Taux de célibataires ou taux de chômage

Pour établir son classement, The Local s'est basé sur un grand nombre de critères variés : le taux de chômage, l'offre de vols internationaux et les lignes TGV, le montant des loyers ou encore l'offre culturelle. The Local a également pris en compte des critères liés à l'environnement comme la distance de la mer ou encore le nombre de bars par habitant, où Rennes se classe troisième derrière Lille et Clermont-Ferrand. Le site a même ajouté le taux de célibataires de chaque ville…

Si la capitale bretonne séduit les expatriés, c'est aussi pour sa « petite taille ». Nantes profite d'ailleurs des mêmes atouts pour se hisser à la deuxième place. [...]

Moins de soleil et moins d'étoiles

La capitale bretonne perd des points avec quelques critères comme le nombre d'heures de soleil par an, où Marseille, Toulouse et Bordeaux brillent, mais aussi l'offre culturelle, dominée par Paris, ou le nombre de restaurants gastronomiques. C'est Strasbourg qui arrive en fin de classement à la treizième place.

6. En petits groupes. Relisez l'article (doc. 2).

a. Relevez les plus et les moins de la ville de Rennes.

b. Quels sont les verbes et expressions utilisés pour indiquer et expliquer le résultat de chaque ville ?

Exemple : *La capitale bretonne s'impose comme « la meilleure ville française pour les expatriés ».*

▸ p. 17, n°2

7.

En petits groupes. Comparez les critères choisis par le site The Local (doc. 2) aux critères retenus dans le Top 10 (doc. 1). Quels critères vous semblent les plus pertinents ? Pourquoi ?

document 3 🎧 002 et 003

L'expatriation spontanée
Par Corinne Mandjou

Podcast

Diffusion : samedi 27 août 2016

L'expatriation spontanée, c'est le thème du rendez-vous mensuel avec notre partenaire www.lepetitjournal.com

8. Observez cette page Internet du site RFI (doc. 3). Identifiez le thème de l'émission du jour.

9. 🎧002 Écoutez la première partie de l'émission (doc. 3) et répondez.

a. Qui est Hervé Hayraud ?

b. Selon lui, qui sont les expatriés « spontanés » ?

10. 🎧003 Par deux. Écoutez la deuxième partie de l'émission (doc. 3).

a. Identifiez les quatre catégories d'expatriés spontanés.

b. Pour chaque catégorie, relevez les raisons de l'expatriation.   ▸ p. 16, n°1

c. Pour chaque type d'expatriation, relevez les mises en garde d'Hervé Hayraud.   ▸ p. 17, n°3

À NOUS

11. Nous choisissons où nous expatrier et pour quelles raisons.

En petits groupes.

a. Choisissez votre mode d'expatriation préféré.

b. Faites la liste de vos cinq critères préférés pour choisir des villes d'expatriation (activités 3 et 7).

c. Choisissez trois villes en fonction des critères retenus et du type d'expatriation choisi.

d. Présentez votre classement à la classe : indiquez et expliquez la place de chaque ville dans le classement.

e. La classe réagit aux propositions et fait des recommandations.

LEÇON 2 Changer de vie

- Exprimer des souhaits et des intentions / Formuler une demande ▸ Doc. 1 et 2
- Donner des informations sur un logement ▸ Doc. 2
- Échanger des informations au téléphone ▸ Doc. 3

document 1

http://www.expat.com

expat.com · DESTINATIONS ∨ · COMMUNITY ∨ · HANDY TOOLS ∨ · JOBS · HOUSING · FORUM · Se connecter · S'inscrire

ÉCHANGE POSTE À POSTE : FRANCE/QUÉBEC

SANDRINE
Bonjour, je suis professeur des écoles en Bretagne et j'envisage de partir au Québec avec ma famille, en faisant un échange poste à poste. Je souhaiterais avoir des avis de personnes qui ont vécu cette expérience. Cette formule est assez nouvelle et il est difficile de trouver des retours d'expérience. Comment faire ? Qu'est-ce que vous me conseillez de faire ?
Sandrine
✎ Répondre

ÉTIENNE
Bonsoir
Effectivement, c'est une formule récente. Elle consiste à échanger son poste pour un an avec un homologue québécois. On échange également les domiciles et les véhicules. Vous trouverez plus d'informations ici :
http://www.ac-amiens.fr/postepourposte-quebec
Étienne
✎ Répondre

THALIE
Bonjour,
Je suis professeur des écoles à Montréal et j'ai l'intention d'échanger mon poste avec un(e) collègue en France. J'enseigne dans le primaire depuis une vingtaine d'années et j'ai envie de découvrir un système éducatif différent.
Thalie
✎ Répondre

AURÉLIE
Bonjour Thalie,
Je suis professeur des écoles à Saint-Junien, près de Limoges. J'aimerais partir enseigner au Québec. Ça me plairait vraiment d'avoir une nouvelle vision de mon métier. Êtes-vous toujours motivée pour venir en France ? Pourrait-on échanger par messages privés ?
Aurélie
✎ Répondre

 1. Observez ce forum du site expat.com (doc. 1). De quel type d'expatriation parle-t-on ?

 2. Par deux. Lisez les messages de Sandrine et d'Étienne (doc. 1) puis répondez. Justifiez vos réponses avec des extraits du forum.
   a. Pourquoi Sandrine écrit-elle sur ce forum ?
   b. Quelles sont les informations données sur ce mode d'expatriation ?

 3. Lisez les messages de Thalie et d'Aurélie (doc. 1).
   a. À votre avis, à quelle catégorie d'expatriés spontanés correspondent-elles (activité 10 p. 13) ?
   b. Relevez pourquoi elles souhaitent s'expatrier. ▸ p. 16, n° 2 et 3

 4. En petits groupes. Échangez. Connaissiez-vous ce mode d'expatriation ? Seriez-vous prêt à échanger votre poste et votre logement ? Si oui, pour aller dans quel pays ? Dans quelle ville ?

 5. Lisez les messages (doc. 2). Identifiez leurs auteurs et le sujet de la correspondance.

6. Par deux. Relisez les messages (doc. 2).
   a. Légendez les photos avec des extraits du message.
   Exemple : photo 1 → *petite maison de 71 m²avec trois belles pièces.* ▸ p. 17, n° 4
   b. Relevez les extraits qui montrent qu'il ne s'agit pas du premier échange entre Aurélie et Thalie.

 7. En petits groupes. Avec qui préféreriez-vous échanger votre logement ? Thalie ou Aurélie ? Pourquoi ?

document **2**

Outlook.com Enregistrer le brouillon Options ✓

De
aurelie.d@hotmail.com

À   Cc Cci
Thalie ×

3 téléchargé(s) sur 3 (0.30 Mo)

Photo 1

Photo 2

Photo 3

Bonjour Thalie,
Voici, comme convenu, quelques photos de notre pavillon !
Nous habitons Saint-Junien, une petite ville de 11 000 habitants à 30 kilomètres de Limoges (Haute-Vienne). La superficie de notre petite maison est de 71 m² avec trois belles pièces : un séjour avec cheminée et deux chambres. La cuisine est aménagée, il y a une salle d'eau à l'étage et une entrée en rez-de-jardin.
En équipement, vous verrez, il y a tout ce qu'il faut : un four, un micro-ondes, une plaque de cuisson au gaz, un frigo, un congélateur, un lave-vaisselle, un lave-linge et un sèche-linge. Le terrain est au bord d'une petite rivière, la Glane.
N'hésitez pas si vous avez d'autres questions.
Cordialement,
Aurélie D.

De : Thalie < thalie@hotmail.com >
À : aurelie.d@hotmail.com

Appartement

Photo 4

Photo 5

Photo 6

Bonjour Aurélie,
J'ai lu votre message avec attention. Voici, comme promis, quelques photos de notre appartement. Il est au 2ᵉ étage, à deux pas du métro Outremont. La superficie est de 101 mètres carrés. Il y a 5 pièces : un salon, une salle à manger avec accès à une grande terrasse arrière, une chambre principale avec accès au balcon donnant sur le stationnement privé, une 2ᵉ chambre avec garde-robe et une 3ᵉ qui peut aussi servir de bureau. Mon logement est situé à proximité de tous les services.
Pourriez-vous me dire si vous acceptez les animaux ? Nous avons un chien et nous avons l'intention de l'emmener avec nous. Pourrait-on échanger via Skype ? Mon identifiant : thalie_dubois.
À tantôt ☺ !
Thalie

---

document **3** 🎧 004 et 005

8. 🎧▸004 **Écoutez la conversation (doc. 3).**
a. Qui parle ? De quel sujet ?
b. Parmi les sujets de la vie quotidienne listés ci-dessous, lesquels sont mentionnés dans la conversation ?
- l'assurance de la maison
- les déplacements
- les relations de voisinage
- les informations pratiques
- les habitudes à respecter
- le fonctionnement de l'électroménager
- les règles de sécurité
- la gestion des déchets
- les commerces de proximité

9. 🎧▸004 **Par deux. Réécoutez (doc. 3).**
Parmi ces sujets, quels sont ceux qui soulignent les différences (déchets, commerces, transports) entre les deux pays ?

10. 🎧▸005 **Par deux. Réécoutez ces extraits de la conversation (doc. 3) et classez-les.**

Communiquer efficacement au téléphone	
Apporter une précision	*J'ai oublié de vous dire que nous vous laisserons des notes.*
Demander la confirmation d'une information	…
Rassurer	…
Formuler une demande polie	…
S'assurer qu'on a bien compris	…
Rappeler quelque chose à quelqu'un	…

▸ p. 17, n° 5

À NOUS 💬✏️

11. Nous choisissons le logement idéal pour notre expatriation.

En petits groupes.
a. Choisissez une ville et un mode d'expatriation. Décrivez votre logement idéal dans cette ville.
b. Listez les questions que vous aimeriez poser au propriétaire avec qui vous échangeriez votre logement.
c. Partagez ces questions avec la classe et classez-les par sujet.
d. Affichez vos descriptions et donnez votre point de vue sur les logements choisis.

FOCUS LANGUE

Grammaire

Quelques verbes prépositionnels pour parler de l'expatriation
p. 156

1. ⊙)006 **Par deux.** Réécoutez l'émission de RFI (doc. 3 p. 13).

a. Associez ces éléments pour parler d'expatriation. Attention, plusieurs réponses sont parfois possibles.
Exemple : *avoir tendance à idéaliser un pays*

partir…		l'étranger
décider…		son pays
s'installer…	pour	trouver sa place
réfléchir…		plein de raisons
	à	des raisons personnelles
avoir un coup de cœur…		faire le tour du monde
		la découverte de grands espaces et de nouvelles cultures
avoir tendance…		tout quitter
en avoir marre… *(familier)*	de	un pays
		idéaliser un pays
ne pas arriver…		son assurance santé

b. Décrivez les quatre catégories d'expatriation à l'aide de ces éléments.
Vérifiez vos réponses avec la transcription (livret p. 4).

Exprimer une intention, une ambition
p. 157

2. Relisez les échanges du forum expat.com (doc. 1 et act. 3b. p. 14).
Relevez les expressions utilisées pour exprimer une intention, une ambition. Puis complétez la règle.

Pour exprimer une intention (ou une ambition), j'utilise : *envisager* ; … ; … + *de* +… .
Exemple : *J'envisage de partir au Québec.*

Le conditionnel présent (1) pour formuler une demande polie ou un souhait
p. 157 et p. 210

3. Par deux. Relisez les échanges du forum expat.com (doc. 1 et act. 3b. p. 14).
a. Relevez les formules qui expriment un souhait et celle qui exprime une demande polie.
b. Complétez.

Pour formuler une demande polie, j'utilise :	Pour exprimer un souhait, j'utilise :
le conditionnel présent du verbe … (+ verbe à l'infinitif)	le conditionnel présent des verbes … ; … ; … + verbe à l'infinitif
Exemple : *Pourrait-on échanger par messages privés ?*	Exemple : *Je souhaiterais avoir des avis de personnes.*

Rappel : pour former le conditionnel présent → **base du futur simple** + terminaisons de l'imparfait.
Exemple : *souhaiter → je souhaiterais, tu souhaiterais, il souhaiterait, nous souhaiterions, vous souhaiteriez, ils souhaiteraient.*

Sons et intonation
p. 158 et p. 199

Liaison et enchaînement consonantique

4. ⊙)007 **Par deux.** Écoutez les phrases et lisez la transcription (livret p. 4).
a. Repérez les enchaînements et les liaisons.
b. Lisez les phrases en découpant les syllabes et observez les phénomènes.
Exemple : *C'est une école internationale.* → *C'es/t u/ne é/co/le in/ter/na/tio/nale.* → La consonne finale prononcée ou muette passe dans la syllabe du mot suivant sans rupture.

Mots et expressions

Les critères de choix d'une ville `p. 156`

L'emploi
– le taux de chômage

Le coût de la vie
– le montant des loyers

Les transports
– l'offre de vols internationaux
– les lignes TGV

L'environnement
– la distance de la mer
– le nombre d'heures de soleil par an

La vie nocturne
– le nombre de bars par habitant
– le nombre de restaurants gastronomiques

1. En petits groupes.

a. Choisissez trois lettres de l'alphabet.

b. À l'aide des critères de l'activité 5 de la leçon 1 (p. 12), réalisez l'abécédaire de votre ville idéale.
Exemple : *A → Alimentation (variée) ;*
B → Bars (ouverts tard le soir) ;
C → Climat (méditerranéen), etc.

Rendre compte d'un classement `p. 156`

2. Relisez les formules utilisées par le journaliste pour présenter et justifier la position des villes dans le classement (doc. 2 et act. 6b. p. 13). Classez-les dans la colonne qui correspond.

Indiquer le résultat d'un classement	Expliquer les résultats d'un classement
se placer deuxième (devant) ; …	prendre en compte des critères ; …

Mettre en garde à propos d'un phénomène de société `p. 157`

3. 🎧 📻008 **Par deux.** Réécoutez ces extraits de l'émission de RFI (doc. 3 et act. 10c. p. 13). Complétez avec les autres expressions utilisées par Hervé Hayraud pour mettre en garde les auditeurs à propos des risques de l'expatriation spontanée.

Évidemment, tout n'est pas toujours rose.
Il faut faire attention quand on part comme ça.
…

Donner des informations sur un logement et sur ses équipements `p. 157`

4. Par deux.

a. Classez les éléments dans la colonne qui correspond (act. 6a. p. 14).
une chambre • un frigo • une terrasse • un bureau • une salle d'eau • un lave-vaisselle • un lave-linge • un sèche-linge • un four • le terrain • la superficie • un congélateur • un séjour avec cheminée • un micro-ondes • une cuisine aménagée • un salon • une salle à manger • un balcon

Le logement	Les équipements
une chambre ; …	un frigo ; …

b. Associez. Plusieurs réponses sont possibles.
1. C'est une petite maison
2. Il y a une salle à manger
3. La chambre principale est à l'étage
4. C'est un petit balcon
5. Il y a une petite chambre

a. avec accès à une grande terrasse.
b. qui peut servir de bureau.
c. avec accès au balcon.
d. donnant sur le stationnement privé.
e. avec trois belles pièces.

Échanger des précisions et des informations pratiques au téléphone `p. 157`

5. Observez (act. 10 p. 15).

Apporter une précision
J'ai oublié de vous dire que…

Demander la confirmation d'une information
Vous êtes sûre que… ?

Confirmer une information
Certaine ! Oui, tout à fait.

Rassurer
Ne vous inquiétez pas…

Formuler une demande polie
Pourriez-vous… ?
Je voulais vous demander…

S'assurer que l'on a bien compris
Vous voulez dire une supérette ?

Rappeler quelque chose à quelqu'un
N'oubliez pas qu'il n'y a pas de transports en commun.

LEÇON

3 Vivre une ville

- Caractériser un lieu
  ▸ Doc. 1
- Donner des conseils /
  Décrire une situation
  hypothétique ▸ Doc. 2
- Parler de ses liens avec
  une ville ▸ Doc. 3

document 1

Le 13e arrondissement de Paris vu par une journaliste américaine « *in love* » !

1970 qui n'étaient pas particulièrement belles », ou encore la station F, le projet du plus grand campus de start-up au monde dans la vieille Halle Freyssinet.

Mais c'est plus particulièrement la Butte-aux-Cailles, « un village avec une âme » où elle habite, qui intéresse la journaliste, parce qu'« il y a des petits bistrots sans chichi, un marché alimentaire authentique boulevard Blanqui et pas de touristes, pas de grandes marques ».

Dans son article, Mary raconte une de ses expériences avec ses yeux d'Américaine… La journaliste se rend à la nouvelle piscine nordique en extérieur de la Butte-aux-Cailles « par une soirée glaciale d'octobre ». Mary « nage sur le dos dans l'eau bleu turquoise ». L'Américaine en maillot de bain aperçoit « à travers les fenêtres d'appartements voisins les habitants en train de cuisiner en buvant un verre » ! Le bonheur absolu à Paris ! *So french* !

Mary Winston Nicklin est journaliste free-lance au *Washington Post*, l'un des plus grands quotidiens américains. Elle vient de consacrer, dans la section Voyage, deux pages au 13e, « un arrondissement méconnu », selon elle.

« **P**our moi, le 13e, c'est le quartier de l'innovation ! » justifie Mary Winston Nicklin, diplômée de Harvard, installée avec son mari 100 % français et deux bambins de 4 et 6 ans. Elle cite les vingt-huit fresques géantes de street art sur les « façades des immeubles des années

 Ses coups de cœur dans le quartier

– La piscine nordique de la Butte-aux-Cailles, ouverte en hiver, l'une des plus anciennes de Paris.
– Le marché alimentaire du boulevard Auguste-Blanqui.
– Son bistrot préféré : *La Butte aux Piafs*, un petit bistrot « sans chichi », ses plats végétariens et son meilleur burger coiffé d'avocat.
– Le quartier chinois et plus particulièrement son restaurant à raviolis : *Les Délices de Shandong*.

24

1. Lisez le titre de cet article du journal *Le Parisien* (doc. 1). Identifiez le thème de l'article.

2. Lisez l'article (doc. 1) et répondez.
  a. De qui parle-t-on ? Pourquoi ?
  b. Comment décrit-elle le 13e et son quartier préféré ?

3. Par deux. Lisez l'article.
  a. **Dites quels paragraphes :**
    1. présentent Mary Winston Nicklin ;
    2. caractérisent le 13e selon M. Winston Nicklin ;
    3. décrivent précisément ce lieu de vie ;
    4. racontent ce que M. Winston Nicklin a écrit dans son article du *Washington Post*.
  b. **Relevez comment M. Winston Nicklin décrit son quartier préféré.**
    ▸ | p. 22, n° 1 et p. 23, n° 1

4

En petits groupes. Échangez sur les lieux à découvrir dans votre quartier. Quelle « expérience » proposeriez-vous ?

document 2 🎧 009 et 010

5. 🎧)009 Écoutez la première partie de l'interview de Margarida (doc. 2) et répondez.
  a. Qu'est-ce qui a facilité son expatriation en France ?
  b. Pourquoi cette première expatriation a-t-elle changé sa vie ?
  c. Quelles difficultés a-t-elle rencontrées ?

6. 🎧)010 Par deux. Écoutez la deuxième partie de l'interview (doc. 2). Retrouvez à l'aide des éléments ci-dessous ce qui plaît à Margarida et ce qui lui manque en France.
  le mode de vie • le climat • les horaires de travail • la vie de famille • la politesse • les soirées chez les gens

7. **010** Par deux. Réécoutez la deuxième partie de l'interview (doc. 2). Relevez les conseils de Margarida.

▸ **p. 22, n° 2 et 3**

8

En petits groupes. Échangez. Quelles difficultés d'adaptation pourrait rencontrer un expatrié dans votre ville ou pays ? Pourquoi ? Et vous, qu'est-ce qui pourrait vous manquer le plus ?

9. Observez cette page internet (doc. 3).

a. Répondez.
1. Quel est le nom du journal ? De quelle ville parle-t-on ?
2. Quel est le nom de la rubrique ?
   Quelle est sa particularité ?

b. Identifiez les quatre thématiques des témoignages.

10. Lisez les témoignages (doc. 3) et répondez.
a. Pourquoi Séverine et Guillaume sont-ils liés à leur ville ?
b. Quelle opinion partagent-ils ? Quels sentiments ? Quelles impressions ?

▸ **p. 23, n° 2**

11. En petits groupes. Relisez la thématique « Peut mieux faire » (doc. 3).
a. Retrouvez les propositions de Séverine et Guillaume. Comment sont-elles formulées ?
b. Selon vous, quelles propositions sont les plus intéressantes ? Pourquoi ?

▸ **p. 22, n° 4**

---

document 3

http://www.lyonne.fr

L'YONNE
RÉPUBLICAINE

À LA UNE | VIE LOCALE | SPORTS | LOISIRS | ÉCONOMIE

C'est vous qui le dites

Chaque jeudi, un(e) Sénonais(e) raconte sa ville, ce qu'il/elle apprécie, ce qu'il/elle aimerait changer.

« La ville de Sens a un gros potentiel »

Né à Sens il y a 31 ans, Guillaume Huot y a fait presque toute sa scolarité.

1. Premier regard. « J'ai le souvenir d'une petite ville dynamique commercialement. Quand je rentrais de l'école, il y avait toujours du monde dans la Grande-Rue. »

2. Regard actuel. « La ville me semble plus triste aujourd'hui. Il y a moins de commerces indépendants. Économiquement, la ville a un gros potentiel qui ne me semble pas complètement exploité. Sens a des atouts, elle est notamment très bien située. »

3. J'aime. / Je n'aime pas. « J'aime les maisons de caractère qui sont cachées partout dans Sens. Je n'aime pas ce centre-ville qu'on laisse mourir, avec ces zones en périphérie. C'est dommage de n'installer que des banques et des assurances dans ce beau centre-ville. »

4. Peut mieux faire. « Il faudrait aménager un port au bord de l'Yonne pour accueillir les plaisanciers. Il faudrait améliorer la communication, l'image de la ville à l'extérieur. On pourrait mettre en avant les points positifs : le patrimoine, les activités culturelles, les clubs sportifs... »

« Je suis amoureuse de Sens »

Séverine Beaucher est née à Sens. Elle a passé son enfance en région parisienne, avant de revenir vivre à Sens, à l'âge de dix ans.

1. Premier regard. « J'ai passé toutes les vacances scolaires chez mes grands-parents. Ils m'ont fait aimer la ville. »

2. Regard actuel. « Je suis amoureuse de ma ville. J'aime particulièrement le centre-ville. C'est une ville qui bouge, qui organise de belles expositions. »

3. J'aime. / Je n'aime pas. « Je suis très attachée au centre-ville, aux animations, à la vie culturelle de Sens. Sens a une âme, une histoire. J'ai été très peinée par la fermeture de nos deux cinémas de centre-ville. Le Rex, le Vox avaient une âme. »

4. Peut mieux faire. « Je voudrais voir revivre le centre-ville. Le kiosque à musique mériterait d'être rénové. »

À NOUS

12. Nous agissons pour notre ville.

En petits groupes.

a. À la manière du doc. 3, exprimez votre point de vue sur la ville où vous étudiez le français.
   Faites des propositions pour améliorer ce lieu de vie.
   Respectez le plan suivant : premier regard ; regard actuel ; j'aime / je n'aime pas ; peut mieux faire.

b. Partagez votre témoignage sur un site à destination de francophones qui s'intéressent à votre ville.

LEÇON

4 Invitation au voyage

■ Décrire des souvenirs
► Doc. 1
■ Décrire son arrivée dans une ville étrangère
► Doc. 2

1. Observez ce visuel (doc. 1). Faites des hypothèses sur ce que propose l'association Les Voix d'Ici.

2. Lisez la présentation de l'association Les Voix d'Ici (doc. 1). Vérifiez vos hypothèses.

3. Par deux. Regardez la vidéo (doc. 1). Listez un maximum de lieux de la vidéo.

4. En petits groupes. Regardez à nouveau la vidéo (doc. 1). Complétez avec les extraits des témoignages des habitants.

Dans cette vidéo, les habitants…
a. partagent des informations
   (Exemple : *BMC, ça (ne) vous dit rien ? Mais si, le textile, une énorme usine.*) ;
b. racontent des histoires personnelles, des souvenirs (Exemple : *C'était mon école.*) ;
c. donnent des conseils
   (Exemple : *Même si on (ne) connaît personne, on s'infiltre, on discute avec les gens.*) ;
d. parlent de leurs coups de cœur.

5

En petits groupes. Échangez. Que pensez-vous de l'audioguide proposé par l'association Les Voix d'Ici ? Si vous réalisiez un audioguide sur votre ville, que partageriez-vous : des informations pratiques, des souvenirs, des conseils, des coups de cœur ?

6. Lisez le résumé du roman *Un brillant avenir* (doc. 2) et répondez.
a. À votre avis, quels sont les thèmes principaux de ce roman ?
b. Quel est le temps utilisé dans le résumé ? À votre avis, pourquoi ?
c. Ce résumé vous donne-t-il envie de lire le roman ? Pourquoi ?

document **1** ▶ Vidéo n° 1

Vivre la ville

NE VOUS CONTENTEZ PAS DE VOIR LA VILLE, VIVEZ-LA !

Les Voix d'Ici est une association qui vous invite à découvrir la ville comme vous ne l'avez jamais vue. Casque sur les oreilles, vous entrez dans l'intimité de la ville avec un audioguide hors du commun. Ici, ce sont les habitants qui vous guident. Au son de leurs voix, au fil de leurs histoires, de leurs souvenirs et de leur perception des lieux, la ville s'anime et devient le terrain d'une balade sonore sensible et humaine.

7. Par deux. Lisez l'extrait (doc. 2) et répondez.
a. Qui sont les trois femmes présentes dans cet extrait ? Où sont-elles ? Pour quelles raisons ? Faites des hypothèses à partir du résumé que vous avez lu.
b. Que décrit l'auteure dans cet extrait ?

8. Vrai ou faux ? Relisez l'extrait (doc. 2) et répondez. Justifiez vos réponses.
a. Helen est déjà venue à Paris.
b. Helen, Marie et Camille ont réservé une chambre d'hôtel.
c. Leur hébergement est très parisien.

► p. 22, n° 5 et p. 23, n° 3

document **2**

Livres

Un brillant avenir *est un roman de Catherine Cusset publié en 2008 aux éditions Gallimard et lauréat du prix Goncourt des lycéens la même année.*

Catherine Cusset
Un brillant avenir

folio

Résumé

En 1958, contre l'avis de ses parents, Elena Tiberescu épouse Jacob Steinovici et réalise son rêve : quitter la Roumanie et émigrer aux États-Unis. Elle s'y fait appeler Helen et commence une nouvelle vie. Vingt ans plus tard, elle doit faire face à l'indépendance de son fils Alexandru, qui épouse Marie, une Française. Compte-t-il partir à son tour ?

Extrait

Helen attache la ceinture de Camille pendant que Marie met les valises dans le coffre, et le taxi roule vers Paris. Helen regarde par les vitres se succéder les champs, les pavillons avec leurs jardinets, les entrepôts, les usines et les tours. Elle ne reconnaît rien. Camille s'endort contre elle, petite boule chaude. Elle caresse les cheveux soyeux de l'enfant. Ses paupières se ferment. Quand elle rouvre les yeux, le taxi atteint déjà le périphérique. Un grand panneau indique « Paris ».

« On est à Paris, Helen. À partir de maintenant, on parle français ! dit Marie.

– On verra, répond prudemment Helen.

– Je suis sûre que vous pouvez parler. C'est juste une question de confiance et de pratique. Il faut vous lancer ! »

Paris, avec ses avenues bordées d'immeubles haussmanniens, lui semble déjà plus familier. Le taxi tourne dans une petite rue dont elle n'a pas le temps de déchiffrer le nom sur la plaque bleue et s'arrête devant une porte cochère. Helen sait qu'elles se trouvent dans le XVᵉ arrondissement, près de La Motte-Picquet, pas loin de l'hôtel où elle a séjourné en 1968. […]

La pièce où elles pénètrent est spacieuse, lumineuse, pleine de plantes vertes. Avec son haut plafond dans lequel sont percées des ouvertures créant des puits de lumière, on dirait presque un loft new-yorkais.

« C'est drôle d'arriver dans une maison inconnue dont les habitants sont partis le matin, dit Marie. On a l'impression d'être Boucle d'Or entrant dans la cabane des trois ours. » […]

Au premier étage, elles découvrent trois chambres et une salle de bains. Elles défont leurs valises, puis se rendent au supermarché. Helen est si fatiguée que l'aller-retour lui semble être une expédition. […]

« C'est toujours dur, le premier jour, explique Marie. On est fatigué. Il n'y a rien d'autre à faire qu'attendre le lendemain. »

Extrait d'*Un brillant avenir*, Catherine Cusset © Éditions Gallimard.

– 42 –

9

En petits groupes. Que pensez-vous des affirmations suivantes ?

a. « Je suis sûre que vous pouvez parler [français]. C'est juste une question de confiance et de pratique. Il faut vous lancer ! »

b. « C'est toujours dur, le premier jour [dans un autre pays]. On est fatigué. Il n'y a rien d'autre à faire qu'attendre le lendemain. »

À NOUS

10. Nous imaginons notre arrivée dans une ville étrangère.
En petits groupes.

a. À la manière de Catherine Cusset (doc. 2), rédigez un court extrait pour décrire votre arrivée dans une ville étrangère.

b. Dans votre extrait, chacun des membres de votre groupe est « représenté » par un personnage de votre roman.

c. Pour rédiger votre extrait, vous allez :
   – caractériser le lieu dans lequel vous arrivez ;
   – donner des précisions sur ce lieu.

d. Affichez vos extraits dans la classe.

e. Votez pour vos extraits préférés.

FOCUS LANGUE

Grammaire

La place de l'adjectif pour caractériser un lieu de vie · p. 158 et p. 205

1. Par deux. Relisez l'article du journal *Le Parisien* (doc. 1 p. 18).

a. Relevez les adjectifs utilisés par le journaliste et par Mary Winston Nicklin pour caractériser (act. 3 p. 18) :
1. le 13e arrondissement ;
2. les fresques de street-art ;
3. le projet du campus de start-up ;
4. le marché ;
5. la piscine de la Butte-aux-Cailles ;
6. l'eau de la piscine ;
7. une soirée à la piscine de la Butte-aux-Cailles ;
8. le bistrot *La Butte aux Piafs*.

b. Complétez les tableaux avec ces adjectifs.

Devant le nom	
Nombres (numéraux et ordinaux)	le **treizième** arrondissement ; **deux** bambins
Adjectifs habituellement placés devant le nom	la **nouvelle** piscine ; …

Après le nom	
Adjectifs de couleur	…
Adjectifs de nationalité	son mari 100 % **français** ; une journaliste **américaine**
Adjectifs généralement placés après le nom	…

Le conditionnel présent (2) pour donner des conseils · p. 158 et p. 210

2. Relisez les conseils que donne Margarida (act. 7 p. 19).

a. Observez les structures utilisées pour formuler ces conseils et complétez (act. 7 p. 19).

Pour donner des conseils, j'utilise faire mieux *de*, … *de*, et … au **conditionnel présent** + <u>verbe à l'infinitif</u>.

b. Quels conseils donneriez-vous à une personne qui souhaite vivre dans votre pays ?

Le conditionnel présent (2) pour décrire une situation hypothétique · p. 158 et p. 212

3. Par deux. Lisez les trois questions posées à Margarida (doc. 2 p. 18 et act. 7 p. 19) et complétez.

Si on te demandait de résumer ton expatriation en France en quelques mots, que dirais-tu ?
Si tu pouvais ramener quelque chose d'Espagne pour le mettre à Paris, ce serait quoi ?
Et notre dernière question… Si tu pouvais t'installer définitivement en France, le ferais-tu ?

Pour décrire une situation hypothétique, j'utilise *si* + … + …

! Après *si*, le mode utilisé est toujours l'**indicatif**.

Le conditionnel présent (2) pour faire des propositions · p. 158 et p. 210

4. Par deux. Relisez les propositions de Séverine et Guillaume (act. 11 p. 19).

a. Pour chacune de ces propositions, identifiez la structure utilisée.
Exemple : *On pourrait mettre en avant les points positifs : le patrimoine, les activités culturelles, les clubs sportifs …* → pouvoir *au conditionnel présent + verbe à l'infinitif présent*.

b. À l'aide de ces structures, faites trois propositions pour améliorer le tourisme dans votre ville.

Les pronoms *où* (1) et *dont* pour donner des précisions sur un lieu · p. 159 et p. 201

5. a. Relisez ces extraits du roman *Un brillant avenir* (doc. 2 p. 21 et act. 8 p. 20).
Helen sait qu'elles se trouvent dans le 15e arrondissement […], pas loin de l'hôtel **où** elle a séjourné en 1968. […] La pièce **où** elles pénètrent est spacieuse, lumineuse, pleine de plantes vertes.
« C'est drôle d'arriver dans une maison inconnue **dont** les habitants sont partis le matin », dit Marie.

b. À quoi sert le pronom relatif *où* ? Que remplace le pronom relatif *dont* ? Justifiez à l'aide des extraits.

Mots et expressions

Caractériser un lieu de vie
p. 159

1. **Par deux.** Observez et complétez avec d'autres expressions pour caractériser un lieu de vie (act. 3 p. 18).

un arrondissement méconnu   un marché authentique   une nouvelle piscine

un petit bistrot sans chichi   le quartier de l'innovation   un village avec une âme

Exprimer des sentiments (1) par rapport à une ville
p. 159

2. Relisez ces extraits des témoignages de Guillaume et Séverine (doc. 3 et act. 10b p. 19).

Je suis **amoureuse de** ma ville.

La ville **me semble** plus triste aujourd'hui.

J'aime particulièrement le centre-ville.

Je suis **très attachée au** centre-ville, **aux** animations, **à la** vie culturelle.

J'ai le souvenir d'une petite ville dynamique commercialement.

C'est dommage de n'installer que des banques et des assurances dans ce beau centre-ville.

J'ai été très peinée par la fermeture de nos deux cinémas de centre-ville.

a. Classez-les dans la colonne qui correspond.

impressions et sentiments positifs	impressions et sentiments négatifs
Je suis amoureuse de ma ville. …	…

b. Pensez à votre ville. Quels sont vos sentiments et impressions par rapport à cette ville ? Pourquoi ?

Décrire son arrivée dans une ville étrangère

3. **Par deux.** Associez ces éléments caractéristiques de la ville et de la banlieue de Paris (doc. 2 p. 21 et act. 8 p. 20) à leur illustration.

le périphérique • les pavillons avec leurs jardinets • les avenues bordées d'immeubles haussmanniens • les champs • le nom de la rue sur la plaque bleue • les entrepôts, les usines et les tours

Sons et intonation
▶ p. 159 et p. 199

Les marques du français familier à l'oral

4. a. 🎧 ▶)011 **Par deux.** Écoutez et dites si ces phrases sont du registre familier ou standard. Justifiez.

Exemple : *Ça ne vous dit rien ?* → *Registre familier (le « ne » de la négation n'est pas prononcé).*

b. Regardez la transcription (livret p. 4) et prononcez ces phrases des deux manières (familière et standard).

Lire un texte à voix haute

DU 2 AU 31 JANVIER 2017,

RACONTEZ LA PHOTO DE VOTRE EXPÉRIENCE À L'ÉTRANGER !

LES MEILLEURES PUBLICATIONS SERONT RÉCOMPENSÉES

DÉCOUVREZ **LES GAGNANTS** DE NOTRE CONCOURS PHOTO #UNPAYSOUJAIAPPRIS

1ER PRIX

la tengo AIRFRANCE decouvrirlemonde.jeunes.gouv.fr

MINISTÈRE DE L'ÉDUCATION NATIONALE

 Jeunes.gouv.fr | Un pays où j'ai appris et qui m'a changée... le Japon et surtout Kyoto.

« Ici, j'ai appris à apprécier la beauté du monde qui nous entoure. Mais ce pays et surtout ses habitants m'ont enseigné à garder mes yeux d'enfant et mon émerveillement quotidien. […]

J'aime me balader dans les rues de Kyoto, apprécier les traditions présentes à chaque coin de rue, mais également admirer ce que la nature a de plus beau au fil des saisons. Kyoto est magique, cette ville a le pouvoir de vous transporter dans des temps lointains.

Cette photo que j'ai choisie le prouve. J'habite tout près de cet endroit, qui chaque jour est bondé de touristes qui souhaitent découvrir les charmes de l'ancienne capitale impériale. Mais le soleil couché, Kyoto est à moi, rien qu'à moi, je passe et repasse dans ces ruelles silencieuses et sombres. […] »

Extrait du témoignage de Sophiou Nioufok (1er prix du concours).

1. Observez l'affiche. Identifiez le thème du concours et comment participer.

2. Par deux. Lisez le témoignage de Sophiou Nioufok à voix haute, à tour de rôle.

3. En petits groupes. Répondez.
   a. Quels sont les mots qu'on ne peut jamais séparer à la lecture ?
      Exemple : *le pronom personnel sujet et le verbe → Je passe dans ces ruelles...*
   b. Quelles sont les liaisons interdites ?
      Exemple : *devant un h aspiré → C'est un héros !*

4. Par deux. Relisez le témoignage à voix haute et enregistrez-le avec votre téléphone. À l'aide de la grille ci-dessous, évaluez ensuite votre lecture.

Bien lire à haute voix		
Indicateurs de réussite	🙂	🙁
Bien articuler.		
Respecter la ponctuation.		
Lire ni trop vite, ni trop lentement.		
Ne pas faire de pauses au milieu d'un groupe de mots.		
Transmettre les émotions ressenties (joie, colère, étonnement, etc.).		

5. 🎧012 Écoutez le texte lu par une enseignante de français. Comparez avec votre enregistrement.

Apprenons ensemble

6. En petits groupes. Lisez la question de sonia5 et la réponse postée sur le forum. Répondez.
   a. Que pensez-vous de cette réponse ?
   b. Quelles sont vos techniques et ressources pour améliorer votre compréhension et votre expression orale ?

Forum   Communauté

 sonia5

Salut tout le monde !
J'ai un problème à l'oral… Je sais bien écrire et lire mais j'ai quelques difficultés à l'oral 🙁. Comment m'améliorer ?
Merci !

 cyrano

Salut,
Est-ce que tu as des difficultés de compréhension ou d'expression orale ?
Si tu t'exerces seule, pour la compréhension : essaie les DVD en français sous-titrés et les séries françaises !
Si tu as l'occasion de pratiquer avec des francophones, c'est encore mieux 🙂.
Bon courage.

Projet de classe

Nous présentons les villes où nous aimerions vivre : nous expliquons les raisons de notre choix et décrivons le quartier de nos rêves.

http://www.blogexpatriation.com/destinations

blogexpatriation.com

Accueil ↩

Destinations d'expatriés

Destinations d'expatriés : travailler à l'étranger et s'expatrier en famille, meilleurs pays pour vivre à l'étranger, meilleures destinations pour s'expatrier, familles expat, expat solo ou en couple, pays les plus accueillants, découverte des destinations préférées des expatriés, blog expat (http://www.blogexpatriation.com/destinations) avec conseils, guide avant de s'expatrier, où s'expatrier quand on parle français, s'expatrier au soleil, classement des meilleurs pays…

DESTINATIONS EXPAT

Madagascar, l'île des lémuriens

★★★★☆

Destination touristique de prédilection pour de nombreux Occidentaux, la Grande Île compte de multiples attraits si vous êtes en manque de…

Lire la suite

DESTINATIONS EXPAT

L'île Maurice, destination de rêve pour s'expatrier

★★★★★

Vous voulez vous installer sur un bout de terre au milieu de l'océan Indien ? Vous savez parler français…

Lire la suite

DESTINATIONS EXPAT

La Nouvelle-Calédonie, un paradis où s'expatrier ?

★★★★☆

Vivre en Nouvelle-Calédonie fait rêver beaucoup de Français ou d'étrangers…

Lire la suite

En petits groupes.

1. Observez cette page du blog expatriation.com. Que propose ce blog ? Que pensez-vous des destinations proposées ? Quels critères de sélection sont les plus importants pour vous : climat, emploi, coût de la vie, situation géographique… ?

2. Rédigez une courte présentation de votre ville préférée.

3. Qu'est-ce qui motiverait votre expatriation ? Précisez votre profil d'expatrié. Indiquez vos souhaits, vos intentions, vos ambitions.

4. Faites des recherches sur votre ville pour préciser le type de quartier où vous habiteriez. Quel logement choisiriez-vous si vous habitiez dans ce quartier ? Décrivez-le.

Exemple : *Si nous partions vivre à Montréal, nous choisirions d'habiter dans le quartier d'Outremont. Nous préférerions un appartement à proximité de tous les services.*

5. Choisissez un mode de présentation (affiche, vidéo, blog, etc.). Pensez à utiliser des photos de la ville, des plans, etc.

6. Lisez votre présentation à la classe. N'oubliez pas les indicateurs de réussite (activité 4 page 24).

Projet ouvert sur le monde

▶ 📖 GP

Nous créons un support original pour présenter notre ville aux francophones qui souhaiteraient s'y expatrier.

I Compréhension des écrits

Vous allez partir quelques jours en vacances dans le sud-ouest de la France et vous cherchez un logement (appartement ou maison) pouvant accueillir **quatre personnes**.

Vous souhaitez que votre logement soit **en centre-ville** pour profiter de la vie nocturne. Il doit aussi être **proche des attractions culturelles**. Vous voulez qu'il y ait **un balcon ou une terrasse**. Enfin, le prix ne doit pas dépasser **70 € la nuit**.

Vous regardez sur Internet quelle annonce correspond à vos besoins.

http://www.locations.com

Annonce 1

Appartement neuf avec une chambre (deux lits séparés) et une salle de bains. Possibilité de couchage dans le salon (canapé-lit deux places). L'appartement se trouve à 20 minutes du centre-ville en voiture et les transports en commun sont fréquents. Les musées et lieux de visite sont à environ 30 minutes. L'appartement dispose d'une terrasse avec un salon de jardin.

69 € / nuit (2 nuits minimum)

Annonce 2

Situé sur la place principale, en centre-ville, vous pourrez profiter des nombreux cafés, restaurants et salles de concert. À pied ou en bus, vous pourrez facilement visiter les musées et monuments historiques. L'appartement est un studio (2 personnes max.) lumineux et calme. Il dispose d'une salle de douche avec WC et d'un coin cuisine. Le petit balcon donne sur le jardin de la résidence et non sur la rue.

50 € / nuit

Annonce 3

Vous recherchez un appartement à la fois calme et situé au cœur de la ville ? Ne cherchez plus ! Cet appartement en plein centre-ville se trouve dans une rue très calme. Les deux chambres disposent chacune d'un balcon et donnent sur une rue piétonne. De cet appartement, vous pouvez facilement rejoindre tous les musées et les monuments de la ville. Commerces, cafés, restaurants, magasins sont à proximité et il y a un marché de fruits et légumes le vendredi matin.

6 personnes max. **70 €** / nuit

Annonce 4

Bel appartement de quatre pièces (8 personnes) situé près de la gare, au cœur de la ville. L'appartement ne dispose pas de balcon mais il y a un petit jardin intérieur pour les résidents de l'immeuble. Les musées et monuments du centre historique sont accessibles uniquement à vélo ou à pied et sont très proches de l'appartement.

87 € / nuit

1. Dans le tableau ci-dessous, indiquez si le critère est respecté ou non.

	Annonce 1		Annonce 2		Annonce 3		Annonce 4	
	OUI	NON	OUI	NON	OUI	NON	OUI	NON
Pour quatre personnes								
En centre-ville								
Proche des attractions culturelles								
Balcon ou terrasse								
Maximum 70 € / nuit								

2. Quelle annonce correspond à tous vos critères de choix ?

II Production écrite

Un de vos amis va bientôt partir s'installer dans un autre pays. Comme vous avez déjà vécu cette expérience, il vous demande des conseils. Vous lui décrivez votre arrivée dans la nouvelle ville et vous lui donnez quelques critères de sélection pour choisir son lieu d'habitation.
(160 mots minimum)

III Production orale

Exercice 1 Pour s'entraîner à la partie 1 de l'épreuve orale : l'entretien dirigé

Vous vous présentez, vous parlez de vous, de vos centres d'intérêt. Vous décrivez votre ville.

Exercice 2 Pour s'entraîner à la partie 2 de l'épreuve orale : l'exercice en interaction

Par deux. Pour vos prochaines vacances, vous souhaitez réserver un logement en centre-ville pour profiter de l'animation culturelle et de la vie nocturne. Votre ami(e) francophone préfère passer ses vacances à la campagne pour se reposer. Vous essayez de le / la faire changer d'avis.

Exercice 3 Pour s'entraîner à la partie 3 de l'épreuve orale : l'expression d'un point de vue

Dégagez le thème principal de ce sujet. Donnez ensuite votre opinion sous la forme d'un petit exposé de trois minutes environ.

Bordeaux en tête des villes de France où il fait bon vivre

Un institut de sondage vient de publier une étude sur les villes où il est agréable de vivre, pour définir un indice du bien-être en ville. Sur une liste de 15 grandes villes françaises choisies parmi les plus peuplées, Bordeaux est celle où la « qualité de vie » est estimée la meilleure aux yeux des Français : 80 % d'entre eux pensent que celle-ci y est satisfaisante (25 % la considérant même « très satisfaisante »). Nantes (76 %), Strasbourg (73 %) et Rennes (73 %) complètent ce podium.

Interrogés sur ce qui définit le mieux, selon eux, la « qualité de vie » dans une ville, les Français mettent principalement en avant trois types d'indicateurs : la pollution, la propreté, les espaces verts ou le calme. Mais ils accordent aussi de l'importance à la proximité de différents types d'équipements et de services : « commerces » et « transports » notamment.

D'après http://www.sudouest.fr

Nous nous installons dans un pays francophone

Le point sur... l'installation à l'étranger

1

a. Observez le forum et son titre. Quel est le sujet de la discussion ?

b. Lisez les messages. Identifiez les différents lieux proposés et répondez.
   1. Pouvez-vous situer ces lieux sur une carte du monde ?
   2. Lesquels sont illustrés par une photo ?
   3. Quels autres pays francophones connaissez-vous ?

c. En petits groupes. Échangez. Dans quel pays francophone aimeriez-vous vous installer ? Pourquoi ?

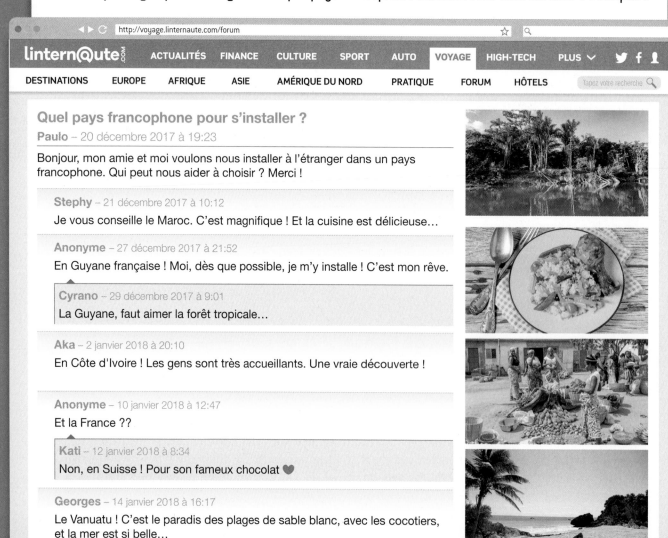

http://voyage.linternaute.com/forum

lintern@ute.com   ACTUALITÉS   FINANCE   CULTURE   SPORT   AUTO   VOYAGE   HIGH-TECH   PLUS ⌄

DESTINATIONS   EUROPE   AFRIQUE   ASIE   AMÉRIQUE DU NORD   PRATIQUE   FORUM   HÔTELS   Tapez votre recherche

Quel pays francophone pour s'installer ?

Paulo – 20 décembre 2017 à 19:23

Bonjour, mon amie et moi voulons nous installer à l'étranger dans un pays francophone. Qui peut nous aider à choisir ? Merci !

Stephy – 21 décembre 2017 à 10:12

Je vous conseille le Maroc. C'est magnifique ! Et la cuisine est délicieuse...

Anonyme – 27 décembre 2017 à 21:52

En Guyane française ! Moi, dès que possible, je m'y installe ! C'est mon rêve.

Cyrano – 29 décembre 2017 à 9:01

La Guyane, faut aimer la forêt tropicale...

Aka – 2 janvier 2018 à 20:10

En Côte d'Ivoire ! Les gens sont très accueillants. Une vraie découverte !

Anonyme – 10 janvier 2018 à 12:47

Et la France ??

Kati – 12 janvier 2018 à 8:34

Non, en Suisse ! Pour son fameux chocolat ♥

Georges – 14 janvier 2018 à 16:17

Le Vanuatu ! C'est le paradis des plages de sable blanc, avec les cocotiers, et la mer est si belle...

2

a. Observez cette couverture de magazine. Identifiez le nom du magazine et le thème de la couverture puis répondez.
  1. À qui s'adresse ce numéro ?
  2. S'agit-il du premier numéro sur ce thème ? Justifiez.

b. Lisez la couverture. Identifiez les domaines traités par le magazine pour parler de l'installation au Canada.

c. En petits groupes. Échangez. Quelles sont « les clés du succès » d'une installation dans un pays ? Faites des hypothèses sur :
  – les démarches à effectuer sur place ;
  – les problèmes que vous pourriez rencontrer ;
  – les aspects de la vie quotidienne qui pourraient vous étonner.

PROJETS

Un projet de classe

Créer un kit de survie pour nous installer dans un pays francophone.

Et un projet ouvert sur le monde

Rédiger un carnet d'étonnement.

Pour réaliser ces projets, nous allons apprendre à :

- ▶ exprimer des sentiments
- ▶ comprendre une réclamation
- ▶ résoudre un problème

- ▶ anticiper et gérer un problème de santé
- ▶ nous renseigner sur l'assurance maladie

- ▶ comprendre des formalités
- ▶ demander de l'aide
- ▶ comprendre un document administratif

- ▶ nuancer nos goûts et notre intérêt
- ▶ décrire des similitudes et des différences

Vidéo n° 2
Vivre en Belgique

LEÇON 1

Les problèmes du quotidien

- Exprimer des sentiments ► Doc. 1
- Comprendre une réclamation ► Doc. 2 et 3
- Résoudre un problème ► Doc. 4

---

document 1 🎧 013 et 014

1. 🎧◄►013 Écoutez la première partie de la conversation (doc. 1).

a. Identifiez le lieu et les circonstances de la rencontre.

b. Répondez.
1. De quoi parlent Zeina et Takashi ?
2. Quelle est l'impression générale de Takashi ?

2. 🎧◄►014 Par deux. Écoutez la deuxième partie de la conversation (doc. 1).

a. Selon Takashi, quelles sont les principales différences entre la vie en France et la vie au Japon ?

b. Retrouvez les différences :
– qui l'étonnent ;
– qu'il ne comprend pas.

c. Quelle difficulté Takashi évoque-t-il à la fin de la conversation ?

► | p. 34, n° 1 et p. 35, n° 1

3

En petits groupes. Selon vous, quels sentiments peuvent être provoqués par les différences culturelles ? Y a-t-il d'autres réactions possibles que celles évoquées par Takashi ? Décrivez-les.

---

document 2

1 Takashi KATO
37 rue de Jemmapes
59900 Lille
takato_12@yumail.com
Tél. fixe : 03 20 26 66 61
Réf. client : 4-J9WW-1234

2 Service Client TFR box et fibre
TSA 87103
69547 LYON CEDEX 8

3 Lille, le 8 décembre 2017

4 Objet : Réclamation : connexion Internet et facturation
(courrier recommandé avec avis de réception)

5.1 Madame, Monsieur,

5.2 Le 28 août 2017, j'ai souscrit à votre offre Box Fibre Starter pour un service d'Internet à très haut débit. Depuis cette date, j'ai dû téléphoner quatre fois au service client pour un dépannage, car ma connexion est régulièrement coupée. Le mois dernier, sachez que j'ai été privé d'Internet pendant plus de dix jours. Et depuis, ma connexion est particulièrement lente. Or, je viens de recevoir ma facture pour le mois de novembre et je constate que vous me comptez un mois de consommation normale.

5.3 Je suis très surpris ! Je n'ai pas bénéficié d'Internet pendant la totalité de cette période. Permettez-moi de vous dire que je suis très mécontent.

5.4 Je demande donc que vous me remboursiez la somme qui correspond à la période où je n'ai pas eu Internet. Je souhaite également que vous régliez définitivement mon problème de connexion et de débit. Sinon, je serai obligé de résilier notre contrat.

6 Veuillez agréer, Madame, Monsieur, mes sincères salutations.

7 Kato Takashi
加藤崇

document 3

Document qui accompagne les lettres recommandées avec avis de réception.

4. Observez la lettre (doc. 2) puis l'imprimé (doc. 3) et répondez.

a. Qui écrit ? À qui ? Quand ? Pour faire quoi ?

b. Comment l'expéditeur a-t-il envoyé sa lettre ? Pourquoi ?

5. Lisez la lettre (doc. 2).

a. Remettez dans l'ordre les éléments suivants.

la formule finale • le destinataire • le lieu et la date d'envoi • l'expression du sentiment • l'expéditeur • le rappel des engagements et la description du problème • la formule d'appel • l'objet de la lettre • la formulation de la réclamation • la signature

→ *1) l'expéditeur ; 2) …*

b. Relevez les problèmes rencontrés et les démarches effectuées avant l'écriture de ce courrier.

c. Que demande l'expéditeur de la lettre ?

6. Par deux. Relisez la lettre (doc. 2).

a. Quels sentiments exprime l'expéditeur ? Pourquoi ?

b. Retrouvez les formules d'insistance utilisées dans la lettre et complétez.

1. Insister sur un fait : *… j'ai été privé d'Internet pendant plus de dix jours.*

2. Insister sur un sentiment : *… je suis très mécontent.*

3. Insister sur une demande : *… vous me remboursiez ; … vous régliez définitivement mon problème.*

— ▶| p. 34, n° 2

7

En petits groupes. Comparez la démarche de Takashi avec les manières de faire une réclamation dans votre pays. Rédigeriez-vous une lettre dans cette situation ? Feriez-vous une autre démarche ? Laquelle ? Pourquoi ?

document 4   015 et 016

8. 015 Écoutez la première partie de la conversation (doc. 4). Identifiez la situation. Quel est le lien avec la lettre de réclamation (doc. 2) ?

9. 016 Écoutez la deuxième partie de la conversation (doc. 4) et répondez.

a. Quel est le problème avec la ligne de M. Kato ?

b. Que propose l'opératrice ?

10. 016 Par deux. Réécoutez la deuxième partie de la conversation (doc. 4).

a. Listez les différentes opérations effectuées pour essayer de régler le problème.

Exemple : *Éteindre et rallumer la box.*   ▶| p. 35, n° 2

b. Relevez comment l'opératrice et le client communiquent. Vérifiez avec la transcription (livret p. 5).

L'opératrice se montre à l'écoute : *Je vous informe que nous avons tenu compte de votre demande. …*	Le client écoute : *Je vous écoute.*
L'opératrice se montre compréhensive : …	Le client s'impatiente : …
L'opératrice cherche des alternatives : …	
L'opératrice remercie : …	Le client rappelle sa demande : …, *j'espère que vous allez régler ce problème.*
L'opératrice présente des excuses : …	

À NOUS

11. **Nous partageons des situations problématiques du quotidien vécues dans un pays étranger.**

En petits groupes.

a. Choisissez un thème.

les habitudes alimentaires • les rythmes de vie • le respect des règles • un problème pratique

b. Racontez une situation problématique autour de ce thème. Expliquez ce que vous avez ressenti, votre attitude, et comment vous avez réglé le problème.

c. Partagez avec la classe.

d. Votez pour les meilleures solutions.

LEÇON

2 Urgence !

- Anticiper et gérer un problème de santé
  ► Doc. 1 et 3
- Se renseigner sur l'assurance maladie
  ► Doc. 2

document **1** 🎧 017 et 018

http://www.sosmedecins-france.fr

SOS MÉDECINS FRANCE | ACCUEIL | PROFESSIONNELS | ACTUALITÉ | COMMISSIONS | SOS MÉDECINS

Pour nous joindre
COMPOSEZ LE
3624
(0.15€ / mn)
365 jours par an
24 heures sur 24

BIENVENUE SUR SOS MEDECINS FRANCE
1000 médecins présents 24h sur 24 !

S.O.S MEDECINS

1. Observez cette page Internet (doc. 1). Que propose SOS Médecins France ? Faites des hypothèses.

2. 🎧017 Écoutez la première partie de la conversation (doc. 1) et vérifiez vos hypothèses.
a. Qui sont les personnes qui parlent ?
b. Que veut la personne qui appelle ?
c. Pourquoi choisit-elle ce service ?

3. 🎧018 Par deux. Écoutez la deuxième partie de la conversation (doc. 1). Quel est le problème du malade ? Retrouvez les symptômes décrits pour chaque partie du corps.
la tête • le dos • le cœur • les jambes • la nuque • le visage
Exemple : la tête → *J'ai la tête qui tourne.*

► | p. 35, n°3

4. 🎧018 Par deux. Réécoutez la deuxième partie de la conversation (doc. 1).
a. Relevez la conséquence associée à chaque fait.
1. Je suis faible.
2. Mon cœur ne bat jamais aussi vite.
3. J'ai pris des vitamines et du paracétamol.
4. Je me sentais mieux.
5. J'étais pâle.

Exemple : Je suis faible. → Conséquence : *Je peux à peine me lever.*

► | p. 34, n°3

b. Quelle est la prescription du médecin ? Quelle carte demande-t-il au patient ? Quel document lui donne-t-il ? Pourquoi ?

5 📖

a. Par deux. Faites une recherche pour trouver les différents moyens de se soigner en urgence en France.
b. Partagez avec la classe.
c. Comparez avec votre pays.

document **2**

http://www.jechange.fr

jechange | Demandez-nous, on le fait pour vous.

Assurances | Finances | Énergie

Étrangers résidant en France : assurance maladie

La Sécurité sociale peut aussi protéger les personnes étrangères contre les risques liés à la maladie, au travail ou à la vieillesse. Mais les conditions d'accès varient selon le statut de la personne.

• Lors d'un séjour de moins de 3 mois, vous restez en principe couverts par l'assurance santé de votre pays d'origine. Ressortissants de l'Espace économique

6. Observez l'article (doc. 2). Identifiez le site et le public visé.

7. Par deux. Lisez l'article (doc. 2).

  a. Répondez.

  1. Quels risques sont couverts par la Sécurité sociale ?

  2. De quoi dépend la protection des personnes étrangères ?

  b. Dans chaque cas, qui rembourse les frais de santé et quelle(s) démarche(s) faut-il faire ? Complétez.

	Court séjour	Travail en France	Études en France (non Européens)
Couverture	…	…	Sécurité sociale française.
Démarches		S'affilier à la Sécurité sociale française. …	…
Exceptions	Ressortissants européens : …	…	

▶ p. 35, n° 4

En petits groupes.

  a. Identifiez les différentes possibilités de remboursement des soins pour des francophones qui viendraient dans votre pays.

  b. Faites la liste de ces différentes possibilités.

☆ 🔍

📞 **0800 811 911**   PARTICULIER ⬤ PROFESSIONNEL

Télécoms	Crédits	Autres services

européen, procurez-vous une carte européenne d'assurance maladie 2 semaines avant votre départ !

● Si vous travaillez en France, vous devez vous affilier à la Sécurité sociale française dans les 3 mois après votre arrivée et ouvrir un compte bancaire en France pour percevoir vos remboursements. Les membres de votre famille seront aussi couverts. Exception : les ressortissants européens en mission pour moins de 24 mois continuent de bénéficier de l'assurance maladie de leur pays d'origine.

● Si vous étudiez en France en n'étant pas ressortissant européen, et si vous n'avez pas plus de 28 ans, vous devez vous affilier à la Sécurité sociale étudiante et payer une cotisation annuelle de 217 €.

document 3

http://www.routard.com   ☆ 🔍

routard.com   Vols   Hôtels   Voitures   Activités   Séjours
DESTINATIONS   INSPIRATIONS   FORUMS   PHOTOS

Forums de voyage > Forum Voyages en famille > Santé et sécurité en famille

Attention ! Soins à l'étranger

Anna   08/02/2018 à 10:29
Bonjour,
J'ai vécu une expérience désagréable en Islande. Voilà pourquoi je la partage ici. J'espère qu'elle pourra servir ! L'été dernier, j'ai dû consulter un médecin là-bas. L'Islande est un pays cher. C'est la raison pour laquelle je m'attendais à un tarif élevé, mais pas à… 523 € ! L'Islande est un pays affilié à l'UE. Ainsi, avec la carte européenne d'assurance maladie, on est généralement couvert. Mais elle est valable 2 ans et la mienne était périmée depuis 3 mois ! Par conséquent, j'ai payé le prix fort ! La prochaine fois, je ferai attention…

Marco   09/02/2018 à 19:42
Bonjour Anna, merci ! Je pars aussi en Islande, donc je serai vigilant. Quelle mésaventure !

9. Observez le document 3 et identifiez le sujet de la discussion.

10. Lisez la discussion (doc. 3) et résumez le problème d'Anna. Pourquoi a-t-elle décidé de partager cette mauvaise expérience ?

11. Par deux. Relisez la discussion (doc. 3) et complétez.

Faits	→	Conséquences
Exemple : *Je pars aussi en Islande.*	→	*Je serai vigilant.*
…	→	Je décide de la partager ici.
L'Islande est un pays cher.	→	…
…	→	On est généralement couvert.
…	→	J'ai payé le prix fort !

▶ p. 34, n° 3

À NOUS

12. Nous réalisons un aide-mémoire pour gérer un problème de santé en France.

En petits groupes.

  a. Chaque groupe choisit un thème :
  – comment trouver un médecin en urgence (activité 5) ;
  – comment se faire rembourser les frais médicaux ;
  – comment décrire des symptômes.

  b. Pour chaque thème, recherchez les informations et les formulations utiles.

  c. Mettez en commun. Réalisez un aide-mémoire pour gérer un problème de santé en France.

FOCUS LANGUE

Grammaire

Le subjonctif pour exprimer des sentiments liés au quotidien
▶ p. 160 et p. 210

1. 🎧 ▶019 **Par deux. Écoutez ces extraits de la conversation entre Zeina et Takashi (doc. 1 et act. 2 p. 30).**

a. Complétez le tableau avec les structures utilisées. Aidez-vous de la transcription (livret p. 6).

Je peux exprimer des sentiments avec :			
un verbe		**un adjectif**	
Structure 1 :	Structure 2 :	Structure 3 :	Structure 4 :
Je **comprends** que tu sois un peu perturbé. Je …	… … **étonne** … on respecte aussi peu les règles.	J'ai été **surpris** que les gens aient autant de temps libre. Je …	… bizarre … ils ne restent pas après les cours.

b. Relevez les verbes au subjonctif.

c. Complétez avec les structures du tableau **a**.

Structure 1 :	*je*	**verbe** (indicatif)
Structure 2 :	…	
Structure 3 :	*j'ai été*	… **verbe** (subjonctif)
Structure 4 :	…	**adjectif**

d. Quelle est la fonction du subjonctif dans tous ces extraits ? Choisissez.
1. Parler d'un fait sur un mode objectif : ce qui est dit est réel.
2. Exprimer un fait sur un mode personnel : à travers un sentiment.

Les structures pour rédiger une lettre de réclamation
▶ p. 160

2. Par deux. Relisez vos réponses à l'activité 6b de la leçon 1 (p. 31).

a. Identifiez le mode (indicatif ou subjonctif) utilisé après chaque formule d'insistance.
Exemple : *Sachez que j'ai été privé d'Internet pendant plus de dix jours.* → *indicatif*

b. Associez chaque formule à l'une des fonctions suivantes.
1. Exprimer un fait sur un mode personnel : ce qui est dit n'est pas réel, mais on le veut.
2. Parler d'un fait sur un mode objectif : ce qui est dit est réel.

Exprimer une conséquence
▶ p. 161 et p. 216

3. Relisez vos réponses (doc. 1 p. 32, doc. 3 p. 33 et act. 4a p. 32 et 11 p. 33). Observez.

Pour exprimer la conséquence, j'utilise :				
des articulateurs	**des structures (exprimant une conséquence)**			
• alors, donc, du coup*, par conséquent**	a. J'étais	si	pâle	qu' on m'a dit de rentrer…
• voilà pourquoi, c'est pour ça que*, c'est la raison pour laquelle**	b. Je suis	tellement	faible	que je peux à peine me lever.
• ainsi**	c. Je suis même allé faire du sport tellement je me sentais mieux.*			

* à l'oral / ** à l'écrit

Mots et expressions

Exprimer des sentiments (2) liés au quotidien ▶ p. 160

1. 🎧 ▶020 **Écoutez ces extraits de la conversation entre Zeina et Takashi (doc. 1 et act. 2 p. 30). Repérez les formules qui expriment un sentiment et classez-les.**

L'étonnement / La surprise : *ça m'étonne* ; … ; … ; …
L'incompréhension : …
Le doute : … ; … ; …

Résoudre un problème avec Internet ▶ p. 160

2. **Observez et complétez avec d'autres expressions pour parler des problèmes avec Internet (act. 10 p. 31).**

Les éléments du matériel technique :
la box, le téléphone fixe, la ligne
Les problèmes avec la connexion Internet :
Le débit est lent. La ligne est endommagée.
Les signes pouvant indiquer un problème :
la tonalité du téléphone fixe, la couleur des voyants
Les manipulations pour vérifier :
éteindre et rallumer la box, appuyer sur / relâcher le bouton reset

Décrire les symptômes d'une maladie ▶ p. 161

3. **Par deux. Lisez ces extraits de la conversation avec SOS Médecins (doc. 1 et act. 3 p. 32).**

J'ai 40 de fièvre.
J'ai de la fièvre.
Je suis faible.
J'ai la tête qui tourne.
J'ai des courbatures dans le dos.
Vous avez des palpitations.

Vous avez mal ?
J'avais des frissons.
J'avais des douleurs aux jambes.
J'étais pâle.

a. **Classez ces expressions dans le tableau. Quels verbes sont utilisés ?**

Décrire des symptômes	
Avec le verbe …	Avec le verbe …
J'**ai** 40 de fièvre.	Je **suis** faible.
…	…

b. **Observez les extraits soulignés. Associez chaque partie du corps à l'expression qui correspond :** *tête, dos (x2), cœur, gorge, jambes (x2), nuque.*

J'ai des courbatures…	dans le dos ; …
J'avais des douleurs…	aux jambes ; … ; … ; … ; … ; …

c. **Observez les états suivants. Classez-les de l'état le moins bon au meilleur.**

de plus en plus mal • pas très bien • vraiment mieux • mal • pas bien du tout
→ *1. pas bien du tout, 2. …*

Comprendre le fonctionnement de l'assurance maladie ▶ p. 161

4. **Lisez ces extraits des documents de la leçon 2 (p. 32-33) et l'activité 7 p. 33. Classez les informations soulignées dans le tableau. (Attention : plusieurs réponses sont possibles.)**

Vous avez votre <u>carte Vitale</u> ?
Voilà votre <u>ordonnance</u>.
Vous restez en principe couverts par l'<u>assurance santé</u> de votre pays d'origine.
Procurez-vous une <u>carte européenne d'assurance maladie</u>.
Vous devez vous affilier à la <u>Sécurité sociale</u> française.

Système de soins français	Système de soins étranger
…	…

Expressions à utiliser pour parler de l'assurance maladie	
s'affilier **à** être couvert **par** bénéficier **de**	l'assurance maladie

Sons et intonation

L'expression du mécontentement – L'accent d'insistance

5. **Par deux. a.** 🎧 ▶021 **Écoutez et concentrez-vous sur l'intonation.**

b. **Notez les phrases et soulignez les syllabes accentuées. Comparez vos réponses.**

Exemple : *Il **faut** que vous trouviez une solution **ra**pidement !*

LEÇON 3 — Les démarches administratives

- Comprendre des formalités ▸ Doc. 1
- Demander de l'aide ▸ Doc. 2
- Comprendre un document administratif ▸ Doc. 3 et 4

---

document 1

http://www.immigrantquebec.com

IMMIGRANT >>QUÉBEC

VIVRE AU QUÉBEC

DÉCOUVRIR   IMMIGRER   ÉTUDIER   S'INSTALLER

Accueil > S'installer > Premiers jours au Québec >
Premières démarches administratives

Premières démarches administratives au Québec

1. Obtenir un numéro d'assurance sociale (NAS)

Ce numéro est indispensable pour travailler au Canada. Présentez-vous au Centre Service Canada proche de chez vous. Ne l'oubliez pas : faites-le dès votre arrivée.

2. Obtenir sa carte d'assurance maladie

Inscrivez-vous à la Régie de l'assurance maladie du Québec (RAMQ) pour obtenir votre carte Soleil. Attention, il y a 3 mois de carence pendant lesquels les frais de santé seront à votre charge.

3. Inscrire ses enfants à l'école

Rendez-vous à l'école de votre quartier pour faire une demande d'admission. Votre enfant passera un test de connaissance du français pour savoir s'il doit bénéficier d'un service de soutien ou d'apprentissage du français.

4. Obtenir un permis de conduire québécois

Adressez-vous à la Société de l'assurance automobile du Québec (SAAQ) pour obtenir votre immatriculation. Le coût annuel de l'immatriculation finance le régime public d'assurance automobile qui protège tous les usagers de la route, conducteurs ou pas.

📖 **1.** Observez cette page Internet (doc. 1). Identifiez les destinataires et l'objectif du site.

📖 **2.** Par deux. Lisez cette page Internet (doc. 1).

  a. Classez les démarches principales.
  1. Démarches pour s'enregistrer et être en règle : ...
  2. Démarches pour s'installer : *obtenir sa carte d'assurance maladie* ; ...

b. Relevez les démarches à effectuer et les instructions données pour chaque lieu indiqué.

Lieux	Démarches à effectuer	Instructions données
le Centre Service Canada	obtenir un NAS	présentez-vous au Centre Service Canada ; ...
la RAMQ	...	...
l'école de quartier	...	...
la SAAQ	...	...

▸ p. 40, n° 1

c. Associez chaque extrait à sa définition.
1. les 3 mois de carence
2. le service de soutien en français
3. le service d'apprentissage du français
4. le régime public d'assurance automobile

A. Une aide aux enfants qui ne parlent pas la langue.
B. Un système qui couvre les frais d'accidents de la route.
C. Une période d'attente où les frais médicaux ne sont pas couverts.
D. Une aide aux enfants qui parlent un peu la langue.

▸ p. 41, n° 1

3 ....

En petits groupes.

a. Faites une recherche sur les premières démarches à faire pour s'installer dans votre pays.

b. Comparez-les avec les démarches québécoises.

document 2 🎧 022

4. 🎧 022 Écoutez la conversation (doc. 2) et identifiez la situation. Quel est le sentiment général d'Irina ? Pourquoi ?

5. 🎧 022 Par deux. Réécoutez la conversation (doc. 2).

a. Quel est le problème d'Irina ? Quels documents lui demande-t-on ?

b. Relevez les difficultés :

- qui découragent Irina (exemple : *elle doit modifier sa carte de séjour*) ;
- qui la mettent en colère.

c. Décrivez l'attitude de son ami pour qu'elle se sente mieux.

▸ | p. 41, n° 2

6. Réécoutez (doc. 2).

a. Retrouvez qui parle :

1. « Est-ce qu'on peut se voir rapidement ? »
2. « Votre photo d'identité n'est pas bien cadrée. »
3. « Vous avez oublié la photocopie de votre passeport. »
4. « Ils la feront sur place. »
5. « Tout ira bien. »
6. « Vous pourrez le remplir chez vous. »

b. Quelles phrases ont été dites avant la conversation au café ? Pendant la conversation ? Aidez-vous de la transcription (livret p. 6).

▸ | p. 40, n° 2

7 💬

Comment réagissez-vous en général face à une difficulté ?

a. Par deux. Faites le profil psychologique de votre binôme. Notez ses sentiments et son attitude face à une difficulté du quotidien.

Exemple : *En général, il/elle est très patient(e). Face à une difficulté, il / elle reste calme.*

b. En groupe. Présentez vos profils et comparez-les.

document **3**

Olivier MOREAU 📞 📎 ⋮

Salut Olivier, ça va ? Tu peux me conseiller ?

Salut Xin, qu'est-ce qui se passe ?   17:22

Je renouvelle ma carte de séjour de 10 ans pour la 2ᵉ fois. Mais là, on me demande une déclaration sur l'honneur où je m'engage à respecter les principes de la République française. C'est nouveau. Tu peux m'aider ?

T'inquiète pas. Attends, je vais te trouver un modèle sur Internet.   17:25

Tiens :   📄 ⬇   17:32

Super ! Merci !

Quoi ? Des sanctions pénales ??!!

Si tu fais une fausse déclaration, tu risques 15 000 € d'amende et 1 an de prison.   18:03

document **4**

MODÈLE DE DÉCLARATION SUR L'HONNEUR

① (Coordonnées : prénom, nom, adresse)

② *Objet : déclaration sur l'honneur*

③ *Je soussigné(e) Madame / Mademoiselle / Monsieur* (prénom nom), *né(e) le* (date de naissance) *à* (commune de naissance) *et demeurant au* (adresse), *atteste sur l'honneur m'engager à respecter les principes de la République française.*

J'ai connaissance des sanctions pénales encourues par l'auteur d'une fausse déclaration.

Fait pour servir et valoir ce que de droit.

④ *Fait à ..., le ...*

⑤

📖 8. Lisez cette discussion WhatsApp (doc. 3). Identifiez le type de document dont Xin parle.

📖 9. Par deux. Relisez les messages (doc. 3).

a. Décrivez la situation de Xin et la difficulté qu'elle rencontre. Pourquoi écrit-elle à Olivier ?

b. Qu'est-ce qu'une lettre de déclaration sur l'honneur ? Que se passe-t-il si on fait une fausse déclaration ?

c. Lisez le modèle de déclaration type (doc. 4). Associez chaque partie (1 à 5) aux éléments ci-dessous.

objet de la lettre • expéditeur • signature • lieu et date de rédaction • formulation de la déclaration et reconnaissance des risques encourus

10 💬

En petits groupes. Échangez. La déclaration sur l'honneur existe-t-elle dans votre pays ? Êtes-vous surpris par cette démarche ?

À NOUS 🗣 ✏

11. **Nous réalisons une fiche-conseil pour gérer des démarches d'installation dans un pays francophone.**

a. En petits groupes :
- listez les difficultés qu'on peut rencontrer avec l'administration ;
- formulez des conseils pour chaque difficulté.

b. Mettez en commun avec la classe.

c. Choisissez les propositions les plus intéressantes et réalisez une fiche-conseil.

Fiche-conseil	
Difficultés administratives	Conseils pour les gérer
– Effectuer une démarche importante…	– Préparez-vous à l'avance.
– …	– Vérifiez…
	– …

LEÇON

4 Regards de Français à l'étranger

- Nuancer ses goûts et son intérêt ▸ Doc. 1
- Décrire des similitudes et des différences ▸ Doc. 2

document 1

Livres

POURQUOI TOKYO ?
Journal d'une aspirante Nipponne
Agathe Parmentier
AU DIABLE VAUVERT

1. se vanter de quelque chose : exagérer ses qualités à propos de quelque chose.
2. un manga : un style de bande dessinée ou de dessin animé japonais.
3. un haïku : un style de poème japonais.
4. un(e) *gaijin* : abréviation de *gaikokujin* (personne d'un pays extérieur), ce mot désigne une personne étrangère au Japon.
5. précaire : provisoire.
6. un cagibi : une très petite pièce pour ranger des affaires.

Extraits

Dimanche 1er juin 2014 :
Je ne vais pas me vanter[1] d'une passion historique pour le Japon. Je ne me suis jamais intéressée aux mangas[2] et je ne connais rien aux haïkus[3]. Comme tout le monde, j'aime beaucoup les sushis mais les amateurs de pizza ressentent-ils le besoin d'aller vivre en Italie ? Aujourd'hui, ça fait trois mois que je suis à Tokyo. Et je viens de laisser partir l'avion qui devait me ramener en France. […]

Samedi 22 novembre 2014 :
Neuf mois que je suis arrivée à Tokyo. Ma seule certitude, c'est que neuf mois, c'est trop court pour envisager de passer à autre chose. J'aime mon quotidien de *gaijin*[4] précaire[5] et il y a encore trop à voir et à faire. Je manque sûrement d'imagination, je ne vois pas comment être aussi heureuse ailleurs.
En fait, je crois que ce qui me manquerait le plus, c'est la nourriture. Toute française que je suis, je suis d'une grande tolérance en matière de bizarrerie alimentaire ; vivre au Japon me permet de tester quasi quotidiennement mes limites. […]

Mercredi 3 décembre 2014 :
Événement majeur de la semaine, j'ai reçu un courrier. À mon nom. Quand on est dans un pays qui n'est pas le sien et dont on parle la langue avec l'aisance d'un enfant de trois ans, recevoir une lettre, c'est un peu spécial. Ça donne l'impression d'être à sa place, intégré. Ne pas être en mesure de la lire, par contre, rappelle que cette place est peut-être au fond d'un cagibi[6] sombre.

Extrait de *Pourquoi Tokyo ?*, Agathe Parmentier.

1. Observez la couverture du livre (doc. 1).
   a. Identifiez le titre du livre et le nom de l'auteure.
   b. Faites des hypothèses sur le genre du livre et son contenu.

2. Par deux. Lisez les extraits du livre (doc. 1).
   a. Vérifiez vos hypothèses.
   b. Comment l'auteure organise-t-elle son récit ? Pourquoi ?

3. Par deux.

a. Relisez le premier extrait (doc. 1) et répondez.

1. Quelle contradiction Agathe met-elle en avant ?
2. À votre avis, pourquoi a-t-elle décidé de rester au Japon ?

b. Relisez les deux autres extraits (doc. 1) et donnez-leur un titre.

c. Relevez les aspects du Japon qui plaisent à l'auteure et ceux qui l'intéressent moins. Complétez.

Goût, intérêt pour…	Peu de goût, désintérêt pour…
les sushis ; …	le Japon ; …

▶ | p. 40, n° 3 et p. 41, n° 3

d. Répondez. Quel événement lui a donné le sentiment d'être intégrée ? Pourquoi ce sentiment n'a pas duré ?

En petits groupes.

a. Listez :

– ce que l'on peut décrire, raconter ou exprimer dans un journal de bord ;
Exemples : *décrire un lieu.*
– les thèmes qu'on peut aborder ;
Exemple : *la nourriture.*
– l'attitude face aux expériences.
Exemple : *être curieux.*

b. Mettez en commun vos observations.

c. Réalisez un mémo avec des conseils pour écrire un journal de bord.

document **2** ▶ Vidéo n° 2

Épisode 2 | **Les Français en Belgique** de Anne Sellès

5. Observez le document 2.

a. Identifiez l'auteure de la vidéo.

b. Quel est le thème de l'épisode 2 ?

6. Par deux. Regardez la vidéo (doc. 2) sans le son.

a. À votre avis, de quoi s'agit-il : un documentaire ? Une fiction ? Des portraits filmés ?

b. Relevez les indices qui montrent qu'on est à Bruxelles, en Belgique. À votre avis, l'auteure donne-t-elle une image positive de cette ville ? Pourquoi ?

c. Faites des hypothèses sur les personnes interviewées : qui sont-elles ? Que font-elles ? Qu'aiment-elles ?

7. En petits groupes. Regardez la vidéo (doc. 2) avec le son et vérifiez vos hypothèses.

8. Par deux. Regardez encore la vidéo (doc. 2) avec le son.

a. Identifiez l'impression générale des personnes.

b. Relevez les aspects de Bruxelles :

– qui les ont surprises ;
– qui les satisfont ;
– qui ne les satisfont pas.

c. Lisez les commentaires. Quels sont ceux qu'on entend et qu'on voit ? Quelles informations complémentaires sont données par les images ?

1. Le logement n'est pas cher à Bruxelles.
2. Il y a beaucoup d'activités culturelles à faire.
3. Les Belges font des blagues sur les Français.
4. L'art est aussi dans la rue.
5. La friterie Flagey est l'une des meilleures.
6. Chez Jean-Mich', c'est la meilleure friterie.

▶ | p. 41, n° 4

9. Visionnez la partie « Belges & Français ». Qu'est-ce qui caractérise les relations entre Belges et Français ? Comment ça se passe entre eux ?

10

En petits groupes. Échangez. Quel est le pays le plus proche de votre pays ?

a. Décrivez des similitudes et des différences.

b. Caractérisez les relations entre leur population.

À NOUS

11. Nous réalisons une grille d'observation pour aider à découvrir un lieu.

a. En petits groupes :

– définissez les aspects d'un lieu à observer (sa localisation, sa fonction, sa fréquentation, etc.) ;
– listez des questions (Quel est ce lieu ? Où se trouve-t-il ? Qui le fréquente ? Quand ? Etc.).

b. Mettez en commun et réalisez une grille d'observation avec les propositions les plus intéressantes.

FOCUS LANGUE

Grammaire

L'impératif et les pronoms personnels pour donner des instructions ► p. 162 et p. 204

1. Par deux. Relisez les instructions relevées dans l'activité 2b de la leçon 3 (p. 36) et complétez.

a. Présentez-… au Centre Service Canada.
b. Rendez-… à l'école de votre quartier.
c. Faites-… dès votre arrivée.
d. Ne … oubliez pas.

> À la **forme affirmative**, le pronom personnel se place … le verbe **avec un tiret**.
> À la **forme négative**, le pronom personnel se place … le verbe **sans tiret**.

Le discours indirect pour rapporter des paroles ou des pensées ► p. 162 et p. 213

2. En petits groupes.

a. 🎧▶023 Écoutez ces extraits de la conversation entre Irina et Julien (doc. 2 p. 36 et act. 6b p. 37) et complétez.

1. Tout le monde … qu'il … commencer à faire la queue à 6 heures du matin.
2. Je te … que tout … bien.
3. Tu m'… si on … se voir rapidement.
4. On m'… que ma photo … bien cadrée et que j'… la photocopie de mon passeport.
5. Je … qu'ils la … sur place.
6. Ils m'… que je … le remplir chez moi.

b. Identifiez le temps des verbes en bleu et le temps des verbes en jaune.

c. Comparez les paroles exprimées en direct (pendant la conversation au café) et les paroles rapportées (dites avant la conversation au café). Quels changements observez-vous ? Complétez.

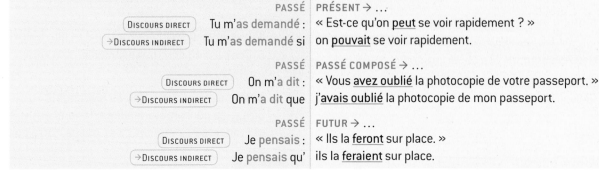

		Au discours indirect, si des paroles ou des pensées sont rapportées au passé, le temps change. Le mode peut changer également.
	PASSÉ	PRÉSENT → …
DISCOURS DIRECT	Tu m'as demandé :	« Est-ce qu'on peut se voir rapidement ? »
→DISCOURS INDIRECT	Tu m'as demandé si	on pouvait se voir rapidement.
	PASSÉ	PASSÉ COMPOSÉ → …
DISCOURS DIRECT	On m'a dit :	« Vous avez oublié la photocopie de votre passeport. »
→DISCOURS INDIRECT	On m'a dit que	j'avais oublié la photocopie de mon passeport.
	PASSÉ	FUTUR → …
DISCOURS DIRECT	Je pensais :	« Ils la feront sur place. »
→DISCOURS INDIRECT	Je pensais qu'	ils la feraient sur place.

La négation (1) pour nuancer ses goûts et son intérêt ► p. 163 et p. 214

3. Lisez les phrases d'Agathe pour exprimer son désintérêt (doc. 1 p. 38 et act. 3 p. 39) et complétez la règle.

a. Je **ne** vais pas me vanter d'une passion historique pour le Japon.
b. Je **ne** me* suis jamais **intéressée** aux mangas.
c. Je **ne** connais rien aux haïkus.

> Avec un **temps simple**, la négation encadre le … . Avec un **temps composé**, la négation encadre l'… .

*❗ Quand il y a un pronom, *ne* se place avant ce pronom.

Sons et intonation ► p. 163 et p. 196

Les voyelles nasales

4. a. 🎧▶024 Par deux. Écoutez ces phrases. Identifiez les voyelles nasales et notez les graphies correspondantes.

b. Comparez vos notes et lisez les phrases (livret p. 7).

Exemple : *Je m**an**que sûrem**en**t d'imaginati**on**.* → [ɑ̃] : *an* ; [ɑ̃] : *en* ; [ɔ̃] : *on*

Mots et expressions

Réussir ses démarches administratives

▶ p. 162

1. Par deux. Lisez ces extraits du document 1 de la leçon 3 (p. 36) et de l'activité 2c p. 36.

Obtenir un numéro d'assurance sociale.
Présentez-vous au Centre Service Canada.
Faites-le dès votre arrivée.
Obtenir sa carte d'assurance maladie.
Inscrivez-vous à la RAMQ.
Inscrire ses enfants à l'école.
Rendez-vous à l'école de votre quartier pour faire une demande d'admission.
Obtenir un permis de conduire québécois.
Adressez-vous à la SAAQ.
Obtenir un numéro d'immatriculation.

a. Identifiez les différentes démarches à effectuer et classez-les.

1. Démarches pour recevoir quelque chose : *obtenir un numéro d'assurance sociale* ; …
2. Démarches pour réclamer quelque chose : …
3. Démarches pour s'enregistrer quelque part : …

b. Classez les instructions soulignées dans le tableau.

Instructions pour orienter quelqu'un (quelque part)	Instructions pour faire faire quelque chose
Présentez-vous au Centre Service Canada. …	Faites-le dès votre arrivée. …

Demander de l'aide pour gérer un problème

▶ p. 162

2. Lisez ces extraits de la conversation entre Irina et Julien (doc. 2 p. 36 et act. 5 p. 37).

- Je dois modifier ma carte de séjour, et je ne m'en sors pas.
- Je ne comprends pas ce qu'ils veulent.
- J'en ai assez. = Je n'en peux plus !
- Arrête de te moquer de moi.
- Ça me prend la tête.
- Allez, détends-toi et raconte-moi ce qui s'est passé.
- Tout ira bien.
- Ne t'inquiète pas pour ton justificatif.
- Mon justificatif de domicile a plus de trois mois.
- Je ne sais plus quoi faire.
- Allez, rassure-toi.
- Je te promets que tout ira bien.
- Tu veux bien m'aider, s'il te plaît ? Parce que je ne vais pas y arriver toute seule.

a. Relevez les formules exprimant les sentiments d'Irina et les réactions de Julien pour qu'elle se sente mieux.

b. Classez-les dans le tableau.

Sentiments		Réactions	
Découragement	Colère	Calmer	Rassurer
Je ne m'en sors pas. … J'en ai assez.	…	…	…

Nuancer ses goûts et son intérêt

▶ p. 163

3. Classez ces extraits du document 1 de la leçon 4 (p. 38) et de l'activité 3 p. 39 selon le degré d'intérêt ou de plaisir.

- Je ne vais pas me vanter d'une passion historique pour le Japon.
- Je ne me suis jamais intéressée aux mangas et je ne connais rien aux haïkus.
- Comme tout le monde, j'aime beaucoup les sushis.
- J'aime mon quotidien de *gaijin* précaire.
- Je ne vois pas comment être aussi heureuse ailleurs.

Fort	… ; …
Neutre	J'aime mon quotidien de *gaijin* précaire.
Faible	…
Absent	… ; …

Valoriser la vie dans une ville

▶ p. 163

4. 🎧 ▶025 Par deux. Écoutez ces extraits du document 2 de la leçon 4 (p. 39) et lisez vos réponses de l'activité 8 p. 39. Retrouvez les formules qui valorisent la ville et classez-les. Aidez-vous de la transcription (livret p. 7).

Le logement	…
Les gens	qui savent vivre
La vie culturelle	…
Le travail	de belles opportunités à prendre ; …
Les sorties	Moi, je suis très fan de Mme Moustache, …

Rédiger une lettre formelle

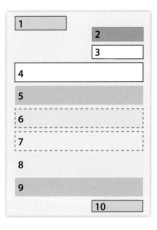

1
2
3
4
5
6
7
8
9
10

3 Ville, le… (date)
(le mois s'écrit en lettres)

(DESTINATAIRE)
Monsieur / Madame Prénom NOM
… Nom de l'entreprise, de l'organisme
Adresse postale

… SIGNATURE

(EXPÉDITEUR)
Prénom NOM
Adresse postale
Téléphone
Adresse électronique

Référence ou identifiant
*(Ex. : votre numéro de client,
de dossier ou de contrat pour
faciliter votre identification)*

FORMULE DE POLITESSE :
… Ex. : *En vous remerciant par avance. Veuillez agréer* [FORMULE D'APPEL]
mes sincères salutations / l'expression de mes sentiments distingués.

VOTRE SENTIMENT :
… Dans une lettre de réclamation, ou en situation de conflit, exprimez
en une ou deux phrases vos sentiments par rapport au problème ou
à la situation que vous avez décrit(e).

FORMULE D'APPEL
… *Madame, Monsieur, / Madame (la + titre), / Monsieur (le + titre),*

VOTRE BESOIN :
… Formulez votre souhait, votre demande, votre réclamation
Ex. : *J'aimerais… / Je souhaite…*

Objet : votre intention, ou le type de lettre en quelques mots.
… Pièce(s) jointe(s) : indiquez le ou les documents que vous joignez.

LES FAITS :
• Qui êtes-vous ? Présentez-vous par rapport à la situation.
  Présentez-vous en quelques mots, en fonction du contexte.
  > Déclaration sur l'honneur : *Je soussigné(e)…, né(e) le… à…,*
… *demeurant au…, atteste que…*
• Qu'est-ce qui s'est passé ? Expliquez le problème précisément.
  Décrivez la situation, le problème, les faits qui vous poussent à écrire.
  Indiquez des dates.
  > Si vous réagissez à un appel ou à un courrier : *Je fais suite à…*

1. Observez le modèle ci-dessus de
lettre formelle et lisez les extraits.

a. Numérotez les extraits (de 1 à 10).

b. Connaissez-vous d'autres manières
d'organiser une lettre ?

2. En petits groupes. Échangez
et choisissez une situation
où vous devez rédiger une lettre
de réclamation. Définissez :

  a. le contexte (qui écrit, à qui, quand,
     pourquoi ?) ;
  b. les détails de la situation ;
  c. en quoi cette situation est
     problématique ?

3. En petits groupes.

a. Attribuez chaque tâche à un groupe :
  – rédiger la partie concernant
    les faits ;
  – rédiger la partie sur les sentiments ;
  – rédiger la partie sur le problème.

b. Mettez en commun et finalisez
votre lettre en complétant le reste
des informations.

Apprenons ensemble

4. a. Observez l'image. Décrivez-la et faites des hypothèses sur la difficulté présentée.

b. 🎧►026 Écoutez le témoignage.

  1. Identifiez la personne et le pays où elle vit.
  2. Répondez.
  – Quelle difficulté rencontre-t-elle ?
  – Quel est le problème ?

c. En petits groupes. Échangez.

  1. À votre avis, faut-il tout comprendre pour pouvoir communiquer ?
  2. Formulez des conseils pour aider Lenka.

Projet de classe

Nous créons un kit de survie pour nous installer dans un pays francophone.

1. En groupe. Ciblez un pays francophone sur lequel la classe choisit de travailler. Faites trois groupes et choisissez un domaine par groupe :
  – domaine 1 : gérer des surprises et des problèmes du quotidien ;
  – domaine 2 : gérer un problème de santé ;
  – domaine 3 : gérer des démarches administratives.

2. En petits groupes. Réalisez le travail demandé pour chaque domaine.

Domaine 1	Domaine 2	Domaine 3
• Faites des hypothèses sur les situations et les imprévus du quotidien qui peuvent poser problème à un étranger qui s'installe dans le pays. – Quels peuvent être ses impressions, ses sentiments face au problème rencontré ? – Comment les exprimer en français pour les partager ou pour obtenir de l'aide ? • Listez les attitudes et les comportements à adopter.	• Faites une recherche sur le pays : y a-t-il un système d'assurance maladie ? Lequel ? À quoi a droit un étranger qui s'y installe ? Comment trouver un médecin en urgence ? • Listez les moyens de gérer une consultation médicale avec un médecin. – Comment se déroule-t-elle ? – Comment expliquer un problème de santé ? – Quels documents préparer ?	• Faites une recherche sur le pays : à quelle institution locale a-t-on affaire quand on s'installe ? Quelles sont les premières démarches à effectuer ? • Listez des exemples de situation qui peuvent nécessiter des lettres : – de réclamation ; – de changement de situation ; – qui accompagnent d'autres documents.

3. Mettez en commun vos propositions et validez-les.

4. En groupe. Réalisez une carte mentale sur l'installation dans le pays choisi avec les propositions validées dans chaque domaine.

5. En petits groupes. Répartissez-vous à nouveau les trois domaines.

Domaine 1	Domaine 2	Domaine 3
• Réalisez une **boîte à outils** pour gérer un problème par téléphone. > Listez les actions à effectuer (exemples : *exposer son problème, faire référence à un premier échange, remercier*…). > Proposez une stratégie (exemple : *1) exposer son problème ; 2) …*). > Donnez des exemples de formules.	• Réalisez un **recueil de recommandations** et de mises en garde. > Identifiez plusieurs situations. > Expliquez les conséquences possibles d'un manque d'anticipation.	• Rédigez une **lettre formelle**. > Choisissez une des situations nécessitant d'écrire une lettre formelle. > Préparez la lettre : quels sont les faits ? Quels sont votre ressenti, votre attitude et/ou votre réaction ? Que voulez-vous ? > Rédigez la lettre en vous aidant du modèle p. 42 et en utilisant des couleurs pour identifier chaque partie.

6. Joignez vos productions à la carte mentale pour finaliser votre kit de survie pour vous installer dans le pays choisi.

Projet ouvert sur le monde

▸ 📖 GP

Nous rédigeons un carnet d'étonnement.

DELF 2

Lisez les questions. Écoutez le document puis répondez.
Vous entendez cette conversation téléphonique.

1. Cathy…
   a. est allée chez le médecin.
   b. refuse d'aller chez le médecin.
   c. va prendre rendez-vous avec son médecin.

2. Quel nouveau symptôme est apparu chez Cathy ?
   a. De la fièvre.
   b. Un mal de gorge.
   c. Des courbatures.

3. Qu'est-ce que Julie conseille à Cathy ?

4. Qu'est-ce que Cathy veut faire avant de suivre le conseil de Julie ?

5. Cathy prend un rendez-vous chez le médecin…
   a. par téléphone.
   b. au cabinet médical.
   c. sur un site Internet.

6. Vers 18 heures, Cathy propose à Julie…
   a. de passer chez elle.
   b. d'aller à la pharmacie.
   c. de l'accompagner chez le médecin.

II Production écrite

Au choix :

Exercice 1 Vous avez commandé un article sur Internet. Votre compte bancaire a été débité du montant de votre achat, mais vous n'avez toujours pas reçu votre colis qui devait arriver la semaine dernière. Vous n'êtes pas content(e) et vous écrivez un mail au service client pour vous plaindre. Vous expliquez votre situation et vous demandez des précisions sur l'envoi de votre commande ainsi qu'un geste commercial. (160 mots minimum)

Exercice 2 Vous lisez ceci sur un forum de discussion pour francophones :

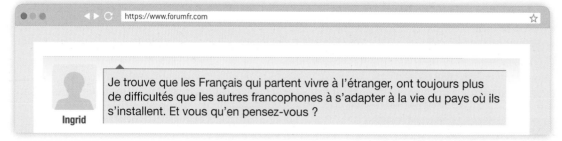

> Je trouve que les Français qui partent vivre à l'étranger, ont toujours plus de difficultés que les autres francophones à s'adapter à la vie du pays où ils s'installent. Et vous qu'en pensez-vous ?
>
> Ingrid

Vous décidez de participer à la discussion de ce forum. Vous répondez à Ingrid. Vous lui dites si vous êtes d'accord avec elle ou pas, et vous lui expliquez pourquoi en donnant des exemples concrets de façon construite et cohérente. (160 mots minimum)

III Production orale

Exercice 1 Pour s'entraîner à la partie 1 de l'épreuve orale : l'entretien dirigé

Vous vous présentez, vous parlez de vous, de vos centres d'intérêt. Vous parlez de votre pays et des différences et similitudes avec la France ou un autre pays que vous connaissez.

Exercice 2 Pour s'entraîner à la partie 2 de l'épreuve orale : l'exercice en interaction

Par deux. Vous avez acheté un téléphone avec un abonnement pour la durée de votre séjour en France. Malheureusement, le téléphone fonctionne mal. Vous retournez au magasin pour expliquer votre problème au vendeur. Vous cherchez ensemble une solution.

Exercice 3 Pour s'entraîner à la partie 3 de l'épreuve orale : l'expression d'un point de vue

Dégagez le thème principal de ce sujet. Donnez ensuite votre opinion sous la forme d'un petit exposé de trois minutes environ.

Courrier international

Ce que vous devez savoir avant de partir et revenir…

Un départ à l'étranger implique d'importants préparatifs. Cette étape peut être plus ou moins difficile en fonction du cadre dans lequel il se déroule. La recherche d'un logement, par exemple, est une des inquiétudes pour ceux qui s'expatrient pour étudier ou travailler.

Mais les obstacles ne sont pas que matériels : dans certains pays, l'apprentissage des codes culturels est nécessaire pour s'intégrer aux habitants.

Enfin, les difficultés de réadaptation une fois rentré chez soi sont souvent aussi difficiles que celles de l'expatriation. Les expatriés ont l'impression d'avoir changé et ne trouvent plus leurs repères dans un environnement qui, lui, est souvent resté identique. Alors, pourquoi aimons-nous nous expatrier dans un autre pays ?

D'après www.*courrierinternational*.com

DOSSIER 3

Nous organisons des sorties, des événements

Le point sur… les loisirs à la française

1

  a. Observez la page d'accueil du site france-voyage.com. Identifiez les types d'événements proposés.

  b. Par deux. Choisissez trois photos qui sont, selon vous, les plus représentatives de loisirs à la française. Justifiez.

  c. En petits groupes. Avez-vous déjà participé à un événement à la française ? Si oui, lequel ? Sinon, lequel aimeriez-vous découvrir ? Échangez avec la classe.

https://www.france-voyage.com/evenements/

France-Voyage.com
Donnez vie à vos vacances !

| **Destination** Indiquez vos préférences | **Guide** Préparez votre séjour | Recherche |

France   Tourisme   Gastronomie   Sorties   Hébergements   Transports

Événements en France

Agendas des manifestations

CLASSEMENT PAR THÈME

EXPOSITIONS   FAMILLES ET ENFANTS   FÊTES NATIONALES   FÊTES TRADITIONNELLES   FILMS ET CINÉMA

FOIRES ET SALONS   GASTRONOMIE   MUSIQUE CLASSIQUE   MUSIQUE JAZZ   MUSIQUES ACTUELLES

MUSIQUES TRADITIONNELLES   NATURE ET ANIMAUX   SAVOIR-FAIRE   SON ET LUMIÈRE   SPORTS ET COMPÉTITIONS

SOM
MAI
RE

EN JOURNÉE

→ **MÉCANO 2CV**
Démontage et remontage d'une mythique
2CV le plus rapidement possible

→ **RÉGATES EN BATEAUX DRAGONS**
Challenge nautique sur le lac du Parc Astérix

→ **JEU AU PARC**
Challenge en équipes sur tablettes tactiles
à travers le Parc Astérix

→ **REPORTAGE**
Reportage photo en équipes sur
le Parc Astérix

→ **HISTOIRE EN BULLES**
Création d'une histoire dont vos participants sont les héros

→ **OLYMPIADES « ASTÉRIX AUX JEUX OLYMPIQUES »**
Olympiades gauloises

→ **JEU DU VIN**
Œnologie et enquête sur tablettes tactiles

→ **PRIVATISATION D'ATTRACTIONS / SPECTACLES**
Le Parc Astérix est à vous !

→ **PERSONNAGES**
Artistes divers

EN SOIRÉE

→ **ENQUÊTE « LES EXPERTS »**
Plongez le temps d'un dîner au
cœur de la police scientifique

→ **UN SOIR AUX COURSES**
Découvrez l'ambiance survoltée
des paris hippiques !

→ **QUIZ ASTÉRIX**
Blind test, thème au choix

→ **CASINO DES VINS**
Casino et œnologie

→ **CRÉATIV'COCKTAIL**
Création de cocktails
en équipe

→ **PRIVATISATION
D'ATTRACTIONS /
SPECTACLES**
Le Parc est à vous !

→ **SOIRÉES DANSANTES**
Swinguez !

→ **PERSONNAGES /
ARTISTES DIVERS**
Surprenez vos
collaborateurs !

SOIRÉES EXTÉRIEURES

→ **SOIRÉE DE PRESTIGE
AU GOLF D'APREMONT**
Élégant domaine à 20 minutes
du Parc Astérix

→ **SOIRÉE PIERRADE
ET BOWLING AU PLAZA BOWLING
DE SAINT-MAXIMIN**
Site moderne et dynamique
à 20 minutes du Parc Astérix

2

a. Observez ce document. De quoi s'agit-il ? Selon vous, qui en est l'auteur ? Faites des hypothèses.

b. Par deux. Lisez le document.
1. Vérifiez vos hypothèses.
2. Dites à qui s'adressent ces activités : à des familles ? À des groupes en entreprise ?
À des groupes d'amis ? Justifiez.

c. En petits groupes. À votre avis, quel est l'objectif de ces activités de team building ?
Qu'en pensez-vous ? Est-ce que les entreprises de votre pays organisent ce genre d'activités ?

PROJETS

Un projet de classe
Collaborer pour organiser un événement avec des
francophones.

Et un projet ouvert sur le monde
Créer un guide d'activités pour des francophones
en visite dans notre ville ou dans notre pays.

Pour réaliser ces projets, nous allons apprendre à :

▸ parler des sorties
▸ conseiller
▸ proposer une sortie

▸ choisir une sortie
en groupe
▸ convaincre/hésiter
▸ informer sur un
événement

▸ parler d'événements
familiaux
▸ comprendre
des coutumes
▸ comprendre des
différences culturelles

▸ découvrir de nouveaux
concepts de soirée
▸ décrire des comportements

Vidéo n° 3
Sponsoriser une soirée

LEÇON 1 Et si on sortait ?

- Parler des sorties
  ► Doc. 1
- Conseiller ► Doc. 2
- Proposer une sortie
  ► Doc. 3

document 1

LES FRANÇAIS ET LES SORTIES

1

53 % des Français font confiance à leur entourage pour le choix de leurs sorties.

1/3 des Français utilise Internet pour chercher des idées de sortie.

Le restaurant et le cinéma apparaissent comme les sorties les plus populaires auprès des Français.

2

Panorama général

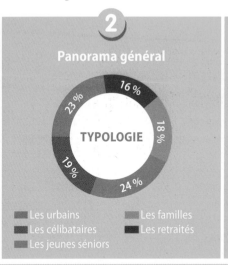

TYPOLOGIE

16 % — 18 % — 24 % — 19 % — 23 %

- Les urbains
- Les célibataires
- Les jeunes séniors
- Les familles
- Les retraités

3

1/4 des Français pense ne pas sortir beaucoup faute d'amis ou de famille pour les accompagner.

50 % des Français déclarent ne pas sortir autant que souhaité.

85 % des Français estiment que les sorties sont nécessaires pour garder le moral.

Étude menée par Cityvox, guide spécialiste des sorties et loisirs sur Internet

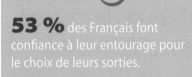 **1.** Observez cette infographie (doc. 1). Quel est le thème de l'étude ?

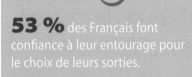 **2.** Lisez les résultats de l'étude (doc. 1). Pour chaque colonne (1, 2 ou 3), retrouvez la ou les question(s) posée(s) aux Français. Justifiez vos choix.

Questions posées	Colonne
a. Qui êtes-vous ?	...
b. Comment choisissez-vous vos sorties ?	...
c. Pour quelles raisons sortez-vous / ne sortez-vous pas ?	...
d. Quelles sont vos sorties préférées ?	...
e. Que pensez-vous des sorties ?	...

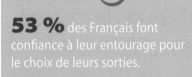 **3.** Par deux. Relisez le panorama général (doc. 1, colonne 2).

a. Relevez les catégories de Français interrogés.

b. À votre avis, quelles catégories de Français correspondent aux pratiques de sorties (colonnes 1 et 3) ?

Exemple : 1/3 des Français utilise Internet pour chercher des idées de sortie. → *Les urbains et les célibataires.*

► | p. 53, n° 1

document 2

https://www.meetinggame.fr/

meeting game

À la une   Rencontres Amicales ▼   Sorties ▼   Sports ▼

Préparer ou organiser une sortie entre amis

Quelle est la différence entre une simple sortie et une sortie réussie ?

Comme pour un film, il faut un bon scénario, un bon décor, un planning réfléchi, un budget cohérent et surtout un casting approprié...

4

En petits groupes.

a. Répondez aux questions posées (activité 2).

b. Échangez avec la classe et réalisez l'infographie « Les sorties et nous ».

5. Observez cette page Internet (doc. 2). Que vous évoque le nom du site ? Comment traduiriez-vous ce nom en français ? À votre avis, de quel type de site s'agit-il ?

6. Lisez l'article (doc. 2).

a. Listez les sorties citées dans l'article. Complétez avec des propositions de sorties qui vous plaisent. Partagez avec la classe.

b. À quoi l'auteur compare-t-il l'organisation d'une sortie ? Êtes-vous d'accord ? Pourquoi ?

7. Par deux. Relisez l'article (doc. 2). Retrouvez les conseils qui correspondent aux critères suivants.

a. Un bon scénario : *il faut que cette sortie corresponde à leurs centres d'intérêt* ; …

b. Un planning réfléchi : …

c. Un budget cohérent : …

d. Un casting approprié : … ; …

e. Un bon décor : … ; …   ▶ | p. 52, n° 1

☆ 🔍

Le web Magazine du réseau des loisirs

Voyages-Vacances ▼   Culture ▼   Loisirs d'Intérieur ▼   Blogs

Chacun ses goûts ! Si vous voulez divertir vos amis, il faut que cette sortie corresponde à leurs centres d'intérêt. Se retrouver pour danser ou se réunir autour d'un verre dans un pub : il est préférable que cela plaise à tous.
Prévoyez votre sortie un mois **à l'avance**, pour que tous les amis que vous souhaitez réunir aient le temps de s'organiser. Il faudrait aussi que **le budget à prévoir** soit **raisonnable** (comptez 40 € par personne en moyenne).

La réussite de votre sortie dépend aussi du **nombre de participants**. Pour une sortie au théâtre, il vaut mieux que vous soyez peu nombreux pour communiquer à la fin du spectacle. Pour une sortie dans un bar : n'invitez pas trop de monde, quatre personnes maximum.
Le choix du lieu, un décor original... Essayez de proposer à vos amis une sortie dans un endroit qui les surprendra. Si vous ne connaissez pas encore très bien votre ville, il vaudrait mieux que vous consultiez le site Internet de votre mairie ou de l'office du tourisme local.

8

En petits groupes. Échangez. Parmi ces conseils (activité 7), quels sont ceux qui vous paraissent utiles ? Pourquoi ?

document 3   🎧 028 et 029

9. 🎧 028 Par deux. Écoutez la première partie de la conversation (doc. 3). Répondez.

a. Qui sont Panos, Caro et Ricardo ?

b. Pourquoi sont-ils à Lyon ?

10. 🎧 029 Par deux. Écoutez la deuxième partie de la conversation (doc. 3).

a. Quels sont les points communs entre ces trois personnes ?

b. Quelles sont les sorties proposées par chaque personne ?

c. Relevez comment sont présentés :

1. le repas dans des bouchons lyonnais ;
   Exemple : *Ce qu'on mange là-bas, ce sont des canailles.*
2. l'ambiance du concert de M ;
3. l'originalité des puces du Canal.

d. Pourquoi Ricardo semble-t-il inquiet ? Justifiez.
   ▶ | p. 52, n° 2

11. 🎧 029 En petits groupes. Réécoutez la deuxième partie de la conversation (doc. 3).

a. Le choix entre les activités proposées est-il facile à faire, selon vous ? Relevez comment Caro, Panos et Ricardo réagissent aux différentes propositions.

   Exemple : les bouchons lyonnais → « *Moi, je suis partante.* »

b. Quel programme adoptent-ils pour le week-end ? Aimeriez-vous réaliser ce programme ?   ▶ | p. 53, n° 2

À NOUS 🔈

12. Nous proposons une sortie pour la classe.

En petits groupes.

a. Relisez l'infographie de la classe « Les sorties et nous » (activité 4).

b. Choisissez une sortie.

c. Formulez des conseils pour réussir votre sortie.

En groupe.

d. Partagez avec la classe. La classe vote pour ses trois sorties préférées.

e. Planifiez et organisez les sorties préférées de la classe.

LEÇON 2 Esprit d'équipe !

- Choisir une sortie en groupe ▶ Doc. 1
- Convaincre / Hésiter ▶ Doc. 2
- Informer sur un événement ▶ Doc. 3

document 1

http://www.capdel.fr

capdel | FACILITATEUR D'ÉVÉNEMENTS D'ENTREPRISE

FORMAT D'ÉVÉNEMENT	SOIRÉE ENTREPRISE	SÉMINAIRE ENTREPRISE	TEAM BUILDING & ACTIVITÉS	DESTINATION	VENUE FINDING

→ TEAM BUILDING & ACTIVITÉ

- → Rallye & Chasse au trésor
- → Multi-Activités & Challenge sportif
- → Créatif & Artistique
- → Cours de cuisine & Gastronomie
- → Jeux d'équipe
- → Visite & Culture
- → Bien-Être & Spa
- → Golf
- → Ski & Neige
- → Sports mécaniques & Karting
- → Nautique & Aérien
- → Tous les team building…

1. Par deux. Lisez cette page d'accueil du site Internet capdel.fr (doc. 1).

a. À qui s'adresse le site et que propose-t-il ?

b. Classez les activités.
- Détente : …
- Sport et sensations : golf ; … ; … ; … ; …
- Loisirs et apprentissage : créatif et artistique ; … ; …
- Activités ludiques : jeux d'équipe ; …

▶ p. 53, n° 3

c. Connaissez-vous d'autres activités de team building ?

 2.

En petits groupes. Échangez. Aimeriez-vous participer à une activité de team building ? Si oui, laquelle ? Pourquoi ?

document 2 🎧 030

3. 🎧 030 Par deux. Écoutez la conversation entre Louis Depois, directeur général d'une entreprise internationale, et Sheila Peacock, directrice des ressources humaines (doc. 2).

a. Répondez.
1. Quels sont les problèmes évoqués par Louis Depois ?
2. Quel est le lien avec le site capdel.fr (doc. 1) ?

b. Listez les activités proposées par Sheila Peacock. À quelles catégories correspondent-elles (doc. 1, activité 1b) ?

c. Relevez comment Louis Depois réagit à ces propositions. Caractérisez son attitude.

▶ p. 53, n° 4

4. 🎧 030 Par deux. Réécoutez la conversation (doc. 2). Associez les activités à leurs objectifs.

Activités	Objectifs
a. les activités de team building	1. dans le but d'améliorer l'ambiance
b. résoudre une série d'énigmes, de défis	2. afin d'être récompensés
c. un rallye ou un baby-foot géant	3. permettrait d'apprécier les collègues et d'accepter leurs différences
d. un cours de photo ou un cours de cuisine	4. sont idéales pour renforcer les liens
	5. pour que l'esprit d'équipe soit favorisé
	6. qui visent à faire connaissance

▶ p. 52, n° 3

5

En petits groupes. Cherchez des activités à faire en groupe dans la ville où vous habitez.
Déterminez les objectifs de chaque activité.

De : Sheila Peacock
À : ensemble du personnel
4 mai 2018 à 18:08

Objet : Séminaire team building Bruxelles

1 Chers collègues,

2 Suite à la décision de notre direction, veuillez trouver ci-dessous quelques informations concernant notre séminaire du mardi 19 juin prochain qui se tiendra à Bruxelles.

3 Pour rappel, les activités de team building (défi « poursuite » avec tablettes tactiles + cours de photo à ciel ouvert) se dérouleront entre 10 h et 17 h. La pause déjeuner est incluse.

4 Je vous invite à cliquer sur le lien suivant Teambuilding Bruxelles afin de vous préinscrire avant le 8 juin prochain. Je vous remercie de voter pour la thématique de votre choix (la bande dessinée, l'Union européenne ou les saveurs culinaires de Belgique). N'hésitez pas à laisser vos commentaires !
Nous essayerons de satisfaire le plus grand nombre d'entre vous. Je vous ferai part des résultats au plus vite et m'occuperai ensuite des réservations.
Prévoyez une tenue décontractée et des chaussures de sport. Pensez aussi à prendre vos appareils photo.
À la fin de cette journée, vous serez conviés à un dîner à partir de 20 h.

5 Je reste à votre disposition si besoin.
Cordialement,

6 Sheila Peacock
Directrice des ressources humaines

6. Observez le mél (doc. 3). Identifiez l'expéditeur, le destinataire et l'objet. Faites des hypothèses sur son contenu.

7. Par deux. Lisez le mél (doc. 3).

a. Vérifiez vos hypothèses.

b. Retrouvez les éléments suivants dans le mél.
la signature • la référence à une information déjà communiquée • la formule d'appel • le contexte et l'annonce des informations présentées • les formules de prise de congé • les informations pratiques

c. Louis Depois a-t-il finalement accepté la proposition de Sheila Peacock ? Justifiez.

d. Par deux. Relisez le mél de Sheila Peacock. Retrouvez les expressions utilisées dans un mél professionnel pour…
• saluer les destinataires : *Chers collègues,*
• rappeler le contexte : …
• annoncer le contenu du mél : …
• rappeler une information : …
• prendre congé : …

8. Relisez le mél (doc. 3) et relevez comment Sheila Peacock :

a. incite les participants à agir ;
b. invite les participants à dîner ;
c. communique des informations sur l'organisation de l'événement.

▶ p. 52, n° 4

À NOUS

9. Nous organisons une activité pour développer l'esprit d'équipe dans notre classe.

En petits groupes.

a. Choisissez une activité de groupe à faire dans votre ville (activité 5).

b. Rédigez un mél à envoyer aux autres groupes pour :
– présenter votre activité ;
– donner des informations pratiques ;
– inciter la classe à choisir votre activité.

En groupe.

c. Affichez les méls dans la classe. Votez pour l'activité qui développe le plus l'esprit d'équipe.

d. Organisez l'activité de la classe.

FOCUS LANGUE

Grammaire

Les expressions pour conseiller
p. 164 et p. 210

1. Par deux. Relisez les conseils donnés dans l'article (act. 7 p. 49).

a. Relevez les structures utilisées pour conseiller.

b. Complétez et choisissez les réponses correctes.

- Pour exprimer un conseil, j'utilise les modes :
  - **impératif** (exemples : *prévoyez* ; … ; …) ;
  - **conditionnel** (exemples : *il faudrait* ; …).
- On utilise le mode **subjonctif présent** après les structures suivantes : *il faut que* ; … ; … ; … ; …
  - Dans ces structures, le verbe introducteur peut être → à l'indicatif / au conditionnel.
  - Dans ces phrases, j'exprime :
  → une obligation / une recommandation / un conseil.
! Dans ces phrases, le pronom *il* est impersonnel.

Les expressions pour mettre en relief
p. 164 et p. 202

2. Relisez vos réponses à l'activité 10 (c et d) de la leçon 1 (p. 49).

a. Complétez.

Pour mettre en relief un élément de la phrase, j'utilise *ce que / ce qui / ce à quoi / ce dont, c'est / ce sont* :
- … est sujet du verbe qui suit ;
- *ce que* est le complément (COD) du verbe qui suit ;
- … est le complément introduit par *de* du verbe qui suit ;
- … est le complément introduit par *à* du verbe qui suit.

b. Par deux. Quelle sortie préférez-vous : le restaurant, le festival ou les puces ? Précisez pourquoi avec une expression de mise en relief.
Exemple : *Je choisis les puces. Ce dont je suis fan, c'est la décoration vintage.*

L'expression du but pour convaincre
p. 164 et p. 216

3. Complétez à l'aide des réponses de l'activité 4 de la leçon 2 (p. 50).

Pour exprimer le but, je peux utiliser…		
des expressions	→ *dans le but de*	+ verbe à l'infinitif
	→ …	
des prépositions	→ *pour*	+ verbe à l'infinitif
	→ …	+ verbe au subjonctif
	→ *afin que*	
un verbe	→ …	+ verbe à l'infinitif
	→ …	

Quelques verbes prépositionnels pour informer sur un événement
p. 165

4. Par deux. Observez le tableau et ces extraits du mél de Sheila Peacock (doc. 3 et act. 8 p. 51). Identifiez les verbes. Retrouvez leur infinitif et leur préposition.

Intention	Exemples	Verbes + prépositions
Inciter à agir	– *Je vous invite à cliquer sur le lien suivant.*	→ inviter à
	– *N'hésitez pas à laisser vos commentaires !*	→ …
	– *Je vous remercie de voter pour la thématique de votre choix.*	→ …
	– *Pensez à prendre vos appareils photo.*	→ …
Inviter à un événement	– *Vous serez conviés à un dîner à partir de 20 h.*	→ …
Communiquer sur l'organisation	– *Je vous ferai part des résultats au plus vite.*	→ …
	– *Nous essayerons de satisfaire le plus grand nombre d'entre vous.*	→ …
	– *Je m'occuperai ensuite des réservations.*	→ s'occuper de

Mots et expressions

p. 164
Commenter des données chiffrées

1. Relisez le document 1 de la leçon 1 et les réponses de l'activité 3 (p. 48).

a. Retrouvez les éléments qui correspondent aux expressions suivantes.
Exemple : une majorité de Français → *85 % des Français*
1. plus de la moitié des Français   2. un Français sur deux   3. un tiers des Français   4. un quart des Français

b. Associez avec les verbes au singulier ou au pluriel.
1. 85 % des Français   A. pense, estime, déclare que…
2. 1/4 des Français   B. pensent, estiment, déclarent que…

p. 164
Exprimer l'accord et le désaccord

2. 🎧 ▸031 Écoutez les expressions utilisées par Panos, Caro et Ricardo pour réagir aux propositions de sorties (doc. 3 et act. 11 p. 49).
~~Oui, bien sûr !~~ • ~~Je sais pas.~~ • Moi, je suis partante. • Ça semble super, c'est vrai ! • Vendu ! • Pourquoi pas… faut voir… • D'accord, je veux bien essayer ! • Ça marche ! • C'est moyen • C'est parfait, je vous suis ! • Perso, ça ne me dit rien !

a. Classez-les.

Exprimer son accord	Oui, bien sûr ! ; … ; … ; … ; … ; …
Exprimer son désaccord	…
Exprimer des réserves	Je sais pas. ; … ; …

b. Quels sont les deux verbes utilisés dans les expressions *Je suis partant(e)* et *Je vous suis* ?

p. 165
Les activités de groupe en contexte professionnel

3. Par deux. Classez les activités de team building suivantes avec l'article qui correspond (act. 1 p. 50).
soirée d'entreprise • séminaire • bien-être • spa • ~~golf~~ • ski • sport mécanique • karting • cours de cuisine • ~~gastronomie~~ • visite • culture • rallye • chasse au trésor • jeu d'équipe

Masculin	Féminin
le golf ; … ; … ; … ; … ; … ; … ; … ; …	la gastronomie ; … ; … ; … ; …

p. 165
Exprimer une hésitation

4. Observez et complétez avec d'autres expressions pour exprimer une hésitation (act. 3 p. 50).

Je ne suis pas vraiment convaincu.
Je me demande si…
Je ne sais pas trop.
Je dois avouer que j'hésite encore.

p. 165
Sons et intonation

Hésitation et interrogation

5. 🎧 ▸032 Réécoutez Louis Depois en regardant la transcription (livret p. 9). Repérez les hésitations et les interrogations.
Exemple : Euh… Je ne suis pas vraiment convaincu. → *hésitation*

LEÇON

3 En famille

- Parler d'événements familiaux ▶ Doc. 1
- Comprendre des coutumes ▶ Doc. 2
- Comprendre des différences culturelles ▶ Doc. 3

document 1

 Familles

Comment les cousinades réinventent la famille

Daphnée Leportois – 13.09.2017

La cousinade : entre la fraternité et l'amitié

« Ce soir, ma belle-mère organise une cousinade… ça donne pas envie », écrivait @LVNNISTER sur Twitter le 19 août. C'est vrai que cette « réunion de famille à laquelle sont conviés tous les cousins, quel que soit leur degré de parenté », selon la définition du dictionnaire Larousse, peut en effrayer certains. Il risque d'y avoir foule et on n'y connaîtra pas grand monde. Des dizaines, une centaine, plusieurs centaines et même des milliers. Sans exagérer. Une cousinade vendéenne a réuni en août 2012 près de 5 000 individus d'une famille, rentrant ainsi dans le *Livre Guinness des records*.

Pourtant, ce n'est pas en raison du nombre de cousins éloignés ou petits-cousins parfois conviés que le hashtag #cousinade se répand sur Instagram ou Twitter. Tout le monde y pense, mais tout le monde n'en donne pas la même définition. Pour Sylvie, 38 ans, c'est tout simplement « un repas avec ses neveux et nièces », des retrouvailles en petit comité deux fois dans l'année.

Pour Cyril, 30 ans, c'est le rendez-vous annuel de Noël qui rassemble : « On fait ça entre cousins du même âge, même si, maintenant, les familles s'agrandissent. Il faut compter avec les copains, les copines, les femmes, les maris… sans oublier les petits nouveau-nés et toute la belle-famille ! Tous les ans, c'est dans un endroit différent, on essaye d'y organiser des trucs à faire… On en repart avec des souvenirs plein la tête. Le but ? Se voir, s'amuser et ne pas s'oublier. »

1. Observez la photo (doc. 1). À votre avis, qui sont ces personnes ? Pourquoi se retrouvent-elles ?

2. Lisez cet article du magazine *Familles* (doc. 1).
   a. Vérifiez vos hypothèses.
   b. Lisez la définition du dictionnaire et reformulez avec vos propres mots.

3. Par deux. Relisez l'article (doc. 1).
   a. Quels sont les trois exemples de cousinades donnés ? Pour chacun, identifiez si possible les participants, le moment choisi, les activités et l'objectif de l'organisation de l'événement.
   ▶ p. 59, n° 1

   b. Quels peuvent être les obstacles pour participer à une cousinade ? Justifiez.
   ▶ p. 58, n° 1

4

En petits groupes.
   a. Échangez. Connaissiez-vous ce type d'événement ? Existe-t-il dans votre pays ?
   b. Listez les événements familiaux les plus importants dans votre pays.
En groupe.
   c. Échangez avec la classe.

document 2

http://www.out-the-box.fr

| ACCUEIL | BOOSTEZ VOTRE CRÉATIVITÉ ! | CULTURE G | INSPIRATION + | VIDÉOS | LIVRES | BLOG | À PROPOS |

Traditions insolites autour du mariage

Quand on évoque le mariage autour du globe, personne n'a les mêmes pratiques et rien ne ressemble à nos rituels français.

En France, ce sont souvent les mêmes images qui viennent à l'esprit lorsqu'on pense à la cérémonie du mariage. La robe de la mariée, l'échange des vœux et des alliances, le lancer du bouquet, la première danse, sans oublier la fête mémorable qui suit…

INDE	FINLANDE	ALLEMAGNE
Les fêtes qui entourent le mariage en Inde durent partout entre 3 et 5 jours. Dans la culture populaire, le futur époux arrive à la cérémonie (qui ne dure que 2 à 3 heures !) sur un cheval décoré, avec sa famille et ses amis l'accompagnant avec des chants, des danses et des feux d'artifice.	Le sauna traditionnel du mariage se déroule la veille des noces et réunit dans ses vapeurs la future mariée, les demoiselles d'honneur et la mère de la mariée. Aucun homme n'est convié, évidemment !	« *Polterabend* » (la veille des noces) est le nom de la fête informelle qui a lieu la veille du mariage. De la vaisselle en porcelaine est cassée. Les jeunes mariés doivent ramasser ensemble les différents morceaux pour leur porter bonheur : ni l'un ni l'autre n'échappe à la tradition !

5. Observez cette page Internet (doc. 2). Identifiez la rubrique concernée et le titre de l'article.

6. Par deux. Lisez la première partie de cet article (doc. 2). Répondez.

   a. Quel constat fait l'auteur ?

   b. Les coutumes décrites correspondent-elles à vos représentations sur le mariage à la française ?

7. En petits groupes. Lisez la suite de l'article (doc. 2).

   a. À quel pays correspond l'illustration de l'article ?

   b. Pour chaque pays, relevez :

     – la coutume et la période (exemple : la Finlande → *le sauna, la veille des noces*) ;

     – qui est concerné ? l'homme, la femme ou les deux. ▸ p. 58, n° 2, p. 59, n° 3

8

En petits groupes. Échangez. Êtes-vous surpris par ces rituels de cérémonie (doc. 2) ? Certains existent-ils dans votre pays ?

document 3 🎧 033 et 034

9. 🎧◄033 Par deux. Écoutez la première partie de l'émission de Radio Praha (doc. 3).

   a. Identifiez le thème de l'émission du jour.

   b. Qui participe à l'émission ?

   c. Réalisez le portrait-robot du couple franco-tchèque.

   Exemple : *L'un parle tchèque, l'autre français.*

10. 🎧◄034 Par deux. Écoutez la deuxième partie de l'émission (doc. 3). Vrai ou faux ? Justifiez. Vérifiez avec la transcription (livret p. 9).

   a. Selon le journaliste, les sociétés tchèque et française sont différentes.

   b. La famille de Veronika a toujours apprécié son époux.

   c. Eva trouve que les repas français durent trop longtemps.

   d. Selon Marc, les Tchèques et les Français ont le même caractère.

   e. Marc et sa femme Alena sortent régulièrement l'un sans l'autre.

   f. Alena a toujours apprécié les vacances avec leurs amis français.

   g. La journaliste termine positivement. ▸ p. 58, n° 3

À NOUS ✏️ 🗨️

11. Nous réalisons un mini-guide des codes culturels à respecter pour participer aux événements familiaux de notre pays.

En petits groupes.

   a. Choisissez un événement dans la liste de l'activité 4.

   b. Rédigez une courte présentation des codes culturels à respecter pour participer à votre événement.

En groupe.

   c. Réalisez le mini-guide de la classe.

   d. Proposez-le sur le site expat.com.

LEÇON

4 Un air de fête

■ Découvrir de nouvelles soirées ▶ Doc. 1

■ Décrire des comportements ▶ Doc. 2

▶ **1.** En petits groupes. Regardez la vidéo sans le son du début jusqu'à 1'27" (doc. 1).

  a. À votre avis, qui sont ces personnes ? Que préparent-elles ?

  b. Faites des hypothèses sur le sujet du reportage.

  c. Listez les objets que vous avez vus. Mettez en commun avec la classe.

▶ **2.** Par deux. Regardez la vidéo avec le son du début jusqu'à 1'27" (doc. 1).

  a. Vérifiez vos hypothèses.

  b. Proposez une définition du sponsoring.

  c. Listez les avantages pour les organisateurs de la soirée.

  d. D'où vient le concept ? Est-il populaire en France ?

▶ **3.** Par deux. Regardez la suite de la vidéo (doc. 1).

  a. Que doivent faire les organisateurs pour bénéficier du sponsoring ? Mettez les photos dans l'ordre chronologique et légendez-les.

  b. Identifiez le rôle d'Alizée pendant la soirée.

  c. Que font les invités ? Caractérisez leur attitude.

  d. Comment les marques attirent-elles de nouveaux clients après la soirée ?

document **1** ▶ Vidéo n° 3

Sponsoriser une soirée

BON PLAN
FAITES SPONSORISER VOS SOIRÉES !

4

En petits groupes.

  a. Échangez. Que pensez-vous de ce concept de sponsoring ? Aimeriez-vous essayer ? Pour quelle(s) occasion(s) ?

  b. Listez d'autres moyens d'organiser une fête sans dépenser beaucoup d'argent.

BON PLAN
FAITES SPONSORISER VOS SOIRÉES !

1

3

BON PLAN
FAITES SPONSORISER VOS SOIRÉES !

2

Livres

Isabelle Barth (psychosociologue) et Yann-Hervé Martin (philosophe) sont les auteurs de La Comédie de la vie au travail… et ailleurs. *Selon eux, les hommes et les femmes sont incapables de vivre les uns avec les autres, et incapables de vivre les uns sans les autres. Nous sommes tous des acteurs et nous jouons tous la comédie sans le savoir.*

Isabelle Barth
Yann-Hervé Martin

LA COMÉDIE DE LA VIE AU TRAVAIL... ET AILLEURS

DESCLÉE DE BROUWER

1. se chamailler : se disputer.
2. se réconcilier : faire cesser le désaccord qui existait avec quelqu'un.
3. maniaque : qui est obsédé par quelque chose.
4. un calembour : un jeu de mots.
5. susciter : déclencher.
6. un soupir : une respiration forte.
7. consterné : désolé.

Extrait

« Considérons par exemple une bande d'amis qui se connaissent depuis longtemps. Ils ont l'habitude de se rencontrer, de partir ensemble en week-end, d'organiser des voyages ou des fêtes qui sont pour eux l'occasion de se retrouver. Parmi eux, des hommes et des femmes. Certains ont des enfants, d'autres non. Ils ne font pas le même métier, ils n'ont ni les mêmes goûts, ni les mêmes opinions politiques ou religieuses. Il leur arrive d'ailleurs de se chamailler[1], de se fâcher, de se réconcilier[2]. Mais quand ils se retrouvent, on pourrait croire que chacun a longuement répété son rôle. Regardez celui-ci. C'est le maniaque[3] de l'organisation qui a pensé à tout, même au papier toilette. Tournez votre regard vers celui-là. C'est le spécialiste du barbecue et il entend bien rester seul maître de son appareil. Cet autre multiplie les bons mots, les calembours[4] et les plaisanteries, faisant sourire les uns et suscitant[5] chez les autres un soupir[6] consterné[7]. Un peu plus loin, on peut reconnaître la spécialiste du compromis, l'expert en activités improvisées, la faiseuse de couples. Et si on prenait le temps de mieux les observer ? »

Extrait de *La Comédie de la vie au travail… et ailleurs*, Isabelle Barth et Yann-Hervé Martin.

5. Lisez le résumé de *La Comédie de la vie au travail… et ailleurs* (doc. 2). Choisissez les réponses correctes.

a. Cet ouvrage est…
1. un roman.
2. une étude sociologique.
3. une pièce de théâtre.

b. Il traite…
1. de la vie professionnelle.
2. de la vie privée.
3. des deux.

c. Que signifie : « Nous jouons tous la comédie sans le savoir » ?
1. Nous jouons tous un rôle.
2. Nous sommes tous de bons acteurs.

6. Par deux. Lisez l'extrait (doc. 2).
a. Identifiez les six personnages décrits.
b. Qu'est-ce qui rassemble ces personnes ? Qu'est-ce qui les sépare/oppose ?

Exemple : ce qui les sépare/oppose → « *Ils ne font pas le même métier* ». ▶ | p. 59, n° 2

c. Repérez comment les auteurs de l'ouvrage invitent le lecteur à observer la « comédie ». ▶ | p. 58, n° 4

7

En petits groupes. Décrivez l'un(e) de vos amis qui ressemble à l'un des personnages décrits dans l'extrait (doc. 2). Expliquez pourquoi.

Exemple : *Mary ressemble à la faiseuse de couples. Elle a fait se rencontrer deux amis, qui se sont mariés le mois dernier !*

À NOUS

8. Nous planifions une soirée originale pour la fête de la francophonie.

a. En groupe. Définissez le concept de la soirée.
b. Partagez la classe en deux : des groupes A et des groupes B. Répartissez-vous les tâches :
– les groupes A cherchent des financements (activité 4) ;
– les groupes B attribuent des rôles (activité 6).
c. En groupe. Mettez en commun.
d. Proposez votre concept de soirée aux organisations chargées de la francophonie dans votre pays.

FOCUS LANGUE

Grammaire

p. 166 et p. 203

Les pronoms *en* et *y* pour remplacer un lieu, une chose ou une idée

1. Par deux. Observez le tableau et complétez avec les éléments relevés dans l'activité 3 de la leçon 3 (p. 54).

y	**Fonction n° 1** : remplace une localisation / une destination. Exemple : *On n'**y** connaîtra pas grand monde.* → *On ne connaîtra pas grand monde **à la cousinade**.* **Fonction n° 2** : remplace un COI introduit par *à*. … → …
en	**Fonction n° 1** : remplace un COD exprimant une quantité (déterminée ou indéterminée). … → … **Fonction n° 2** : remplace un complément du nom ou un COI introduit par *de*. Exemple : *Tout le monde n'**en** donne pas la même définition.* → *Tout le monde ne donne pas la même définition **de la cousinade**.* **Fonction n° 3** : remplace un lieu (de provenance). … → …

p. 166 et p. 215

La négation (2) pour exprimer une restriction

2. Relisez les réponses aux activités 6 et 7b de la leçon 3 (p. 55).

a. Par deux. Relevez les quatre autres structures pour exprimer une restriction.
    Exemple : *La cérémonie ne dure que deux heures.*

b. Par deux. Associez les structures à leur signification ou à leur contraire.
    Exemple : *ne que = seulement*.
    1. … ≠ *quelque chose*.   3. … ≠ *quelques* + nom.
    2. … ≠ *quelqu'un*.   4. … = deux négations à la suite dans un contexte identique.
    ! *Rien, personne* et *aucun* peuvent être sujets ou compléments.
    Exemples : *Rien ne ressemble à nos rituels français. Les rituels n'ont rien de semblable.*

p. 166 et p. 217

L'expression de l'opposition et de la concession pour montrer des différences

3. 🎧 ►035 Écoutez ces extraits de l'émission de Radio Praha (doc. 3 et act. 10 p. 55) et associez.

a. J'exprime une opposition…
b. J'exprime une concession…
	1. quand il y a **une contradiction** dans la phrase (le résultat ne change pas).
	    → J'utilise : *même si* (+ indicatif), *bien que* (+ subjonctif).
	    Exemple : *C'est normal, même si on ne le fait pas souvent.*
	2. quand je souligne la différence entre deux éléments **contraires** et **indépendants**.
	    → J'utilise : *mais, par contre, au contraire, alors que* (+ indicatif).
	    Exemple : *les Tchèques sont indépendants. Au contraire, les Français sont sociables.*

p. 167 et p. 204

Les pronoms démonstratifs et indéfinis pour décrire des comportements

4. Relisez ces extraits de *La Comédie de la vie au travail… et ailleurs* (doc. 2 et act. 6c p. 57).
    1. Parmi eux, des hommes et des femmes. <u>Certains</u> ont des enfants, <u>d'autres</u> non.
    2. Regardez <u>celui-ci</u>. C'est le maniaque de l'organisation qui a pensé à tout, même au papier toilette.
        Tournez votre regard vers <u>celui-là</u>. C'est le spécialiste du barbecue.
    3. Cet autre multiplie les bons mots, les calembours et les plaisanteries, faisant sourire <u>les uns</u> et suscitant
        chez <u>les autres</u> un soupir consterné.

a. Par deux. Observez les termes soulignés et retrouvez de qui on parle.

b. Complétez.

	Singulier	Pluriel
Pour désigner <u>une personne</u> (ou un groupe de personnes), j'utilise des pronoms démonstratifs.	… / celle-ci … / celle-là	ceux-ci / celles-ci ceux-là / celles-là
Pour désigner <u>deux personnes</u> (ou deux groupes de personnes) <u>distinct(e)s</u>, j'utilise des pronoms indéfinis.	l'un, l'autre	… …

Mots et expressions

Les termes pour désigner les membres d'une famille
p. 166

1. **a.** **Par deux. Classez les membres de la famille (doc. 1 p. 54 et act. 3 p. 54).**

le cousin, la cousine • la belle-mère • ~~le beau-père~~ • le mari, la femme • le neveu, la nièce • le nouveau-né • ~~le copain, la copine~~ • les cousins éloignés, les petits-cousins • la belle-famille

La famille proche	
le petit ami, la petite amie	le (petit) copain, la (petite) copine
l'époux, l'épouse	…
l'enfant / le bébé	…
l'enfant de l'oncle ou de la tante	…
les enfants du cousin ou de la cousine	…
l'enfant du frère ou de la sœur	…
la famille du conjoint	…
La famille recomposée	
la seconde femme du père	…
le second époux de la mère	le beau-père

b. **En petits groupes. Si vous organisiez une cousinade, quels membres de votre famille inviteriez-vous ? Pourquoi ?**

Décrire des comportements entre amis
p. 167

2. **Relisez ces extraits de *La Comédie au travail… et ailleurs* (doc. 2 et act. 6b p. 57).**

1. Ils ont l'habitude de <u>se rencontrer</u>, de partir ensemble en week-end, d'organiser des voyages ou des fêtes qui sont pour eux l'occasion de <u>se retrouver</u>.
2. Il leur arrive d'ailleurs de <u>se chamailler</u>, de <u>se fâcher</u>, de <u>se réconcilier</u>. Mais quand ils <u>se retrouvent</u>, on pourrait croire que chacun a longuement répété son rôle.

a. **Classez les verbes soulignés.**

Relation sans conflit	Relation avec conflit
se rencontrer ; se retrouver ; …	… ; …

b. **En petits groupes. Lisez les définitions suivantes et imaginez des situations pour les illustrer.**

1. Se chamailler : se disputer pour des petites choses sans importance.
2. Se fâcher : se mettre en colère, être en mauvais termes avec quelqu'un.
3. Se réconcilier : faire cesser le désaccord qui existait avec quelqu'un.

c. **Complétez cette liste avec d'autres verbes.**

Décrire une cérémonie de mariage
p. 166

3. **Par deux. Associez. Relisez vos réponses de l'activité 7 p. 55.**

1. un mariage
2. la cérémonie et la fête du mariage
A. les noces
B. l'union entre le futur époux et la future mariée

Sons et intonation
p. 167 et p. 200

Variations rythmiques et mélodiques

4. 🎧)036 **Par deux. Écoutez ces phrases extraites du doc 2 (p. 57).**

a. **Notez les changements de rythme (__) et de courbes mélodiques (↗ ou ↘).**

b. **Lisez ces phrases en imitant le rythme et la mélodie.**

Exemple : Isabelle **Barth** (psycho**logue**) et Yann-Hervé Mar**tin** (philo**sophe**) sont les auteurs de *La Comédie de la vie*

⎯⎯ ↗ ⎯⎯ ↗ ⎯⎯⎯⎯ ↗ ⎯ ↗ ⎯⎯⎯⎯⎯⎯

*au tra**vail**… et **ail**leurs.*

⎯⎯ ↗ ⎯⎯ ↘

Organiser un événement sur les réseaux sociaux

https://www.valeriedemont.ch

L'ORGANISATION D'ÉVÉNEMENTS

6 ÉTAPES CLÉS DANS L'ORGANISATION D'ÉVÉNEMENTS

Comment utiliser les événements Facebook pour communiquer sur votre manifestation ?

Étape 1 Le but de votre événement

Trois questions fondamentales doivent être posées : Quoi ? Qui ? Pourquoi ?

Étape 2 Le lieu et la date de votre événement

Les fameuses questions : Où ? Quand ?

Étape 3 Le contenu

Quels sont les messages qui doivent être communiqués ?

Étape 4 Le « petit plus »

C'est la cerise sur le gâteau, l'élément dont vos invités se souviendront (un invité d'honneur, des cadeaux pour les participants, etc.).

Étape 5 L'organisation de votre événement

Prévoyez tous les éléments logistiques de l'événement (invitations, musique, décoration, etc.).

Étape 6 Le suivi

Reparlez de la soirée, par exemple sur vos réseaux sociaux.

Créer un événement pour... ▼

✉ **Evénement privé**
Seuls les invités verront votre événement. Vous pourrez choisir de permettre aux invités d'inviter leurs amis.

🌐 **Evénement public**
Tout le monde pourra voir votre événement et le rechercher même si vous n'êtes pas amis.

Nom de l'événement	Ajoutez un nom court et clair
Lieu	Ajoutez un lieu ou une adresse
Date/heure	20/06/2018 19 :00 UTC +02 + heure de fin
Description	Décrivez l'événement

☑ Les invités peuvent convier des amis.

Annuler   Créer un événement privé

1. Observez cette page Internet. Identifiez son thème. Que propose Valérie Demont ?

2. Lisez les étapes proposées par l'auteure.

a. Selon vous, sont-elles adaptées à l'organisation d'un événement familial, amical, professionnel ? Pourquoi ?

b. Par deux. Quelles étapes pourrait-on ajouter ? Quels sont les avantages d'organiser un événement en ligne ?

3. En petits groupes.

a. Échangez sur le type d'événement que vous pourriez créer en ligne et son but, puis répondez aux questions (Quoi ? Qui ? Pourquoi ? Où ? Quand ?).

b. Rédigez les étapes 1 et 2 de votre événement en ligne.

4. En petits groupes. Listez les éléments que vous voudriez communiquer, puis rédigez les étapes 3, 4 et 5.

Apprenons ensemble

5. a. 🎧 037 Écoutez cet extrait d'une émission de radio. Qui participe et pourquoi ?

b. Par deux. Répondez aux interrogations de Xia.

c. En petits groupes. Choisissez un événement.

d. Échangez. Si vous étiez invité(e) à cet événement chez des Français, quelle serait votre réaction ?

   1. Listez les questions que vous pourriez vous poser avant l'événement.

   2. Partagez-les avec la classe.

e. En petits groupes. Recherchez les réponses à vos questions (interrogez des Français, faites des recherches sur Internet). Partagez les informations obtenues avec le reste de la classe.

Projet de classe

Nous collaborons pour organiser un événement avec des francophones.

1. Observez ces images et identifiez les événements proposés.

2. En petits groupes. Listez les activités que vous pouvez organiser autour d'un événement pour faire connaissance avec des francophones. Soyez créatifs !

3. En groupe.

a. Faites la liste de la classe.

b. Votez pour votre activité préférée.

c. Déterminez une date et des horaires pour l'organisation de votre événement.

4. Divisez la classe en quatre groupes. Chaque groupe se charge d'une partie de l'organisation.

Qui ? (Les invités et la communication)	• Identifiez les personnes à inviter (Alliance française, institut, lycée français, ambassade, associations de francophones, de professeurs de français, autres établissements où on apprend le français, professionnels, amis…). • Définissez la communication (événement sur les réseaux sociaux, invitations personnalisées, par courrier, par courrier électronique, annonce sur une radio francophone locale…).
Où ? (Le lieu, dans votre établissement ou ailleurs)	• Dans l'établissement dans lequel vous apprenez le français, dans un café ou restaurant francophone de votre ville, dans une autre institution…
Combien ? (Le budget, où et comment trouver des financements)	• Définissez si la classe finance l'événement, s'il faut rechercher des sponsors, proposer aux invités de régler une petite participation… • S'il y a une loterie, définissez les démarches à faire pour trouver des prix (places de cinéma, bons cadeaux dans des magasins de produits français…).
Comment ? (L'organisation, le déroulement de la soirée, l'animation)	• Définissez les rôles de chacun : préparer un mot de bienvenue, organiser des animations pour que les invités et les organisateurs se rencontrent et échangent, des jeux, une loterie (des prix à gagner…).

5. En groupe. Mettez en commun. Vérifiez que rien n'a été oublié !

6. Chaque groupe réalise sa liste de tâches.

7. Une semaine plus tard, mettez à nouveau en commun. Faites des ajustements si nécessaire.

8. Le jour « J » : profitez de votre soirée et rencontrez de nombreux francophones !

Projet ouvert sur le monde
▶ 📖 GP

Nous créons un guide d'activités pour des francophones en visite dans notre ville ou dans notre pays.

DELF 3

Lisez cet article sur un site Internet français, puis répondez aux questions.

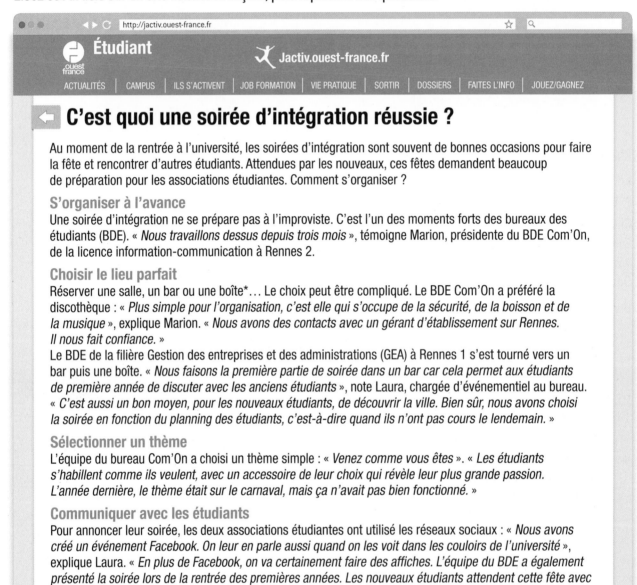

Étudiant — Jactiv.ouest-france.fr

ACTUALITÉS | CAMPUS | ILS S'ACTIVENT | JOB FORMATION | VIE PRATIQUE | SORTIR | DOSSIERS | FAITES L'INFO | JOUEZ/GAGNEZ

C'est quoi une soirée d'intégration réussie ?

Au moment de la rentrée à l'université, les soirées d'intégration sont souvent de bonnes occasions pour faire la fête et rencontrer d'autres étudiants. Attendues par les nouveaux, ces fêtes demandent beaucoup de préparation pour les associations étudiantes. Comment s'organiser ?

S'organiser à l'avance

Une soirée d'intégration ne se prépare pas à l'improviste. C'est l'un des moments forts des bureaux des étudiants (BDE). « *Nous travaillons dessus depuis trois mois* », témoigne Marion, présidente du BDE Com'On, de la licence information-communication à Rennes 2.

Choisir le lieu parfait

Réserver une salle, un bar ou une boîte*… Le choix peut être compliqué. Le BDE Com'On a préféré la discothèque : « *Plus simple pour l'organisation, c'est elle qui s'occupe de la sécurité, de la boisson et de la musique* », explique Marion. « *Nous avons des contacts avec un gérant d'établissement sur Rennes. Il nous fait confiance.* »
Le BDE de la filière Gestion des entreprises et des administrations (GEA) à Rennes 1 s'est tourné vers un bar puis une boîte. « *Nous faisons la première partie de soirée dans un bar car cela permet aux étudiants de première année de discuter avec les anciens étudiants* », note Laura, chargée d'événementiel au bureau. « *C'est aussi un bon moyen, pour les nouveaux étudiants, de découvrir la ville. Bien sûr, nous avons choisi la soirée en fonction du planning des étudiants, c'est-à-dire quand ils n'ont pas cours le lendemain.* »

Sélectionner un thème

L'équipe du bureau Com'On a choisi un thème simple : « *Venez comme vous êtes* ». « *Les étudiants s'habillent comme ils veulent, avec un accessoire de leur choix qui révèle leur plus grande passion. L'année dernière, le thème était sur le carnaval, mais ça n'avait pas bien fonctionné.* »

Communiquer avec les étudiants

Pour annoncer leur soirée, les deux associations étudiantes ont utilisé les réseaux sociaux : « *Nous avons créé un événement Facebook. On leur en parle aussi quand on les voit dans les couloirs de l'université* », explique Laura. « *En plus de Facebook, on va certainement faire des affiches. L'équipe du BDE a également présenté la soirée lors de la rentrée des premières années. Les nouveaux étudiants attendent cette fête avec impatience !* » se réjouit Marion.

* une boîte (de nuit) : une discothèque.

1. L'article…

    a. critique négativement les soirées étudiantes.

    b. donne des conseils pour organiser une soirée étudiante.

    c. raconte une soirée étudiante organisée par une association.

2. Vrai ou faux ? Choisissez la bonne réponse et recopiez la phrase qui justifie votre réponse.

    a. Le BDE préfère attendre le dernier moment pour commencer à organiser une soirée d'intégration.
       Vrai ☐   Faux ☐   Justification : …

    b. Organiser une soirée dans une discothèque est assez compliqué.
       Vrai ☐   Faux ☐   Justification : …

3. D'après Laura, quels sont les endroits où la soirée d'intégration a généralement lieu ?
(Deux réponses attendues.)

4. D'après Laura, quels sont les avantages de la première partie de soirée ? *(Deux réponses attendues.)*

5. Vrai ou faux ? Choisissez la bonne réponse et recopiez la phrase qui justifie votre réponse.

La date de la soirée est généralement choisie au hasard.

Vrai ☐   Faux ☐   Justification : …

6. En quoi consiste la soirée qui a pour thème « Venez comme vous êtes » ?
(Expliquez avec vos propres mots.)

7. Afin de diffuser l'information sur leur soirée, les associations :

    a. ont déjà collé des affiches dans les couloirs de l'université.

    b. envisagent de créer un événement sur les réseaux sociaux.

    c. ont fait une présentation publique le premier jour des cours.

II   Production écrite

Vous étudiez en France. Vous écrivez des articles dans le journal de votre école de langue.
Cette semaine, vous présentez une fête qui se déroule dans votre pays et que vous aimez beaucoup.
Racontez son organisation et son déroulement. Donnez votre opinion sur cette fête.
N'oubliez pas de donner un titre à votre article ! (160 mots minimum)

III   Production orale

Exercice 1   Pour s'entraîner à la partie 1 de l'épreuve orale : l'entretien dirigé

Vous vous présentez, vous parlez de vous, de vos centres d'intérêt, de vos loisirs et du type de sorties que vous aimez faire.

Exercice 2   Pour s'entraîner à la partie 2 de l'épreuve orale : l'exercice en interaction

Par deux. Vous participez à l'organisation de la fête de la francophonie qui se déroulera dans votre école de langue. Un(e) de vos amis francophones vous dit qu'il / elle n'y ira pas. Vous lui expliquez ce qu'il y aura à cette fête et vous essayez de le / la faire changer d'avis.

Exercice 3   Pour s'entraîner à la partie 3 de l'épreuve orale : l'expression d'un point de vue

Dégagez le thème principal du sujet ci-contre. Donnez ensuite votre opinion sous la forme d'un petit exposé de trois minutes environ.

La fête des voisins à Lens

Vendredi, c'était la Fête des voisins. Les habitants du quartier Courtaigne ont profité de l'occasion pour faire la fête. Au programme, il y a eu des jeux, des rires, de la musique, de la danse et de nombreux plats à déguster. Toute la rue Rouget-de-L'Isle s'est réunie autour d'un apéritif et d'un repas froid. Chacun avait apporté des boissons et des plats. Sur les grandes tables, les habitants ont déposé des spécialités françaises, polonaises, italiennes et maghrébines. Des jeux ont été organisés pour les enfants et il y avait même un petit espace pour passer de la musique et danser.
Les habitants ont fait la fête jusqu'au milieu de la nuit ! Ce rendez-vous annuel séduit davantage chaque année, et les habitants sont déjà prêts à recommencer l'an prochain. « *La Fête des voisins, c'est un moment de convivialité, d'échange, de partage. Elle permet de faire connaissance avec ses voisins dans la bonne humeur* », nous dit l'organisatrice de l'événement.

D'après www.nordeclair.fr

Nous contribuons au développement durable

Le point sur... le développement durable

1

a. Observez ce schéma du développement durable.

b. En petits groupes. Associez chaque cercle du schéma à l'un des domaines suivants.

écologique   social   économique

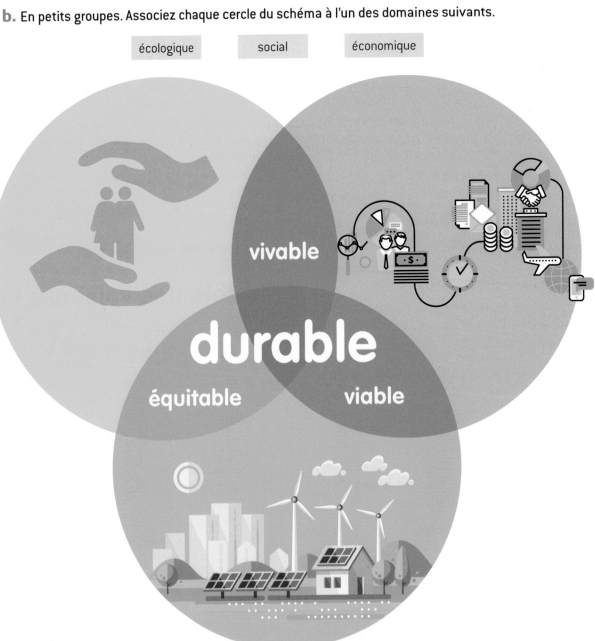

OBJECTIFS DE DÉVELOPPEMENT DURABLE

 **1 PAS DE PAUVRETÉ**

 **2 FAIM « ZÉRO »**

 **3 BONNE SANTÉ ET BIEN-ÊTRE**

 **4 ÉDUCATION DE QUALITÉ**

 5 ÉGALITÉ ENTRE LES SEXES

 **6 EAU PROPRE ET ASSAINISSEMENT**

 **7 ÉNERGIE PROPRE ET D'UN COÛT ABORDABLE**

 **8 TRAVAIL DÉCENT ET CROISSANCE ÉCONOMIQUE**

 **9 INDUSTRIE, INNOVATION ET INFRASTRUCTURE**

 10 INÉGALITÉS RÉDUITES

 **11 VILLES ET COMMUNAUTÉS DURABLES**

 **12 CONSOMMATION ET PRODUCTION RESPONSABLES**

 **13 MESURES RELATIVES À LA LUTTE CONTRE LES CHANGEMENTS CLIMATIQUES**

 **14 VIE AQUATIQUE**

 **15 VIE TERRESTRE**

 **16 PAIX, JUSTICE ET INSTITUTIONS EFFICACES**

 **17 PARTENARIATS POUR LA RÉALISATION DES OBJECTIFS**

 OBJECTIFS DE DÉVELOPPEMENT DURABLE

2

En petits groupes.

a. Observez ce document. Classez chaque objectif dans les cercles qui correspondent (doc. 1 p. 64).

b. Choisissez trois objectifs essentiels pour vous.

c. Illustrez chaque objectif par un exemple (dans votre pays ou dans un pays que vous connaissez).

d. Pour vous, qu'est-ce que le développement durable ? Choisissez votre définition préférée ou proposez la vôtre.
  – Le développement durable répond à nos besoins présents, et permet aux générations futures de répondre aux leurs.
  – Le développement durable, c'est le besoin de changement pour vivre dans un monde plus équitable et plus respectueux de l'environnement.
  – Le développement durable, c'est une forme de développement économique qui a pour objectif principal d'associer le progrès économique et social avec la préservation de l'environnement.

PROJETS

Un projet de classe

Réaliser notre charte régionale de développement durable : échanger sur les objectifs du développement durable, faire l'état des lieux des actions exemplaires et lister des objectifs réalisables dans une région.

Et un projet ouvert sur le monde

Imaginer un projet participatif pour notre ville (ou pour la ville où nous étudions) et lancer un appel aux dons.

Pour réaliser ces projets, nous allons apprendre à :

- rendre compte d'une expérience
- exprimer l'adhésion et émettre des réserves
- proposer des solutions
- débattre d'un sujet polémique
- identifier un projet de développement local et durable
- inciter à agir
- identifier des éco-gestes
- persuader quelqu'un de faire quelque chose

 Vidéo n° 4 90 jours

LEÇON

1 Communautés durables

- Rendre compte d'une expérience ▶ Doc. 1
- Exprimer l'adhésion et émettre des réserves ▶ Doc. 2

document 1

http://www.rue89strasbourg.com

Rue 89 Strasbourg

APL   ÉDITION ABONNÉS   GCO   CULTURE - AGENDA DES SORTIES   POLITIQUE LOCALE   LES BLOGS

Trois ans d'habitat participatif : « pas facile tous les jours »

**Vivre en habitat participatif, ça change quoi ?
Nous sommes allés poser la question aux habitants d'Éco-Logis.**

PAR LUCILE JEANNIARD

Il est 7 h à l'habitat participatif Éco-Logis à Neudorf. Comme chaque matin avant de partir au travail, Serge Asencio et quelques voisins se retrouvent pour une séance de Qi Gong de 30 minutes. Serge Asencio est à l'origine d'Éco-Logis. Il détaille pourquoi il s'est engagé dans ce projet : « Je me suis naturellement impliqué dans cette aventure, parce qu'elle correspond à ma façon d'agir localement. »

Ici, il y a toujours quelque chose à se dire quand on se croise. Lorsqu'on partage des espaces avec ses voisins, c'est le risque. Les résidents ont choisi de mettre en commun une buanderie, une chambre d'amis et une « salle des fêtes ».

Un petit monde d'utopistes, ces résidents d'Éco-Logis ? Vincent Frick, chercheur au CNRS, assure que leur projet d'habitat participatif n'était pas idéaliste : « C'était un projet réaliste. On ne peut pas ignorer des limites économiques, techniques… Et surtout, on ne peut pas ignorer les différences entre les uns et les autres. » Pragmatiques, ils ont pensé à tout. Pour encourager les déplacements à vélo, ils ont prévu seulement six places de parking dans le garage pour onze logements. Et ça marche. Chaque soir, l'abri à vélo à toit végétal est plein à craquer. Quant aux lessives, « il n'y a jamais eu d'embouteillages », assure Claire Lauffenburger, une résidente. À chaque passage à la laverie, l'Éco-logiste règle 0,70 € par machine.

Mais tout n'est pas rose à Éco-Logis. « On n'est pas un immeuble bisounours où tout le monde est beau et gentil », lâche Claire, médecin-psychiatre de profession. Quelques problèmes de voisinage se sont déjà fait sentir. Le bruit des enfants dérange certains, d'autres voient constamment du monde passer devant leurs fenêtres… Claire se confie : « Dans tout immeuble, il existe des problèmes de voisinage. Mais nous essayons d'avancer. Alors, nous avons fait appel à un médiateur pour que tout le monde s'exprime. L'avis de tous est important. » Vincent Frick rappelle qu'ils sont tous différents : « Nous avons plus ou moins d'affinités avec les uns et les autres. Mais nous partageons des valeurs communes. »

Habituellement, des voisins de paliers peuvent être de complets étrangers, « ici, tout le monde se connaît et peut se faire confiance », explique Vincent Frick avant de préciser son propos : « Si je pars en weekend, je sais que je peux confier mes clés à n'importe qui dans l'immeuble. »

Après dix ans de combat pour que leur projet aboutisse, aucun d'eux ne voudrait partir. « C'est très prenant et parfois chronophage, mais c'est difficile de revenir en arrière », reconnaît Bruno Parasote, un résident. Il est 19 h, et le quotidien rattrape chaque Éco-logiste. Il est temps de donner le bain aux enfants et de les coucher. Demain, il y a école.

1. Lisez le titre et le chapeau de l'article publié sur le site rue89strasbourg.com (doc. 1). Répondez.
   a. Quelle information donne le titre sur le contenu de l'article ?
   b. Quelle question pose Lucile Jeanniard ? Comment va-t-elle trouver des réponses ?

2. Par deux. Lisez l'article (doc. 1).

a. Identifiez les personnes mentionnées dans l'article, leur rôle et/ou leur profession.

b. Relevez les éléments de réponse à la question de la journaliste pour parler :
– des relations entre les habitants ;
(Exemple : *Ici, il y a toujours quelque chose à se dire quand on se croise.*)
– d'un mode de vie plus écologique.
(Exemple : *Les résidents ont choisi de mettre en commun une buanderie, une chambre d'amis et une « salle des fêtes ».*)

c. Retrouvez l'expression utilisée par la journaliste pour parler des difficultés rencontrées par les habitants.

d. Listez ces difficultés et le moyen choisi pour y remédier.

▶ p. 70, n° 1 et p. 71, n° 1

3. Par deux. Relisez l'article (doc. 1).

a. Relevez les structures utilisées pour introduire les propos des habitants d'Éco-Logis.

Exemple : *Il détaille pourquoi il s'est engagé dans ce projet.*   ▶ p. 168, n° 3

b. Comparez la conclusion de l'article avec son titre. Que remarquez-vous ?

4.

En petits groupes.

a. Échangez. À votre avis, tout le monde peut-il vivre en habitat participatif ? Ce mode de vie contribue-t-il au développement durable ? Pourquoi ?

b. Listez les types d'habitat que vous connaissez. Classez-les en fonction de leur contribution au développement durable.
Exemples : *un immeuble, une maison…*

document 2   🎧 038 et 039

Envie de vous exprimer, de réagir à l'actualité ou à une émission, de donner votre avis, de parler de la vie locale, de passer une petite annonce ou un message ? **Dites-le nous !**

5. Observez cette page Internet (doc. 2). Identifiez le nom de la radio et ce qu'elle propose à ses auditeurs.

6. 🎧038 Écoutez l'introduction du présentateur (doc. 2) et répondez.

a. Quel est le thème commun avec l'article (doc. 1) ?

b. Quelle est la définition donnée par le présentateur ?

7. 🎧039 Par deux. Écoutez les messages des auditeurs (doc. 2).

a. Relevez les principaux arguments « pour » et les réserves émises.

Messages	Arguments « pour »	Réserves
n° 1	…	…
n° 2	Je trouve intéressant de pouvoir décider de tout…	…
n° 3	…	
n° 4	… C'est une idée intelligente…	mais difficile à mettre en place.
n° 5	…	…

b. Repérez comment chaque auditeur exprime son adhésion au concept.

Exemple : message n° 1 → *Moi, je suis pour ! / Oui, j'approuve totalement.*   ▶ p. 71, n° 2

À NOUS

8. Nous rendons compte d'une expérience.

En groupe.

a. Partagez vos classements des types d'habitat (activité 4).

En petits groupes.

b. Choisissez un type d'habitat. Si vous avez eu une expérience de ce type d'habitat, décrivez-la. Sinon, imaginez-la.

c. Exprimez votre adhésion et/ou émettez des réserves par rapport aux expériences décrites.

LEÇON 2 Consommation responsable

- Proposer des solutions
  ▸ Doc. 1 et 2
- Débattre d'un sujet polémique ▸ Doc. 3

---

document 1

http://www.lemonde.fr

Le Monde.fr

EN DIRECT

Presque la moitié de la nourriture mondiale gaspillée...

40 % de la nourriture produite dans le monde n'est pas consommée ! En Europe, la moitié de la nourriture achetée est jetée par les consommateurs eux-mêmes.

En cause : des dates de péremption inutilement strictes, des promotions « deux pour le prix d'un » et l'exigence des consommateurs occidentaux pour des produits alimentaires esthétiquement parfaits.

> **Vous avez lu gratuitement une partie de l'article.**
> **Pour lire les 84 % restants :**
>
> **Abonnez-vous pour 17,99 euros par mois**
>
> sans engagement et bénéficiez d'un mois offert.

📖 **1.** Par deux. Lisez cette accroche d'un article du Monde.fr (doc. 1).

   a. Repérez pour quelle raison cet article est incomplet.

   b. Identifiez le problème et ses causes.

   c. Classez les causes de la plus importante à la moins importante pour vous.

---

document 2

http://www.lemonde.fr

𝕸 Économie

ÉCONOMIE | Les données du « Monde » | Économie mondiale | Économie française | Entreprises | Emploi

« Gueules cassées » : les fruits et légumes moches bientôt vendus à l'étranger

Le collectif « Les Gueules cassées » a lancé un site Internet en anglais afin d'étendre à l'étranger cette initiative visant à encourager la consommation des produits alimentaires « moches » pour lutter contre le gaspillage.

L'étiquette des « Gueules cassées » a été créée pour signaler et sauver, partout dans le monde, cette nourriture parfaitement bonne et injustement gaspillée.

Intitulé « *Too good to waste* » (« trop bon pour être jeté »), le site invite producteurs, magasins et consommateurs à commercialiser ou acheter des fruits et légumes présentant des défauts, mais propres à la consommation. Ces produits ont strictement les mêmes qualités que les autres et sont vendus moins chers... Leur consommation aide également le monde associatif, puisque 1 centime est prélevé sur chaque achat afin d'alimenter une caisse de solidarité finançant les actions de terrain des associations caritatives.

Des produits étiquetés « *ugly mugs* », sur le modèle des Gueules cassées françaises, commenceront à être vendus aux États-Unis en décembre puis en Allemagne en janvier, a expliqué Nicolas Chabanne, le fondateur de l'initiative.

21 pays intéressés

Dans un premier temps, trois cents magasins seront concernés aux États-Unis. L'Allemagne comptera une trentaine de magasins pour démarrer, avant d'englober les cinq cents magasins distribuant les produits du groupement de producteurs bio qui ont choisi d'adopter la démarche des Gueules cassées.

Vingt et un autres pays sont intéressés par le concept : des pays scandinaves, le Japon, l'Italie, la Belgique, l'Afrique du Sud, l'Inde ou le Brésil.

📖 **2.** Observez le titre de l'article et le logo (doc. 2). Quel est le lien avec l'accroche ?

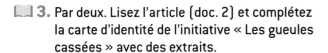

3. Par deux. Lisez l'article (doc. 2) et complétez la carte d'identité de l'initiative « Les gueules cassées » avec des extraits.

Les Gueules cassées

Objectifs de l'initiative :
– …
– signaler et sauver, partout dans le monde, cette nourriture parfaitement bonne et injustement gaspillée.

Objectifs du site : …

Avantages des produits étiquetés « Les Gueules cassées » :
– pour le consommateur : …
– pour le monde associatif : …

Pays et magasins concernés par ces produits : …

▶ p. 70, n° 2

4. Par deux. Relisez l'article (doc 2) et vos réponses à l'activité 3. Relevez comment le journaliste précise son propos.

Exemple : *cette nourriture **parfaitement** bonne*

▶ p. 70, n° 3

 5

En petits groupes.

a. Échangez. Faites-vous attention au gaspillage alimentaire ? Connaissez-vous d'autres causes de gaspillage ? Est-ce qu'on en parle dans votre pays ?

b. Listez les différentes initiatives que vous connaissez pour lutter contre le gaspillage alimentaire.

document **3**   🎧 040 et 041

http://www.franceinter.fr

france inter   Info   Culture   Humour   Musique

LE TÉLÉPHONE SONNE

🎧 (RÉ)ÉCOUTER

6. 🎧)040 Par deux. Écoutez la première partie de l'émission (doc. 3).

a. Choisissez les réponses correctes.

1. Le format de cette émission de radio est :
 – un documentaire.
 – un débat.
 – un journal.

2. Dans ce type d'émission :
 – on donne des informations sur l'actualité.
 – on échange et on partage des opinions sur un thème.
 – on traite de différents sujets à partir d'un scénario.

3. Les participants à ce type d'émission sont :
 – des invités choisis.
 – des experts.
 – des auditeurs.

b. Échangez. Que pensez-vous de ce format ? Est-il populaire dans votre pays ?

7. 🎧)040 Réécoutez la première partie de l'émission (doc. 3) et retrouvez :

a. l'événement du jour.

b. les chiffres donnés par le journaliste pour illustrer cet événement.

c. la question posée aux invités et aux auditeurs.

8. 🎧)041 Par deux. Écoutez la deuxième partie de l'émission (doc. 3). Lisez les affirmations suivantes et répondez : qui (auditeur, invité, présentateur) fait quoi ? Justifiez vos réponses.

a. Il liste les causes du problème.

b. Il propose des solutions concrètes.

c. Il pose des questions.

d. Il exprime son avis et prend position.

e. Il distribue la parole.

▶ p. 71, n° 3

9. 🎧)041 Par deux. Réécoutez la deuxième partie de l'émission (doc. 3). Relevez les causes du problème et les solutions évoquées par les participants.

a. Les causes : « *je pense que si l'on gaspille autant, c'est parce que l'on accorde peu de valeur à l'alimentation* » [Jérôme, un auditeur] ; … ; …

b. Les solutions : « *je crois vraiment qu'il ne faut pas culpabiliser les différents acteurs de la chaîne alimentaire* » [Guillaume Pasti, un invité] ; … ; … ; … ;

▶ p. 70, n° 4 et p. 71, n°4

À NOUS 🎤 ✏️

10. Nous débattons d'un sujet polémique.

En petits groupes.

a. Partagez avec la classe vos initiatives pour lutter contre le gaspillage alimentaire (activité 5b).

b. Échangez sur les différentes initiatives de la classe.

c. Choisissez votre initiative préférée et celle qui, selon vous, ne fonctionnera pas.

En groupe.

d. Partagez vos réponses (c).

e. La classe débat, exprime son adhésion et émet des réserves.

FOCUS LANGUE

Grammaire

Quelques adjectifs et pronoms indéfinis pour exprimer ou nuancer la quantité
▶ p. 168 et p. 204

1. En petits groupes.

a. Observez ce tableau.

Les adjectifs indéfinis → pour exprimer ou nuancer la quantité (avant le nom)	Singulier	**Chaque** <u>matin</u> avant de partir au travail… Dans **tout** <u>immeuble</u>, il existe des problèmes de voisinage.
	Pluriel	**Quelques** <u>voisins</u> se retrouvent pour une séance de Qi Gong.
Les pronoms indéfinis → pour remplacer ou renforcer un nom ou un groupe nominal indéterminé	Singulier	**Tout** n'est pas rose à Éco-Logis. Je peux confier mes clés à **n'importe qui** dans l'immeuble.
	Pluriel	On ne peut pas ignorer les différences entre **les uns** et **les autres**. L'avis de **tous** est important.
	Négatifs + *ne / n'*	**Aucun** d'eux ne voudrait partir.

b. Relisez vos réponses à l'activité 2 (b, c et d) de la leçon 1 (p. 67). Complétez le tableau avec d'autres adjectifs ou pronoms indéfinis.

c. Partagez avec la classe.

Le participe présent pour préciser une action
▶ p. 168 et p. 211

2. Par deux. Relisez le chapeau de l'article du site lemonde.fr (doc. 2 p. 68).

a. Par quoi peut-on remplacer « visant » dans l'extrait ?

b. Relisez vos réponses à l'activité 3 (p. 69). Repérez les trois autres participes présents.

c. Reformulez chacun des participes présents.
Exemple : *Le site invite à commercialiser ou acheter des fruits et légumes <u>présentant</u> des défauts.*
→ qui présentent des défauts

Le participe présent se forme avec le radical de la 1re personne du pluriel du présent + *-ant*.
Exemple : *distribuer → nous **distribu**ons*
*→ **distribu**ant.*
! Exceptions : *avoir → ayant ;*
être → étant ; savoir → sachant.

Les adverbes de manière pour donner des précisions
▶ p. 169 et p. 205

3. Par deux. Relisez ces extraits (doc. 1) et vos réponses à l'activité 4 p. 69.

1. En cause : des dates de péremption **inutilement** strictes, l'exigence des consommateurs occidentaux pour des produits alimentaires **esthétiquement** parfaits.
2. Cette nourriture **parfaitement** bonne et **injustement** gaspillée.
3. Leur consommation aide **également** le monde associatif.
4. Ces produits ont **strictement** les mêmes qualités que les autres et sont vendus moins chers…

a. Observez les adverbes en gras. Choisissez la ou les réponses correctes. Justifiez vos choix.
1. À quelle question répondent-ils ?
→ Quand ? / Où ? / Comment ?
2. Ces adverbes donnent des précisions sur…
→ un verbe / un adjectif / un autre adverbe.
3. Ces adverbes sont construits sur la base de l'adjectif… → au féminin singulier + *ment* / au masculin singulier + *ment*.

b. Listez d'autres adverbes de manière. Illustrez chaque adverbe par un exemple.

Les adverbes de quantité / d'intensité pour nuancer son avis
▶ p. 169 et p. 205

4. 🎧 ◄I)042 Par deux. Réécoutez ces extraits de l'émission « Le téléphone sonne » (doc. 3 et act. 9 p. 69).

a. Complétez avec les adverbes entendus.

Avant un nom	On accorde **peu** de <u>valeur</u> à l'alimentation. Pourquoi a-t-on … de <u>mal</u> à acheter des fruits et légumes qui n'ont pas un look parfait ?
Avant un adjectif / un adverbe	C'est une belle initiative, … <u>indispensable</u>. Les vendre à un prix **fortement** <u>réduit</u>, c'est les dévaloriser.
Après un verbe	Si l'on <u>gaspille</u> … Alors on <u>jette</u> …, et c'est normal.

b. Précisez si l'adverbe donne des informations sur la quantité ou l'intensité.
Exemples : peu → *la quantité ;*
fortement → *l'intensité.*

c. Listez d'autres adverbes pour exprimer l'intensité ou la quantité. Illustrez par des exemples.

Mots et expressions

Décrire des relations de voisinage ▸ p. 168

1. Observez et complétez avec d'autres expressions (doc. 1 p. 66 et act. 2 p. 67).

◡◡	◠◠
– avoir des affinités avec les uns et les autres – partager des valeurs communes / des espaces – se connaître – se faire confiance – avoir quelque chose à se dire	– avoir des problèmes (de voisinage) – déranger quelqu'un – ignorer les différences entre les uns et les autres – être de complets étrangers

Exprimer l'adhésion et émettre des réserves ▸ p. 168

2. Par deux. Relisez les structures relevées dans l'activité 7 de la leçon 1 (p. 67). Classez-les dans la colonne qui correspond.

Exprimer l'adhésion	Émettre des réserves
C'est effectivement très bon. ; …	Il faut juste espérer que… ; …

Débattre d'un sujet polémique ▸ p. 169

3. 🎧 ◦)043 **Par deux. Réécoutez ces extraits de l'émission « Le téléphone sonne » (doc. 3 et act. 8 p. 69). Associez chaque extrait à sa fonction.**
a. Donner la parole à quelqu'un → …
b. Demander la parole / Ajouter quelque chose → …
c. Mettre en avant un argument, une idée
   → *Il faut bien comprendre que* … → …
d. Exprimer son accord
   → *Parfaitement d'accord avec votre auditeur.*
e. Contester, critiquer une idée, un argument
   → *C'est absurde évidemment.* → … → …

Pour parler du gaspillage alimentaire ▸ p. 169

4. En petits groupes (doc. 3 et act. 9 p. 69).
a. Observez la carte mentale ci-dessous.
b. Classez les solutions (de la moins bonne à la meilleure) et les causes (de la moins importante à la plus importante).

Le gaspillage
Le gâchis alimentaire

Le problème
• une nourriture parfaitement bonne et injustement gaspillée

Les acteurs de la chaîne alimentaire
• le producteur   • le consommateur
• le distributeur

Les causes
• jeter la nourriture encore sous emballage
• les dates de péremption inutilement strictes
• des promotions « deux pour le prix d'un »
• l'exigence des consommateurs occidentaux

Les solutions
• sensibiliser et encourager la consommation des produits alimentaires « moches »
• lutter contre le gaspillage
• limiter les promotions et vendre les produits à l'unité
• vendre les produits moches à un prix fortement réduit

Sons et intonation ▸ p. 170 et p. 198

Les sons [y], [ɥ] **et** [u]

5. 🎧 ◦)044 **Par deux.**
a. Relisez le document 1 de la leçon 1 (p. 66). Écoutez et complétez le tableau avec les mots qui contiennent les sons [y], [ɥ] et [u]. Vous avez trois minutes !
b. Comptez le nombre de mots dans chaque colonne. Comparez avec les autres binômes.

[y]	[ɥ] + voyelle	[u]
r**u**e	s**u**is	Strasb**ou**rg
…	…	…

LEÇON

3 Local, social et solidaire

- Identifier un projet de développement local et durable
  ▶ Doc. 1 et doc. 2
- Inciter à agir ▶ Doc. 3

document 1

http://www.kisskissbankbank.com

Kiss Kiss Bank Bank

Lancer vos projets   Découvrez les projets   Comment ça marche   Blog

76 825 619 € ont été collectés pour 28 443 projets créatifs ou innovants grâce à 1 304 285 KissBankers. En savoir plus

Biofermes
Ensemble, faisons germer de petites fermes agroécologiques & autonomes

64 076 € collectés   98% de l'objectif   587 Kissbankers   H-7

Aventure et sport	Education	Journalisme	Solidarité
Art	Mode	Spectacle vivant	Web et techno
Livre et édition	Films	Collectivités territoriales	
Design et invention	Food*	Musique	
Écologie	Jeux	Photographie	

Lancez votre projet

*Nourriture

1. Observez cette page Internet (doc. 1).
- a. Par deux. Identifiez les informations clés qui permettent de comprendre l'objectif de *Kiss Kiss Bank Bank*.
- b. Quel est le projet mis en évidence ? Pour quelle(s) raison(s) ? À quel(s) domaine(s) appartient ce projet ?
- c. Sélectionnez dans les domaines listés au bas du doc. 1 ceux qui vous intéressent le plus.
- d. Aimeriez-vous être un « KissBanker » ? Pourquoi ?

document 2 🎧 045

rfi AFRIQUE 🔊 ▶ ÉCOUTER RFI AFRIQUE EN DIRECT ⌄
Podcast
La radio du monde et de l'Afrique en continu

2. 🎧045 Écoutez cette émission de RFI Afrique (doc. 2).
- a. Identifiez le produit dont on parle.
- b. Qui est Axel Emmanuel Gbaou ? Que sont Instant Chocolat et Ecoya ?

3. 🎧045 Par deux. Réécoutez cette émission (doc. 2).
- a. Retrouvez le problème rencontré par :
  – l'économie ivoirienne ;
  – les producteurs de cacao.
- b. Quelle est la finalité de ce projet social et solidaire :
  – selon Axel Emmanuel Gbaou ?
  – selon le journaliste ?   ▶ p. 76, n° 1 et 2

4. 🎧045 Par deux. Écoutez encore (doc. 2) et répondez.
- a. Pour quelles raisons ce produit est-il certifié équitable ?
- b. Par quel moyen la start-up Instant Chocolat souhaite-t-elle développer le projet « Made in Côte d'Ivoire » ?

5

En petits groupes.
- a. Listez les différents moyens pour financer un projet dans votre pays.
- b. Partagez-les avec la classe.

document **3**

https://www.babyloan.org/fr

B A B Y L○A N   Prêter   Nous connaître   Comment ça marche ?   Blog   S'inscrire / Se connecter

51 projet(s) solidaire(s)

Edas Fabricio
Services

Honduras, Colonia
Immaculada, Choluteca,
Honduras

Edas souhaite améliorer
son local de travail
> En savoir plus

820 €
12 MOIS

18 %

670 € Restant à financer   ▾ 50 €   Je prête

Beatriz Ada
Commerce

Pérou, San Juan
de Lurigancho

Acheter des
marchandises variées
pour son épicerie
> En savoir plus

950 €
4 MOIS

75 %

235 € Restant à financer   ▾ 50 €   Je prête

Babyloan, la solidarité par le prêt

Créé en 2008, Babyloan est aujourd'hui le 1er site européen de prêt solidaire. Il permet aux internautes de prêter aux micro-entrepreneurs de leur choix dans une quinzaine de pays, et les aide ainsi à développer leur propre activité.

Pourquoi prêter ?

Il y a beaucoup de bonnes raisons de prêter sur Babyloan ! Nous en avons sélectionné quelques-unes.

- **Vous affectez votre prêt à une personne :** 100 % de votre prêt est accordé à la personne de votre choix.
- **Vous améliorez les conditions de vie de toute une famille :** un micro-entrepreneur fait vivre en moyenne quatre personnes. Si vous lui attribuez un prêt, ce sont donc cinq personnes qui bénéficient directement de votre microcrédit solidaire.
- **Vous faites le job d'un banquier :** les populations bénéficiaires sont exclues du système bancaire. Sans le microcrédit, elles n'ont accès à aucun mode de financement et ne peuvent donc pas développer leur activité.
- **L'impact social de votre argent est démultiplié :** grâce à un premier prêt de 100 €, vous prêtez encore deux fois après les remboursements des micro-entrepreneurs. Vous avez ainsi envoyé sur le terrain 300 € avec un apport initial de 100 €.
- **Vous participez à la finance solidaire** et aidez une personne à s'en sortir « par elle-même », de manière durable.
- **Vous rendez votre épargne utile !** En savoir plus

---

6. Observez cette page Internet (doc. 3) et faites des hypothèses.

  a. Quel(s) service(s) propose le site français Babyloan ?

  b. Qu'est-ce que la solidarité par le prêt ?

7. Lisez l'article (doc. 3).

  a. Vérifiez vos hypothèses et répondez.

   1. Qui sont Edas Fabricio et Beatriz Ada ?

   2. Pour quelles raisons utilisent-ils Babyloan ?

  b. Proposez une définition du microcrédit solidaire.   ▶ p. 77, n° 1

8. En petits groupes. Relisez la partie « Pourquoi prêter ? » (doc. 3).

  Vrai ou faux ? Justifiez avec un extrait.

  Pour motiver le lecteur et lui donner envie de prêter, l'auteur de l'article...

  a. utilise essentiellement des verbes d'action.

  b. liste un maximum de raisons.

  c. décrit les conséquences d'un prêt.

  d. donne son opinion.

  e. s'adresse directement au lecteur.   ▶ p. 76, n° 3 et p. 77, n°2

À NOUS !

9. Nous soutenons un micro-entrepreneur !

En petits groupes.

a. Choisissez une zone géographique puis un pays sur www.babyloan.org/fr.

b. Découvrez les projets solidaires proposés puis choisissez votre projet préféré.

c. Présentez votre micro-entrepreneur, les difficultés qu'il rencontre et son projet à la classe. Justifiez vos choix. Incitez vos camarades à choisir votre projet.

d. Présentez le projet de votre micro-entrepreneur à la classe. Incitez vos camarades à choisir votre projet.

e. Chaque groupe vote pour son projet préféré.

f. La classe participe financièrement au projet choisi.

LEÇON 4 Agir au quotidien

- Identifier des éco-gestes ▸ Doc. 1
- Persuader quelqu'un de faire quelque chose ▸ Doc. 2

1. Observez cette publicité (doc. 1). À votre avis, que propose l'application mobile 90 jours ? Faites des hypothèses.

2. Par deux. Regardez la vidéo (doc. 1) et vérifiez vos hypothèses.

3. Par deux. Regardez à nouveau la vidéo (doc. 1).

a. Retrouvez les trois exemples de défis proposés dans l'appli 90 jours.

b. À l'aide de ces exemples, expliquez le slogan de 90 jours : « Soyez le changement climatique ».

4. En petits groupes. Regardez encore la vidéo (doc. 1). Concentrez-vous sur la voix off et le fond sonore (la musique et les bruits).

a. Choisissez les réponses correctes.

Le rythme est...
– calme et régulier.
– rapide et dynamique.
– irrégulier et nerveux.
Il y a...
– peu de pauses.
– beaucoup de pauses.

Le ton est...	
– neutre.	– froid.
– positif.	– chaleureux.
– négatif.	

Le débit est...
– lent (pour faciliter la compréhension du message).
– moyen (pour informer).
– rapide (pour stimuler le destinataire, pour donner une image dynamique).

Le fond sonore est...	
– inquiétant.	– rassurant.
– très présent.	– peu présent.

b. Parmi les éléments ci-dessus, quels sont ceux qui aident le plus à persuader ?

document **1** ▶ Vidéo n° 4

 5

En petits groupes.

a. Listez d'autres éco-gestes faciles à réaliser pour lutter contre le changement climatique.

Exemple : *Je n'achète pas de bouteilles en plastique.*

b. Indiquez leur impact sur l'environnement.

Exemple : *Je produis moins de déchets.*

c. Partagez avec la classe.

d. Classez l'ensemble des éco-gestes de la classe dans le tableau.

Je le fais déjà.	Je le ferai plus tard.	Je ne le ferai jamais.
...	...	...

6. Par deux. Lisez la bande dessinée de Cyril Pedrosa (doc. 2).

a. Expliquez les difficultés de la famille pour :
– se séparer de ses biens ;
– donner ses biens.

b. Listez les sentiments représentés dans les cases 2 à 5 (doc. 2). Décrivez-les : texte, dessins (expression du visage, couleurs, gestuelle), etc.

Exemple : *Dans la deuxième case, la surprise pour l'homme, avec le texte (« Oh, c'est marrant… »)*
et le dessin (4 petits traits au-dessus de sa tête).

c. Relevez comment chacun des personnages essaie de persuader l'autre de jeter ou de garder ses anciens objets.

Exemple : *On est vraiment obligés de garder ce genre de machins ??*

▶ p. 77, n° 3, 4 et 5

document 2   🎧 046

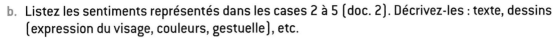

7 💬 🎧 ▸046

En petits groupes de quatre.

a. Choisissez un personnage de la BD ou la voix off (le récit en rose) (doc. 2).

b. À l'aide du tableau de l'activité 4 et des sentiments évoqués (activité 6b), préparez la lecture de la BD.

c. Cherchez un fond sonore pour illustrer votre interprétation.

d. Présentez votre interprétation à la classe.

e. Comparez avec l'audio proposé (doc. 2).

À NOUS 🔊 💬 ✏️

8. Nous mettons en scène nos bonnes résolutions.

Par deux.

a. Choisissez un éco-geste que vous ferez plus tard ou que vous ne ferez jamais (activité 5).

b. Imaginez le scénario d'une planche de BD dans laquelle deux personnages discutent : l'un veut réaliser l'éco-geste choisi, l'autre lui explique que cela peut attendre.

c. Interprétez le dialogue devant la classe.

FOCUS LANGUE

Grammaire

Quelques verbes prépositionnels pour exprimer le but d'une action ▸ p. 170

1. Par deux. Relisez vos réponses à l'activité 3b de la leçon 3 (p. 72).
Repérez les structures utilisées pour exprimer le but d'une action.

Exemple : *Pour remédier à cette situation, la start-up Instant Chocolat et la coopérative Écoya ont créé les premiers blocs de chocolat fabriqués en Côte d'Ivoire…*
a. Ce projet vise à installer des chocolateries en milieu rural pour que les producteurs gagnent un peu plus sur le cacao.
b. Aujourd'hui, on œuvre pour qu'il gagne au moins le tiers.
c. L'objectif de ce projet social et solidaire est d'essayer de faire travailler une centaine de femmes dans chacune des 2 500 coopératives ivoiriennes productrices de cacao.
d. Instant chocolat cherche actuellement à obtenir des financements pour ce beau projet véritablement « made in Côte d'Ivoire ».

L'infinitif et le subjonctif pour exprimer le but d'une action ▸ p. 170 et p. 216

2. Relisez les cinq extraits de l'activité 1 ci-dessus. Classez les structures dans le tableau, en mettant les verbes (quand la structure comporte un verbe introducteur) à l'infinitif comme dans l'exemple.

Infinitif	Subjonctif
Exemple : viser à installer …	… ; …
Afin de remédier à cette situation	Afin que les producteurs gagnent

- Pour exprimer le but d'une action :
  J'utilise un verbe ou une structure construits avec les prépositions « à » et « de » + un verbe à…
- J'utilise une structure construite avec « que » + un verbe au…

Inciter à agir ▸ p. 170

3. Observez (doc 3 page 73 et vos réponses à l'activité 8 page 73).

Pour inciter à agir, je peux :

– tenter de convaincre en répondant à une question que tout le monde se pose : *Pourquoi prêter ?* Il y a beaucoup de bonnes raisons de prêter sur *Babyloan (6 bonnes raisons sont ensuite présentées)*
– expliquer précisément pourquoi on incite à agir, décrire une situation critique : *les populations bénéficiaires sont exclues du système bancaire. Sans le microcrédit, elles n'ont accès à aucun mode de financement et ne peuvent donc pas développer leur activité.*
– m'adresser directement au lecteur pour l'impliquer : *vous affectez, vous améliorez, vous faites…*
– lui montrer quelle conséquence aura sa participation : *si vous lui attribuez un prêt, ce sont donc 5 personnes qui bénéficient directement de votre microcrédit solidaire.*
– utiliser essentiellement des verbes d'action : *prêter, affecter, améliorer, faire le job*
– souligner les conséquences positives de la participation du lecteur : *grâce à un premier prêt… Vous avez ainsi envoyé sur le terrain 300 € avec un apport initial de 100 €*

Sons et intonation ▸ p. 171

L'intonation pour persuader

4. a. 🎧 �)047 Écoutez ces phrases, concentrez-vous sur le rythme et la courbe mélodique.

b. Mettez-vous debout pour répéter ces phrases. Levez la main quand la voix monte et baissez-la quand votre voix descend.
Exemple : *90 jours. Soyez le changement climatique !*

Mots et expressions

▶ p. 171
Les termes pour parler du microcrédit social et solidaire

1. Par deux. Associez chacun(e) de ces mots ou expressions du doc. 3 (p. 73) à la définition qui correspond. Relisez les réponses de l'activité 7b p. 73.

un micro-entrepreneur • un microcrédit • la finance solidaire • un prêt • l'épargne

a. Prêt, souvent de petit montant, accordé à un entrepreneur qui n'a pas accès aux services des banques classiques.

b. Somme d'argent qu'on ne dépense pas.

c. Somme d'argent remise à quelqu'un, en échange du paiement d'un intérêt et de l'engagement de remboursement.

d. Relie les épargnants – qui cherchent à donner du sens à leur argent – à des entreprises et des associations dont l'activité est à forte utilité sociale et/ou environnementale.

e. Personne qui crée sa propre petite entreprise pour générer des revenus.

▶ p. 171
Parler du crédit et de l'épargne

2. Observez et complétez avec d'autres expressions pour parler du crédit et de l'épargne (act. 8 p. 73).

prêter à quelqu'un
attribuer un prêt à quelqu'un
accorder un prêt à quelqu'un
avoir accès à un mode de financement
bénéficier d'un prêt
faire un emprunt
l'économie d'argent, l'épargne
une somme à rembourser, un remboursement

▶ p. 171
Quelques termes pour s'exprimer en français familier

3. En petits groupes. Relisez la première case de la BD (doc. 2 p. 75). Retrouvez le terme ou l'expression qui correspond à chaque définition.

a. Expression de l'étonnement, de la surprise.

b. Quantité importante de quelque chose.

c. Expression pour souligner la rapidité de quelque chose.

d. S'utilise pour renforcer une idée, un propos.

4. Par deux.

a. Lisez cette définition.

> Un *truc* ou un *machin* (registre familier), désigne ce dont on ne se rappelle plus le nom, ce dont on ne connaît pas le nom, ce qui n'a pas de nom. La particularité de *machin* est de remplacer parfois un nom propre. Exemple : *Je l'ai vue dans le métro avec machin l'autre jour.*

b. Relisez ces extraits de la BD (doc. 2 p. 75). Retrouvez à quoi les mots *trucs* et *machins* renvoient.

1. On a vite fait d'accumuler un sacré paquet de trucs.

2. On est vraiment obligés de garder ce genre de machins ??

3. Il y a plein de trucs en bon état là-dedans…

▶ p. 171
Décrire une bande dessinée

5. Par deux. Observez ce document. Pour chacun des éléments ci-dessous, donnez un exemple à l'aide de la BD de Cyril Pedrosa (doc. 2 p. 75).

Lexique de la bande dessinée (BD ou bédé)

une planche : page entière d'une bande dessinée.

une bande

une case

une bulle

une onomatopée
(un mot qui imite un son)

SHHH!

BOUM!

une scène : suite d'images se présentant dans le même décor.

une ellipse : moment qui n'est pas montré au cours d'une action.

Progresser à l'écrit (1)

À l'avenir, l'alimentation changera significativement dans les sociétés les plus industrialisées du monde. Le style de vie sera plus compliqué et la nourriture devra s'adapter *à ce style de vie*. En plus de ça, il y aura une pénurie d'aliments naturels et biologiques. Les sociétés industrialisées créeront de la nourriture déshydratée. Les gens consommeront de la nourriture déshydratée tous les jours. Ils achèteront des petites pilules déshydratées avec le contenu, le goût et la texture de leur choix. À la maison, ils transformeront les pilules en aliments prêts à manger. Au contraire, les sociétés les moins industrialisées du monde vivront avec une alimentation basée sur des produits naturels. Ce sera un grand paradoxe...

Adolfo

En petits groupes.

1. Lisez la production de Adolfo. À votre avis, à quelle question a-t-il répondu ?

2. Observez les éléments surlignés par son enseignante. À l'aide de la grille ci-dessous, aidez Adolfo à réviser sa production.

Utiliser les pronoms pour ne pas répéter	Exemple : *Le style de vie sera plus compliqué et la nourriture devra s'y adapter à ce style de vie. ..., ...*
Faire des paragraphes pour faciliter la lecture	Proposition de segmentation →

3. Partagez vos propositions avec la classe.

4. En petits groupes. Rédigez un court texte sur le thème « l'alimentation du futur ». Échangez vos textes avec un autre groupe. Mettez en commun les propositions d'amélioration.

Apprenons ensemble

5. En petits groupes. Lisez la question de Gianna et la réponse postée sur le forum.

a. Est-il parfois nécessaire de préciser que le français est pour vous une langue étrangère ? Dans quelle(s) situation(s) ?

b. Ajouteriez-vous un message à votre signature ? Si oui, lequel ? Faites deux propositions : une pour un message professionnel et une pour un message personnel.

Message de Gianna posté le 02-06-2017

Bonjour !
Je suis italienne. Je dois écrire en français pour mon travail et c'est difficile ! Souvent mes destinataires ignorent que le français n'est pas ma langue maternelle. Je fais parfois des erreurs et j'ai peur qu'ils ne prennent pas au sérieux mes demandes. Alors j'ai envie d'ajouter une phrase à ma signature automatique. Par exemple : « Excusez mes erreurs mais le français est pour moi une langue étrangère. » Est-ce que c'est une bonne idée ? Que pensez-vous de cette phrase ?

Réponse de Pinpin postée le 02-06-2017

Bonjour Gianna !
1. Si je vous lisais, j'apprécierais votre message sous la signature.
2. Attention ! Si vous écrivez « excusez mes erreurs », c'est qu'**il y a des erreurs**, ce qui n'est pas très bon...

Projet de classe

Nous réalisons notre charte régionale de développement durable : nous échangeons sur les objectifs du développement durable, nous faisons l'état des lieux des actions exemplaires et nous listons des objectifs réalisables dans une région.

En petits groupes.

1. Observez ce document.

a. Identifiez le type de document.

b. Que pensez-vous de l'illustration ?
Quelle image donne-t-elle de la région ?

2. Lisez le texte.

a. Répondez.

1. Qu'est-ce qu'une charte de développement durable ?
2. Pourquoi la région Nouvelle-Aquitaine a-t-elle créé une charte de développement durable ?

b. Comparez les deux objectifs présentés dans la charte à ceux du document (p. 65).
À quels objectifs correspondent-ils ?

3. Relisez les objectifs du développement durable définis dans le document (p. 65).

a. Choisissez-en deux.

b. Pour chaque objectif choisi, listez trois actions exemplaires qui existent dans votre région ou votre pays.

c. Imaginez d'autres initiatives permettant de réaliser vos objectifs.

4. Partagez avec la classe.

5. La classe choisit quatre objectifs et rédige sa charte de développement durable sur le modèle suivant :
illustration(s) – présentation des objectifs – liste des actions exemplaires – liste des initiatives et des solutions pour atteindre les objectifs

6. Chaque groupe rédige un élément de la charte.

Charte régionale de développement durable

RÉGION
Nouvelle-Aquitaine

Nous souhaitons écrire ensemble une nouvelle histoire commune. Le développement durable que nous portons, c'est un développement conscient de l'état de la planète et de ses habitants, un développement positif, équitable et partagé.

Les six objectifs régionaux de développement durable

1. Diffuser la culture du développement durable
Le développement durable a besoin d'une société formée et informée, capable de faire évoluer ses comportements quotidiens, mais aussi de prendre part aux grands choix collectifs. Lire plus

2. Faire de la solidarité et de la lutte contre les inégalités une priorité du développement durable Lire plus

12

Projet ouvert sur le monde

▶ 📖 GP

Nous imaginons un projet participatif pour notre ville (ou pour la ville où nous étudions) et nous lançons un appel aux dons.

DELF 4

Lisez les questions. Écoutez le document puis répondez.
Vous écoutez cette émission à la radio.

1. Cette émission a lieu à l'occasion de quel événement ?

2. Quel est l'objectif des panneaux présents dans les hôtels auxquels le journaliste fait référence ?
   a. Éviter le gaspillage alimentaire.
   b. Réduire sa consommation d'eau.
   c. Utiliser plus longtemps le linge de toilette.

3. D'après le journaliste, quelle est la quantité de déchets alimentaires produits chaque année en France ?

4. Clémentine Concas est…
   a. directrice du développement durable d'un groupe hôtelier.
   b. responsable d'un hôtel qui pratique le développement durable.
   c. un chef cuisinier concerné par le développement durable dans un hôtel.

5. D'après Clémentine Concas, pour se rendre compte du gaspillage alimentaire,
   quelles sont les trois choses qui ont été mesurées ? (*Trois réponses attendues.*)

6. D'après Clémentine Concas, pourquoi les équipes de restauration sont-elles les mieux placées
   pour réfléchir à des solutions anti-gaspillage ?

7. Quelle est la particularité de la recette « Toute la pomme » dont parle Clémentine Concas ?
   a. La pomme est utilisée dans tous les plats d'un même menu.
   b. Chaque partie de la pomme est cuisinée de différentes façons.
   c. Un même dessert contient toutes les parties de la pomme sans exception.

8. Comment le journaliste explique-t-il que les palaces gagnent de l'argent
   en luttant contre le gaspillage alimentaire ?

9. Pourquoi certains hôtels ont-ils placé des écrans vidéo à la réception ?

II Production écrite

Vous êtes dans une école de langue en France. Vous lisez cette affiche dans le hall d'entrée.

Fête de l'écologie

Chers étudiants,
pour célébrer
la **fête de l'écologie**,
nous vous proposons
de participer
à un **concours**.

Il s'agit de faire quelques propositions pour améliorer le respect de l'environnement dans votre école de langue.

Les étudiants qui feront les meilleures propositions recevront un cadeau surprise... écologique !

Si vous souhaitez participer à ce concours, adressez vos propositions à Mme Colin, responsable du service intérieur, avant samedi prochain.

À vos stylos !

Vous souhaitez participer à ce concours. Vous écrivez un texte construit et cohérent de 160 mots minimum dans lequel vous faites environ trois propositions d'actions écologiques.

III Production orale

Exercice 1 Pour s'entraîner à la partie 1 de l'épreuve orale : l'entretien dirigé

Vous vous présentez, vous parlez de vous, de votre pays et de vos projets.

Exercice 2 Pour s'entraîner à la partie 2 de l'épreuve orale : l'exercice en interaction

Par deux. Vous êtes en France et vous proposez à un(e) de vos amis francophones d'aller au Salon de l'environnement et du développement durable. Il / Elle refuse car il / elle n'y voit pas d'intérêt. Vous essayez de le / la faire changer d'avis en lui expliquant pourquoi il serait intéressant d'y aller.

Exercice 3 Pour s'entraîner à la partie 3 de l'épreuve orale : l'expression d'un point de vue

Dégagez le thème principal de ce sujet. Donnez ensuite votre opinion sous la forme d'un petit exposé de trois minutes environ.

▌LE DÉSENCOMBREMENT : SE DÉBARRASSER DU SUPERFLU POUR MIEUX VIVRE

Ne garder dans son environnement que ce qui est essentiel pour vivre est un bon moyen de vivre de manière plus harmonieuse et naturelle.

« *À l'âge de vingt-cinq ans, j'étais en train de faire le ménage quand j'ai eu une crise de panique : mon appartement était encombré de meubles et d'objets dont je ne me servais pas. Soudainement, j'ai eu l'impression d'étouffer* », explique Claire, une jeune trentenaire. À la suite de cet épisode, elle décide de pratiquer le désencombrement, ne gardant chez elle que les objets indispensables. Le but ? Vivre dans un milieu plus respectueux de son environnement naturel, social et psychologique. « *Depuis, je n'ai plus d'objets en plastique chez moi, j'ai résilié mon abonnement de bus pour faire du vélo et me suis passée de ma connexion Internet* », explique-t-elle. « *Vivre avec seulement le nécessaire me permet de gagner du temps et de me sentir bien mieux chez moi.* » ■

www.kaizen-magazine.com

Nous allons étudier ou travailler en français

Le point sur… les études et le travail en France

1

a. Observez et identifiez cette affiche.

b. Par deux. Lisez l'affiche. Que propose la journée Portes Ouvertes ?

c. Par deux. Connaissez-vous Campus France ? Choisissez la bonne réponse.
  1. Campus France est une université française.
  2. On trouve généralement les espaces Campus France dans les Instituts français ou les Alliances françaises.
  3. On trouve les espaces Campus France dans toutes les universités françaises et francophones.

d. En petits groupes. Échangez. Connaissez-vous les journées Portes Ouvertes de Campus France ? Y avez-vous déjà participé ? Si oui, que vous ont-elles apporté ? Sinon, aimeriez-vous y participer ? Pourquoi ?

Bien chercher un emploi

Le guide pour être plus efficace

Embauche

Entretien

candidature

réseau

CV

Lettre de motivation

postuler

conseils

MODE(S) D'EMPLOI

REGIONSJOB

Sommaire

2

a. Par deux.

   1. Identifiez ce document.

   2. Observez la couverture et repérez les différentes étapes pour aller de la candidature à l'embauche.

b. En petits groupes. Lisez le sommaire et échangez.
Quel(s) chapitre(s) vous intéresse(nt) le plus ? Pourquoi ?

PROJETS

Un projet de classe

Créer une carte des compétences et des savoir-faire de notre classe.

Et un projet ouvert sur le monde

Formuler un projet d'études ou un projet professionnel et préparer un dossier de candidature.

Pour réaliser ces projets, nous allons apprendre à :

- communiquer sur notre parcours
- exprimer notre motivation et présenter notre projet

- comprendre l'outil « portfolio professionnel »
- comprendre et donner des conseils pour un entretien d'embauche

- prendre des risques
- valoriser notre expérience

- comprendre un métier
- décrire le début de notre journée de travail

Vidéo n° 5
Destination Antananarivo

LEÇON

1 Étudier, pour quoi faire ?

- Communiquer sur son parcours ► Doc. 1, 2, 3 et 4
- Exprimer sa motivation et présenter son projet ► Doc. 5

documents **1, 2** et **3** 🎧 049 et 050

Fabio, étudiant brésilien à Poitiers 🎧 *(doc. 2)*

Ibtissame, étudiante marocaine à Paris 🎧 *(doc. 3)*

1. Observez cette page Internet (doc. 1). Identifiez le site. À votre avis, de quoi parlent Fabio et Ibtissame ?

2. 🎧 049 Écoutez le témoignage (doc. 2).

a. Qui est Fabio ? De quoi parle-t-il ?

b. Complétez son profil.
– Études suivies : …
– Travail : …
– Projet professionnel : …

3. 🎧 049 Par deux. Réécoutez (doc. 2).

a. Remettez dans l'ordre les étapes du parcours de Fabio.

installation en France • avant de partir en France • enfance • projet • études et travail en France • arrivée en France

b. Justifiez avec des extraits du témoignage.

4. 🎧 050 Écoutez le témoignage de Ibtissame (doc. 3). De quoi parle-t-elle ?

5. 🎧 050 Par deux. Réécoutez (doc. 3). Relevez :

a. ce que Ibtissame a fait après avoir eu son bac ;

b. les études qu'elle a choisi de faire en France ;

c. les raisons de ce choix. ► p. 88, n° 1

document 4

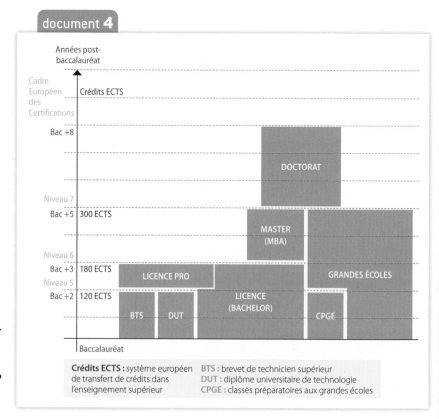

Années post-baccalauréat

Cadre Européen des Certifications — Crédits ECTS

Bac +8 — DOCTORAT

Niveau 7
Bac +5 — 300 ECTS — MASTER (MBA)

Niveau 6
Bac +3 — 180 ECTS — LICENCE PRO — GRANDES ÉCOLES
Niveau 5
Bac +2 — 120 ECTS — BTS — DUT — LICENCE (BACHELOR) — CPGE

Baccalauréat

Crédits ECTS : système européen de transfert de crédits dans l'enseignement supérieur

BTS : brevet de technicien supérieur
DUT : diplôme universitaire de technologie
CPGE : classes préparatoires aux grandes écoles

6. Retrouvez dans le schéma (doc. 4) les filières ou les diplômes mentionnés par Fabio et Ibtissame. ► p. 89, n° 1

7

En petits groupes. Échangez sur vos parcours (études, travail, projet professionnel, projet de mobilité…).

document 5

1 Lahela ABHAY
Avenue Setthathirath
P.O. Box 26 Vientiane / Laos
lahela.abhay@hotmail.com
+856 (0) 21 26 70 21

2 Université de Tours – Service des admissions
UFR[1] de Sciences et Techniques
Site Grandmont
37200 Tours / France

3 Vientiane, le 6 avril 2018

4 **Objet : candidature à l'inscription en master Sciences, Technologies et Santé**
de l'université de Tours.

5 Madame, Monsieur,

6 Je viens de valider ma licence de Technologies médicales à l'université des sciences et de la santé de Vientiane (cinq années d'études). Depuis plusieurs années, je suis des cours de français et je viens d'obtenir le DELF B2. Mon projet professionnel est de devenir ingénieur d'études ou chef de projet dans une entreprise du secteur de la santé. C'est pourquoi je souhaite m'inscrire au master Sciences, Technologies et Santé de votre université.

J'ai choisi la France pour la qualité, la flexibilité et l'efficacité de son enseignement supérieur, ainsi que pour son important réseau d'établissements et de centres de recherche de renommée internationale. De plus, mes études de français m'ont permis de découvrir la culture française et m'ont donné envie de vivre dans ce pays. Enfin, la rencontre avec des étudiants de différentes nationalités me permettra de m'enrichir sur le plan personnel.

Mon choix s'est porté sur le master que vous proposez parce qu'il présente un très bon équilibre entre la théorie et la pratique. En effet, plusieurs stages sont proposés au cours de la formation, dont le stage final de 24 semaines dans un laboratoire. Il est très important pour moi de mettre en pratique mes connaissances car je n'ai pas à ce jour de véritable expérience professionnelle. Une coopération importante existant entre la France et le Laos dans le domaine de la santé, je prévois à mon retour de chercher un emploi dans ce secteur.

Je reste à votre disposition pour tout renseignement complémentaire.

7 En vous remerciant de l'attention que vous porterez à ma candidature, je vous prie de croire, Madame, Monsieur, à mes sincères salutations.

8 Lahela ABHAY

1. UFR : unité de formation et de recherche.

---

8. Lisez cette lettre (doc. 5).

a. Qui écrit ? À qui ? Quand ? Où ? Pour quoi faire ? Justifiez vos réponses.

b. Par deux. Associez les éléments suivants aux différentes parties de la lettre.
signature • formule d'appel • formule de politesse finale • expéditeur • destinataire • date et ville • corps de la lettre • objet de la lettre

9. Par deux. Relisez le corps de la lettre de Lahela (doc. 5).

a. Attribuez un objectif à chaque paragraphe.
préciser pourquoi cette formation en particulier est importante pour son projet professionnel • annoncer son projet • expliquer sa motivation pour étudier en France

b. Relevez les expressions utilisées pour introduire chaque nouvel argument.
Exemple : *C'est pourquoi je souhaite m'inscrire au master…*
▶ **p. 88, n° 2**

À NOUS

10. Nous présentons notre parcours et notre projet.

a. En petits groupes. Préparez la présentation de vos projets :
– ce que vous allez dire en introduction ;
– la présentation de vos parcours ;
– ce que vous souhaitez faire et pourquoi (vos projets professionnels ou vos projets d'études) (activité 7).

b. Seul. Présentez oralement votre projet à votre groupe. Le groupe évalue votre présentation.

LEÇON

2 Valoriser sa candidature

- Comprendre l'outil « portfolio professionnel »
  ► Doc. 1
- Comprendre et donner des conseils pour un entretien d'embauche
  ► Doc. 2

http://journalmetro.com

métro

| Montréal | National | Monde | Culture | Opinions | CONCOURS | HOROSCOPES | JEUX | METRO FLIRT | MON SCOOP | PHOTOS | VIDEOS |

Auto | Tendances | Bouffe | Vivre | Techno | Sports | Vacances | **Carrières** | Maison | Insolite

L'ABC du portfolio professionnel

Montrez vos réalisations et vos forces aux employeurs ! Voici des conseils pour réaliser votre portfolio.

Oubliez le portfolio sophistiqué. Le portfolio professionnel doit être sobre. Il est centré sur les compétences du candidat à l'embauche, par exemple définir une stratégie ou recruter du personnel. Il ne retrace pas la chronologie des postes que le candidat a occupés. Mais attention, le portfolio ne remplace pas le CV ; il le complète.

Un outil avant tout

Le portfolio est une excellente occasion d'analyser son expérience professionnelle. Il montre un fil conducteur dans l'expérience du travailleur. Il prépare bien à l'entretien d'embauche, où il peut servir de référence.

Mettre en valeur ses compétences

Comment construire son portfolio ? D'abord, une page de couverture avec les coordonnées et la table des matières.

Ensuite, une copie du CV à jour. Puis vient le corps du portfolio, qui demande le plus de travail. Il faut analyser ses expériences professionnelles et dégager trois à cinq grandes compétences (élaborer un budget, piloter des groupes de projet, négocier un contrat…).
Une compétence par page de document. Pour chaque compétence, le candidat décrit les tâches qui y sont reliées et les ressources utilisées pour les mener à bien.
On peut aussi y ajouter des lettres de recommandation ou des travaux. Attention toutefois à ne pas trop en mettre. L'embaucheur[1] est pressé : il ne retient que ce qui est pertinent pour l'emploi.

Une démarche récente

Bien que l'outil soit intéressant, l'arrivée du portfolio professionnel dans le monde de l'emploi est récente. Tous les employeurs n'y sont pas encore habitués.

C'est pourquoi les spécialistes conseillent plutôt un CV par compétences. Le travailleur y décrit ses actions les plus adaptées dans une circonstance difficile, puis les résultats obtenus. En lisant le CV par compétences, le recruteur imagine le candidat en action.

Les spécialistes proposent aussi de créer un site web dans lequel l'ensemble des réalisations du travailleur sont mises en valeur.

1. l'embaucheur (Québec) : le recruteur, l'employeur (France).

1. Observez et identifiez le document (doc. 1). Faites des hypothèses à partir de la photo et du titre.
   a. À qui s'adresse cet article ?
   b. Quel est son but ?

2. Par deux. Lisez le document (doc. 1).
   a. Vérifiez vos hypothèses.
   b. Répondez. Que présente le portfolio professionnel ? À quoi sert-il ? Existe-t-il dans votre pays ? Aimeriez-vous réaliser un portfolio ? Pourquoi ?
   c. Vrai ou faux ? Justifiez.
      1. Le portfolio doit être simple.
      2. Le portfolio présente les expériences dans l'ordre du parcours.
      3. Le portfolio peut illustrer la présentation du candidat pendant un rendez-vous.
      4. Le portfolio est connu par tous les employeurs.

   5. Le CV par compétences permet au recruteur de mieux comprendre le profil du candidat.
   6. Créer un site web pour présenter ses compétences est inutile.

3. Relisez le paragraphe « Mettre en valeur ses compétences » (doc. 1).
   a. Comment se compose le portfolio professionnel ? Donnez un titre à chaque partie du portfolio.
      Exemple : partie 1 → *la couverture*.   ► p. 89, n° 2
   b. Retrouvez les exemples de compétences.

En petits groupes. Listez trois compétences par personne. Échangez sur vos compétences et précisez comment vous les avez mises en œuvre.

5. 🎧▶︎051 Écoutez l'émission « 7 milliards de voisins », sur RFI (doc. 2).

a. Identifiez son thème.

b. Choisissez la phrase correcte et justifiez avec des extraits de l'émission.

   1. L'invité raconte son expérience de candidat en entretien d'embauche.

   2. L'invité donne des conseils à la radio pour aider les employeurs.

   3. L'invité donne des conseils à la radio pour se présenter à un recruteur.

document **2** 🎧 051

À L'ÉCOUTE 7 milliards de voisins

6. 🎧▶︎051 Par deux. Réécoutez (doc. 2).

a. Associez chaque profil de candidat à l'un des modèles de présentation ci-contre (trois profils pour quatre modèles).

   1. « J'ai une formation mais peu d'expérience. »

   2. « J'ai un long parcours ; je le présente par tranches. »

   3. « J'ai un long parcours ; j'aide le recruteur à se projeter. »

b. Quel modèle déconseille l'invité ? ▶ | p. 89, n° 3

Modèle A

1. Mon parcours (en bref)
2. Mes trois compétences clés
3. Ma compétence n° 1 + *exemple de réalisation*
4. Ma compétence n° 2 + *exemple de réalisation*
5. Ma compétence n° 3 + *exemple de réalisation*

Modèle B

1. Ma formation.
2. Expérience n° 1
3. Expérience n° 2
4. Expérience n° 3
5. Expérience n°….
6. Mes motivations

Modèle C

1. Ma formation
2. Mon expérience
3. Mes activités

Modèle D

1. Ma formation
2. Domaine n° 1 : *expérience et activités*
3. Domaine n° 2 : *expérience et activités*
4. Domaine n° 3 : *expérience et activités* (*dans l'ordre, de la plus ancienne à la plus récente, dire l'essentiel*)

7. Par deux. Relevez les formules utilisées pour donner des conseils dans l'article (activité 2c) et dans l'émission (activité 5b). Si nécessaire, vérifiez avec la transcription (livret p. 12).

▶ | p. 88, n° 3

À NOUS

8. Nous donnons des conseils pour présenter ou valoriser des compétences.

a. En petits groupes.
Choisissez les conseils les plus pertinents (activité 7).

b. Divisez la classe en deux : des groupes « portfolio » et des groupes « entretien d'embauche ».
Reprenez les compétences listées dans l'activité 4 :

   – groupes « portfolio » : rédigez quatre conseils pour présenter ces compétences dans un portfolio ;

   – groupes « entretien d'embauche » : formulez à l'oral quatre conseils pour valoriser les compétences dans un entretien.

c. En groupe.
Partagez vos conseils dans le recueil de la classe.

FOCUS LANGUE

Grammaire

Situer les différentes étapes de son parcours dans le temps
p. 172 et p. 207

1. Par deux. Lisez ces extraits des témoignages de Fabio et Ibtissame (doc. 2 et act. 3 et 5 p. 84).

1. Enfance	Quand j'étais petit, j'aimais déjà beaucoup la France. (Fabio)
2. À la fin du lycée	Après avoir obtenu mon bac, j'ai fait les classes préparatoires scientifiques aux grandes écoles. (Ibtissame)
3. Arrivée en France	Alors c'est comme ça que je suis arrivé ici, à Poitiers. (Fabio)
4. Études et travail en France	Ici, on a des cours avec des professeurs. Je donne des cours de civilisation brésilienne et de langue portugaise. (Fabio)
5. Avant de partir en France	Avant de partir, j'avais demandé des renseignements par mail à l'université. (Fabio)
6. Projet	Après mes études en France, je retournerai au Brésil pour devenir professeur à l'université. (Fabio)

a. Associez à chaque extrait le(s) temps utilisé(s).
imparfait • futur simple • infinitif passé • passé composé • présent • plus-que-parfait

b. Retrouvez le temps et l'extrait correspondant à chaque valeur.
une description dans le passé • un événement accompli dans le passé • une action à venir • un fait ou une action qui se déroule au moment où on parle • la postériorité d'une action par rapport à une autre

Les articulateurs pour structurer une lettre de motivation
p. 172 et p. 216

2. Observez ces extraits de la lettre de Lahela (doc. 5 et act. 9b p. 85) et la fonction des articulateurs utilisés.

C'est pourquoi je souhaite m'inscrire…	→ indique la conséquence
J'ai choisi la France pour la qualité de son enseignement supérieur.	→ indique le but
De plus, mes études de français m'ont permis de découvrir la culture française.	→ indique un ajout dans une énumération
Enfin, la rencontre avec des étudiants de différentes nationalités me permettra de m'enrichir.	→ indique la fin d'une énumération
Mon choix s'est porté sur le master parce qu'il présente un très bon équilibre entre la théorie et la pratique.	→ exprime la cause
En effet, plusieurs stages sont proposés.	→ confirme une information
Il est très important pour moi de mettre en pratique mes connaissances car je n'ai pas de véritable expérience professionnelle.	→ exprime la cause

Les structures pour comprendre et donner des conseils
p. 173

3. Par deux. Observez ces conseils extraits des documents de la leçon 2 (p. 86-87).
1. Oubliez le portfolio sophistiqué.
2. Le portfolio professionnel doit être sobre.
3. Les spécialistes conseillent plutôt le CV par compétences.
4. Ils proposent de créer un site web.
5. L'idée, c'est de privilégier une présentation compacte.
6. Il ne faut pas tout dire.
7. Vous pouvez avoir une approche par compétences.

a. Pour chaque conseil, dites s'il s'agit d'une simple suggestion ou d'une recommandation forte. Justifiez.

b. Classez les conseils dans le tableau. Observez les conseils de la deuxième colonne : quel est le mode utilisé ?

Conseiller quelque chose	Conseiller de faire quelque chose
…	…

Mots et expressions

p. 172

Les termes pour désigner les filières et les diplômes

1. À qui correspondent ces parcours : Fabio, Ibtissame ou Lahela (leçon 1, act. 6 p. 84) ?

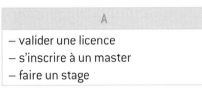

A
- valider une licence
- s'inscrire à un master
- faire un stage

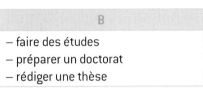

B
- faire des études
- préparer un doctorat
- rédiger une thèse

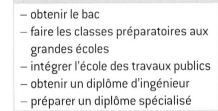

C
- obtenir le bac
- faire les classes préparatoires aux grandes écoles
- intégrer l'école des travaux publics
- obtenir un diplôme d'ingénieur
- préparer un diplôme spécialisé

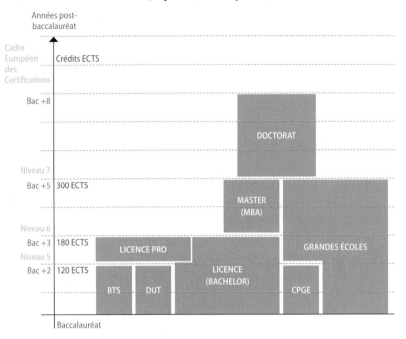

p. 173

Les différentes parties du portfolio professionnel

2. Par deux. Complétez les parties 1, 3 et 4 du portfolio (doc. 1 et act. 3 p. 86).

1. Couverture	2. CV	3. Corps	4. Annexes
Coordonnées		**Compétence A** → description des tâches Exemple : *élaborer un budget*	Lettres de recommandation
...		**Compétence B** → description des tâches Exemple : ...	...
		Compétence C → description des tâches Exemple : ...	

p. 173

Les termes pour désigner des compétences professionnelles

3. Retrouvez la compétence qui correspond à chaque action (act. 6 p. 87).
Exemple : encadrer une équipe → *l'encadrement*.
a. Vendre des espaces publicitaires. b. Former des ingénieurs. c. Élaborer un budget. d. Évaluer des compétences.
e. Piloter des groupes de projet. f. Négocier un contrat.

p. 173 et p. 197

Sons et Intonation

Passé composé, imparfait ou conditionnel ?

4. ⌂))052 Écoutez ces verbes. Dites si vous entendez deux ou trois temps différents et lesquels.
Exemple : *je travaillais – j'ai travaillé – je travaillerais* → **3** temps (imparfait / passé composé / conditionnel)

LEÇON

3 Acquérir une expérience professionnelle

- Prendre des risques
  ► Doc. 1
- Valoriser son expérience
  ► Doc. 2

document 1 🎧 053

RADIO DIJON CAMPUS 92.2

accueil podcast agenda campus+ blogs

ÉCOUTER LA RADIO ▶

Arla   *Jacqueline*

Les jeunes Européens racontent leur expérience de stagiaires internationaux à l'université de Bourgogne.

1. Observez cette page Internet (doc. 1) et répondez.
a. Quelles informations donne le nom de la radio ?
b. Qui sont les deux personnes en photo ?
   Qu'est-ce qu'elles ont fait ?

2. 🎧053 Par deux. Écoutez les témoignages des deux étudiantes (doc. 1).
a. Dites si leur expérience de stagiaires a été très positive, plutôt positive ou négative. Justifiez.
b. Quelles tâches ont-elles réalisées pendant leur stage ?

3. 🎧053 Par deux. Réécoutez les témoignages (doc. 1). Relevez comment Arla et Jacqueline se sentaient avant le stage et comment elles se sentent après.
► p. 95, n° 1

4. En petits groupes.
a. Lisez cet extrait du témoignage d'Arla (doc. 1) et reformulez-le avec vos propres mots.

   « Je pense que tout le monde devrait sortir de sa zone de confort de temps en temps pour se rendre compte de ses forces et de ses faiblesses et pour avoir plus confiance en soi. »

b. Partagez-vous l'opinion d'Arla ? Avez-vous déjà pris ce type de risque ? Si oui, racontez votre expérience. Sinon, accepteriez-vous de prendre ce type de risque ? Pourquoi ?

document 2

https://www.francebenevolat.org

 France Bénévolat

ENSEMBLE | BÉNÉVOLES |

RECHERCHER UNE MISSION | DEVENIR BÉNÉVOLE |

VALORISER MON EXPÉRIENCE

Déjà bénévole dans une association ? Savez-vous que vous pouvez valoriser cette expérience dans de nombreuses situations ? Recherche d'emploi, acquisition d'un diplôme ou changement de carrière, le bénévolat, c'est aussi une porte d'entrée vers de nombreuses possibilités… À condition d'être bien informé !

DEVANT UN RECRUTEUR :
DES ATOUTS À METTRE EN AVANT

Dans votre CV, l'expérience acquise ou les recommandations de vos responsables associatifs sont autant d'atouts pour décrocher un entretien. Mais il faut bien les présenter comme des **expériences professionnelles** à part entière. Trop souvent, les candidats écrivent dans la rubrique « centres d'intérêt » une implication associative. Pourtant, celle-ci fait appel à de nombreuses compétences. De même, votre implication auprès d'une association met en valeur non seulement vos **savoir-faire techniques et sociaux**, mais également votre **savoir-être**. Des travaux universitaires solides attestent que les bénévoles développent des aptitudes appréciées dans le monde de

5

En petits groupes. Faite la liste de vos expériences professionnelles (un travail, un stage, un job d'été…) ou universitaires (un séjour Erasmus…).

6. Observez cette page du site francebenevolat.org (doc. 2).

a. De quel type de document s'agit-il ? À qui s'adresse-t-il ?

b. Identifiez les trois rubriques du document.

c. Qu'expriment les titres de ces rubriques ?
une directive • un conseil • une incitation, un encouragement

7. Par deux. Lisez la page Internet (doc. 2).

a. Associez un objectif à chaque rubrique.
1. Parler de la formation initiale et continue.
2. Parler de compétences et d'aptitudes.
3. Parler de l'expérience professionnelle.

---

b. Vrai ou faux ? Justifiez avec des extraits.
1. Faire du bénévolat peut faciliter la recherche d'emploi.
2. Les expériences associatives doivent être citées dans la rubrique « centres d'intérêt » du CV.
3. La validation des acquis de l'expérience correspond au niveau bac +3.
4. Être bénévole, c'est développer des compétences.
5. Le bénévolat facilite le changement de carrière.

▸ **p. 95, n° 2**

c. Retrouvez comment l'auteur :
1. s'adresse directement au lecteur ;
2. essaie d'attirer le lecteur, de lui donner envie, de le motiver.

8

En petits groupes. Échangez. Dans votre pays : quelle est la place du bénévolat ? Est-ce que la VAE existe ? Comment peut-on valoriser son expérience ?

À NOUS !

9. Nous réalisons notre bilan personnel et professionnel.

a. Seul. Choisissez deux expériences (activité 5) et réalisez votre mini-bilan personnel et professionnel.

b. Par deux. Échangez sur vos expériences professionnelles et/ou privées.

ASSOCIATIONS | PARTENAIRES | FRANCE BÉNÉVOLAT

VALORISER MON EXPÉRIENCE | TÉMOIGNAGES | INSCRIPTION

♡ FAIRE UN DON

l'entreprise. Écoute, sens de l'autre, empathie, travail en équipe, montage et gestion de projets… Des qualités auxquelles les recruteurs sont sensibles et dont votre engagement témoigne pour vous.

POUR L'ACQUISITION D'UN DIPLÔME :
UNE EXPÉRIENCE QUI COMPTE

Vous souhaitez obtenir une qualification ou un titre universitaire ? Depuis 2002, la **validation des acquis de l'expérience** (VAE) s'est ouverte aux activités bénévoles. Concrètement, cela peut vous permettre d'obtenir tout ou partie d'une certification ou d'un diplôme. La condition : justifier d'une expérience d'**au moins trois ans** dans une activité en rapport direct avec le titre ou le diplôme souhaité.

DANS VOTRE CARRIÈRE :
UNE PASSERELLE VERS DE NOUVELLES POSSIBILITÉS

Vous souhaitez changer votre orientation professionnelle ? Grâce au bénévolat, vous avez peut-être plus de compétences que vous ne le pensez. L'expérience acquise auprès d'associations peut vous aider à vous réorienter vers de nouveaux métiers, que ce soit dans le cadre d'une **réorientation professionnelle** ou d'un **bilan de compétences**.

BILAN DE COMPÉTENCES

Ce que j'ai fait
→ **mes expériences professionnelles/personnelles**
– Exemple : *J'ai été bénévole pour une association sportive.*
– …

Ce que j'ai appris
→ **avant/après**
– *J'avais peur de ne pas être capable d'encadrer un groupe d'enfants. J'ai appris à m'exprimer devant un groupe. Je suis maintenant capable de préparer un programme d'entraînements.*
– …

Les qualités personnelles que j'ai utilisées et/ou développées
– *Être à l'écoute, être ouvert d'esprit.*
– …

Ce que je dois faire pour continuer à évoluer personnellement/professionnellement
– *Il est important que je continue à me former.*
– …

LEÇON

4 Le monde du travail vu par...

- Comprendre un métier
  ► Doc. 1
- Décrire le début de sa journée de travail
  ► Doc. 2

document **1** ▶ Vidéo n° 5

Destination Antananarivo

IVAN KABACOFF
@dfrancophonie

TV5MONDE

1. Observez les images (doc. 1). À votre avis, quel est le thème de cette émission ?

2. Regardez la vidéo (doc. 1).

a. Retrouvez l'ordre des éléments suivants.
témoignage de Raphaël Andrianirina • introduction du journaliste de TV5 Monde • témoignage du responsable de la formation • historique de la société eazyco • parcours de Raphaël Andrianirina • arrivée à Antananarivo

b. Quels services propose la société EazyCo ? Quels employés exécutent cette mission ?

3. Par deux. Regardez à nouveau la vidéo du début à 1'36" (doc. 1). Choisissez la ou les bonne(s) réponse(s).

a. Raphaël Andrianirina occupe le poste de :
1. directeur commercial.
2. responsable des opérations.
3. président-directeur général.

b. Cette entreprise française s'est installée à Madagascar :
1. parce que la main d'œuvre est moins chère qu'au Maghreb.
2. parce que le pays est bien équipé en réseau numérique.
3. parce qu'il y a trop d'entreprises de ce type au Maghreb.

4. Par deux. Regardez à nouveau la vidéo de 1'36" à la fin (doc. 1). Relevez dans les témoignages de Raphaël Andrianirina et de Jean-Michel Frachet :
a. les deux principales missions d'un chargé de clientèle ;
b. pourquoi le métier de chargé de clientèle est recherché et valorisé à Madagascar ;
c. les atouts des jeunes Malgaches pour ce métier.

► p. 95, n° 3

5.

a. Seul. Préparez une présentation des tâches et des compétences nécessaires pour vos études ou votre métier (à la manière du dessin activité 3 p. 95).

b. En petits groupes. Présentez les tâches et compétences aux autres membres du groupe.

Livres

À la fin de ses études, Zoé Shepard obtient un poste d'administratrice dans une mairie de province. Au sein d'un service fourre-tout[1], elle décrit un quotidien devenu infernal. Au lieu de 35 h par semaine[2], c'est à peine 35 h par mois qu'elle effectue en multipliant les réunions inutiles et en travaillant sur un seul et unique dossier…

1. fourre-tout : qui contient dans un grand désordre des idées, des objets, des choses diverses.
2. 35 h : durée légale du travail par semaine en France.
3. attaché-case : petite valise rectangulaire, généralement utilisée pour transporter des documents.
4. labeur : travail pénible.
5. dévaler : descendre vivement de quelque part vers un autre lieu.
6. laborieux : qui demande beaucoup d'efforts.
7. point de côté : douleur aiguë et spontanée, généralement située au niveau du thorax.
8. chargée de mission : responsable de projet.
9. paradoxe : être, chose ou fait qui présente des aspects contradictoires.

Extrait

8 h 59

Il y a certaines personnes qui sont capables de se lever à la première sonnerie du réveil, de filer sous la douche pendant que l'eau de leur thé vert biologique-équitable chauffe et d'enfiler des vêtements parfaitement repassés avant d'aller prendre le petit déjeuner nutritionnellement idéal recommandé par les publicités télé et les diététiciens. Après avoir lavé et soigneusement rangé la vaisselle, ces personnes attrapent leur manteau et leur attaché-case[3], et s'en vont d'un pas joyeux et dynamique au travail.

Et il y a moi. Qui me rendors toujours après avoir éteint la sonnerie, me lève à l'heure où je devrais être installée à mon bureau prête à démarrer ma journée de labeur[4], attrape les vêtements de la veille à l'endroit où je les ai laissés avant de me coucher, soit en tas près du lit, et dévale[5] les escaliers en enfilant mon manteau et en me promettant que ce soir, je me coucherai plus tôt.

Promesse que je ne tiens évidemment pas et qui me vaut tous les matins de finir les cinq cents derniers mètres me séparant du bâtiment dans lequel je travaille dans un sprint de plus en plus laborieux[6]. Aujourd'hui, je ne déroge pas à la règle et c'est cassée en deux par un point de côté[7], le teint fuchsia, que j'arrive devant l'entrée principale de la mairie où j'occupe depuis six mois le poste de chargée de mission[8] auprès du directeur général des Affaires Internationales et Européennes […].

Extrait de *Absolument dé-bor-dée !*
ou le paradoxe[9] du fonctionnaire, Zoé Shepard.

6. Lisez le titre du livre écrit par Zoé Shepard (doc. 2). Qu'est-ce qu'il vous apprend sur le thème abordé dans le livre ?
À votre avis, quel est « le paradoxe du fonctionnaire » ? Faites des hypothèses.

7. Par deux. Lisez la présentation du livre (doc. 2) et vérifiez vos hypothèses.

8. Par deux. Relisez la présentation du livre (doc. 2) et relevez les expressions qui montrent que l'auteure critique son travail.

9. Lisez l'extrait (doc. 2).
a. Décrivez les attitudes des deux catégories de personnes présentées dans cet extrait.
b. Quel effet produit l'opposition entre elles ? Pourquoi ?

▶ p. 94, n° 1, 2 et 3

10

En petits groupes. À quelle catégorie appartenez-vous ? Comparez vos comportements et attitudes, puis complétez.
Il y a certaines personnes dans le groupe qui…
Et il y a moi. Qui…

À NOUS

11. Nous décrivons le début de notre journée.

a. Seul. À la manière de Zoé Shepard, racontez par écrit comment se passe votre réveil et votre arrivée au travail / à l'école / à l'université. Puis, listez les tâches que vous réalisez dans votre journée (activité 5).

b. En petits groupes. Comparez vos récits et votez pour le récit le plus drôle ou le plus original.

FOCUS LANGUE

Grammaire

Et il y a moi. Qui me rendors toujours après avoir éteint la sonnerie, me lève à l'heure où [1] je devrais être installée à mon bureau prête à démarrer ma journée de labeur, attrape les vêtements de la veille à l'endroit où [2] je les ai laissés avant de me coucher, soit en tas près du lit, et dévale les escaliers en enfilant (A) mon manteau et en me promettant (B) que ce soir, je me coucherai plus tôt.

Promesse que je ne tiens évidemment pas et qui me vaut tous les matins de finir les cinq cents derniers mètres me séparant (C) du bâtiment dans lequel je travaille dans un sprint de plus en plus laborieux.

[…] J'arrive devant l'entrée principale de la mairie où (3) j'occupe depuis six mois le poste de chargée de mission […].

Le pronom *où* (2) pour donner des précisions sur le lieu ou sur le temps — p. 174 et p. 201

1. Relisez ces extraits du livre de Zoé Shepard (doc. 2 et act. 9 p. 93) ci-dessus. Quelle est la fonction du pronom relatif *où* dans chaque extrait : complément de lieu ou complément de temps ? Justifiez vos choix.

Exemple : *2 → complément de lieu. Justification : **Où** est-ce que j'attrape les vêtements (de la veille) ? **À l'endroit** où je les ai laissés.*

Le gérondif pour exprimer la simultanéité — p. 175 et p. 211

2. Par deux. Relisez les extraits du livre de Zoé Shepard (doc. 2 act. 9 p. 93) ci-dessus.

a. Choisissez les réponses correctes.
  1. Les éléments A et B expriment :
     – la cause ;
     – la manière ;
     – la simultanéité.
  2. Dans cette phrase, le sujet du verbe est :
     – le même ;
     – différent.

b. Complétez la règle.

> Pour former le gérondif, j'utilise … + la base de la 1re personne du pluriel du présent à laquelle j'ajoute … .

Rappels :
– le gérondif peut exprimer la simultanéité, mais aussi la condition, la cause, la manière ou le temps ;
– il est toujours invariable.

Différencier le gérondif et le participe présent — p. 175 et p. 211

3. Par deux. Relisez cet extrait du livre de Zoé Shepard (doc. 2 act. 9 p. 93).
Promesse que je ne tiens évidemment pas et qui me vaut tous les matins de finir les cinq cents derniers mètres me séparant du bâtiment dans lequel je travaille dans un sprint de plus en plus laborieux.

a. Observez l'élément en gras. Que remarquez-vous ?

b. Dans cette phrase, le sujet des deux verbes soulignés et du participe présent est-il le même ou différent ?

c. Par quoi le participe présent peut-il être remplacé ? Reformulez la phrase.

! Le sujet des deux verbes peut être le même ou différent.

Sons et intonation — p. 175 et p. 199

La mise en relief de certains mots

4. 🎧 054 Écoutez ces extraits de la vidéo (doc. 1 p. 92). Retrouvez les mots mis en relief. Dites quelle partie de ces mots est accentuée.

Exemple : Raphaël Andrianirina ; il est responsable des opérations chez **Easy**Co, c'est l'un des **principaux** centres d'appel de Madagascar. → *Deux mots, c'est la première syllabe qui est accentuée.*

Mots et expressions

Donner ses impressions
p. 173

1. Associez ces extraits du doc. 1 et de l'activité 3 de la leçon 3 (p. 90). Si nécessaire, vérifiez avec la transcription (livret p. 13).

Exemple : f1

a. … de ne pas comprendre la langue.
b. … d'avoir vécu cette expérience.
c. Avant, … de travailler dans un bureau de l'administration publique.
d. Mais au final, …
e. …, c'est encadrer les tuteurs étrangers.
f. Cette expérience de stage m'a beaucoup aidée pour…

1. me sentir plus à l'aise à l'oral.
2. J'avais peur
3. Ce que j'ai préféré
4. Je suis contente
5. je ne pouvais pas imaginer
6. ça m'a beaucoup plu.

Faire un bilan personnel et professionnel
p. 174

2. Observez et complétez avec d'autres expressions pour faire un bilan (act. 7b p. 91).

Parler de la formation initiale et continue
– obtenir/acquérir une qualification ou un titre universitaire, une certification ou un diplôme

Décrire des compétences et des aptitudes
– des savoir-faire techniques et sociaux, mais également des savoir-être
– l'écoute, le sens de l'autre, l'empathie, le travail en équipe, le montage et la gestion de projets
– développer des aptitudes
– faire appel à de nombreuses compétences

Parler de son expérience professionnelle
– une expérience professionnelle à part entière
– une porte d'entrée vers de nombreuses possibilités
– une réorientation professionnelle/se réorienter
– acquérir / valoriser une expérience
– décrocher un entretien
– faire un bilan de compétences
– justifier d'une expérience d'au moins trois ans

Les termes pour désigner les compétences d'un chargé de clientèle
p. 175

3. Par deux. Observez cette image extraite de la vidéo (doc. 1 et act. 4 p. 92) et listez les compétences du chargé de clientèle.

Exemples : *Rester calme. Valoriser le client.*

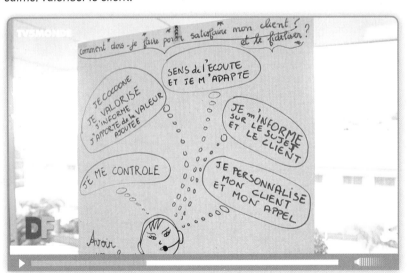

Rédiger un curriculum vitae efficace

Prénom, nom

Photo

1 *Décrivez en quelques lignes vos compétences clés pour le poste et vos objectifs de carrière.*

Adresse : **2**

Portable :
Email :

FORMATION

FORMATION | PÉRIODE *(indiquer les années : date – date)*
Décrivez les spécialités de cette formation : vos diplômes, les options de la formation, etc.

FORMATION | PÉRIODE *(date – date)*
Décrivez les spécialités de cette formation : vos diplômes, les options de la formation, etc.

EXPÉRIENCE PROFESSIONNELLE

NOM ENTREPRISE | TITRE DU POSTE | PÉRIODE *(date – date)*
Décrivez ici les fonctions que vous avez occupées pour ce poste. Décrivez également vos missions et vos résultats.

NOM ENTREPRISE | TITRE DU POSTE | PÉRIODE *(date – date)*
Décrivez ici les fonctions que vous avez occupées pour ce poste. Décrivez également vos missions et vos résultats.

NOM ENTREPRISE | TITRE DU POSTE | PÉRIODE *(date – date)*
Décrivez ici les fonctions que vous avez occupées pour ce poste. Décrivez également vos missions et vos résultats.

LANGUES
3

COMPÉTENCES CLÉS
4

1. Observez ce CV. Répondez.
   a. À votre avis, est-ce un bon modèle pour candidater dans un pays francophone ? Pourquoi ?
   b. Quelles rubriques pourrait-on ajouter ?

2. Par deux. Échangez sur le type de poste que vous pourriez rechercher, votre expérience, vos compétences clés pour le poste et vos qualités professionnelles. Puis, rédigez la rubrique n° 1.

   Exemple :
   – poste recherché : conseiller en ressources humaines ;
   – 10 ans d'expérience dans ce secteur ;
   – compétences en recrutement, accompagnement et gestion du personnel ;
   – qualités professionnelles : bonne organisation du travail et gestion du temps, bon relationnel, prise de responsabilités.

3. Listez les langues que vous parlez (précisez le niveau de maîtrise) et vos compétences clés (pensez à valoriser vos expériences personnelles/associatives). Puis, rédigez les rubriques n° 2, 3 et 4.

Apprenons ensemble

4. a. Lisez le message de Juan Pablo.

http://aidemoi.com

JP 322

Bonjour ! Je m'appelle Juan Pablo, je suis étudiant de français à La Escuela Oficial de Idiomas de Valencia, en Espagne. Mon professeur de français nous a donné cette activité à faire pour demain : « Faites des propositions pour enrichir votre lexique ». Je n'y arrive pas... Est-ce que quelqu'un peut m'aider ? Merci !

RÉPONDRE

b. En petits groupes. Aidez Juan Pablo. Partagez vos idées et vos techniques avec la classe.

Projet de classe

Nous créons une carte des compétences et des savoir-faire de notre classe.

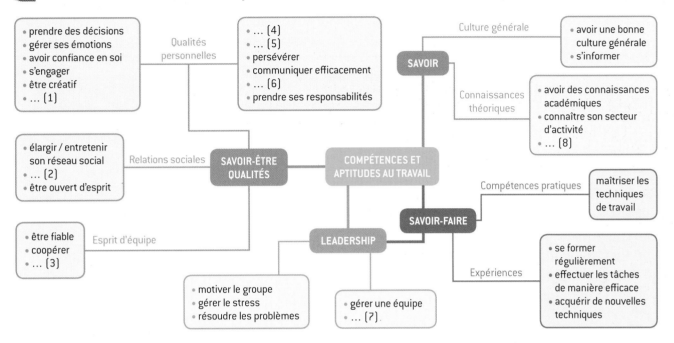

- prendre des décisions
- gérer ses émotions
- avoir confiance en soi
- s'engager
- être créatif
- … [1]

Qualités personnelles

- … [4]
- … [5]
- persévérer
- communiquer efficacement
- … [6]
- prendre ses responsabilités

SAVOIR

Culture générale

- avoir une bonne culture générale
- s'informer

Connaissances théoriques

- avoir des connaissances académiques
- connaître son secteur d'activité
- … [8]

- élargir / entretenir son réseau social
- … [2]
- être ouvert d'esprit

Relations sociales

SAVOIR-ÊTRE QUALITÉS

COMPÉTENCES ET APTITUDES AU TRAVAIL

Compétences pratiques

maîtriser les techniques de travail

SAVOIR-FAIRE

- être fiable
- coopérer
- … [3]

Esprit d'équipe

LEADERSHIP

- se former régulièrement
- effectuer les tâches de manière efficace
- acquérir de nouvelles techniques

Expériences

- motiver le groupe
- gérer le stress
- résoudre les problèmes

- gérer une équipe
- … [7].

1. Observez cette carte mentale. Identifiez les quatre principales compétences et aptitudes au travail.

2. Par deux. Lisez la carte mentale et complétez les définitions.
   a. Le …, c'est adopter les bons comportements dans une situation donnée.
   b. Le …, ce sont les compétences acquises par l'expérience professionnelle.
   c. Le …, c'est un ensemble de connaissances.
   d. Le …, c'est la capacité d'une personne à guider une équipe pour atteindre des objectifs.

3. Par deux. Relisez la carte mentale et complétez-la avec les éléments suivants.
   s'intégrer dans une équipe • être autonome • maîtriser les langues nécessaires (en fonction du poste occupé) • déléguer les tâches • être compréhensif • être organisé • être diplomate • avoir du respect pour les autres

4. En petits groupes. Quelles sont les autres qualités personnelles ou qualités d'un bon leader qui vous semblent importantes au travail ? Quels autres savoirs ou savoir-être ? Enrichissez cette carte mentale.

5. En petits groupes. Créez la carte des savoir-être, savoir-faire, savoirs et leadership de votre groupe. Vous pouvez utiliser ce modèle ou en créer un autre.

6. En petits groupes. Choisissez deux qualités ou compétences importantes pour votre groupe. Préparez un témoignage oral pour expliquer quand et pourquoi ces qualités ou compétences vous ont été utiles.

7. Partagez vos anecdotes et vos cartes mentales avec la classe.

8. En groupe, mettez-vous d'accord sur un modèle de présentation et réalisez la carte de la classe.

Projet ouvert sur le monde

▶ 📖 GP

Nous formulons un projet d'études ou un projet professionnel et nous préparons un dossier de candidature.

I Compréhension des écrits

Lisez cet article sur un site Internet français, puis répondez aux questions.

www.entretienembauche.com

 **Entretiens** d'embauche TV

Vers la fin de la lettre de motivation ?

La lettre de motivation est-elle aujourd'hui un outil du passé ? Je sais que vous seriez heureux de ne plus avoir à écrire de lettre de motivation car cela prend du temps et demande de la patience. Aujourd'hui, dans 70 % des cas, le recruteur demande uniquement un CV, et, dans les 30 % restants, il demande un CV et une lettre de motivation. Faut-il pour autant en conclure que la lettre de motivation va définitivement disparaître ? Ma réponse est non ! Voici, selon moi, les raisons pour lesquelles la lettre de motivation reste un document utile et actuel.

Oui, c'est vrai, souvent, la lettre de motivation ne sera pas lue. D'abord, parce que le recruteur n'a pas le temps, ensuite, parce que le style copier/coller de la majorité des lettres déplaît aux recruteurs. Si les lettres étaient de meilleure qualité, le taux de lecture serait plus important. Les lettres ne sont pas lues parce qu'elles sont démodées, mais parce qu'elles sont mauvaises, mal rédigées.

Dans d'autres cas, la lettre sera lue en fin de tri des CV. Pourquoi ? Parce qu'encore aujourd'hui, pour certains recruteurs elle est très importante. Par exemple, si un employeur veut recruter une assistante, il a besoin de voir quel est son style de rédaction. De même, s'il doit recruter un cadre, il doit pouvoir vérifier ses qualités de synthèse à l'écrit.

Par ailleurs, la lettre de motivation peut apporter des précisions dans le parcours professionnel d'une personne ou encore éclairer sa situation si elle est en reconversion professionnelle ou de retour à l'emploi après une longue période d'inactivité. Donc, elle peut « sauver » un CV qui comporterait certaines compétences utiles au recruteur mais aussi un parcours peu logique. Voilà pourquoi, dans certains cas, on peut envoyer une lettre de motivation, même si elle n'est pas demandée. Cela peut être un élément qui fait la différence !

De plus, la lettre de motivation demande un minimum d'effort de personnalisation. Le recruteur pourra donc vérifier si un réel effort a été fourni ou si le candidat s'est contenté de recopier une lettre standard qu'on pourrait facilement retrouver sur Internet sans rapport précis avec l'emploi recherché.

Aujourd'hui, la lettre de motivation est présente mais sous une autre forme : elle est en ligne et n'est composée que de quelques lignes. En effet, dans la partie « résumé » de vos profils Viadeo ou LinkedIn (réseaux sociaux professionnels), il s'agit de se présenter très rapidement pour donner envie à un recruteur de vous rencontrer. La lettre de motivation devient donc un « résumé de motivation » !

En conclusion, que faire ? Prenez le temps de mettre en forme une bonne lettre de motivation de base, qui vous servira de modèle. Ainsi, vous pourrez l'adapter très vite en fonction du poste. Vous seriez étonné(e) de voir, une fois qu'on a les bons éléments en mains, à quel point il est facile de créer une lettre de motivation simple et percutante. Dès lors, la lettre de motivation ne sera plus un problème pour vous. À vos stylos !

1. Vrai ou faux ? Choisissez la bonne réponse et recopiez la phrase qui justifie votre réponse.
Aujourd'hui, il y a plus de recruteurs qui demandent une lettre de motivation avec le CV que ceux qui ne demandent qu'un CV.
Vrai ☐   Faux ☐   Justification : …

2. D'après l'auteur de l'article, la lettre de motivation…
a. a disparu.
b. est démodée.
c. reste nécessaire.

3. Qu'est-ce qui déplaît aux recruteurs quand ils lisent une lettre de motivation ?

4. D'après l'auteur de l'article, la lecture des lettres de motivation de la part des recruteurs dépend…
a. de la longueur de la lettre.
b. de la mise en page de la lettre.
c. de la qualité de la rédaction de la lettre.

5. D'après l'auteur de l'article, dans quels cas un recruteur a-t-il besoin de lire une lettre de motivation ? (*Deux réponses attendues.*)

6. D'après l'auteur de l'article, pourquoi la lettre de motivation peut-elle parfois être un complément au CV ? (*Plusieurs réponses possibles, une seule attendue.*)

7. Vrai ou faux ? Choisissez la bonne réponse et recopiez la phrase qui justifie votre réponse.

Les recruteurs apprécient les lettres de motivation personnalisées.

Vrai ☐   Faux ☐   Justification : …

8. D'après l'auteur de l'article, en quoi la version en ligne de la lettre de motivation est-elle différente de celle en version papier ?

9. Quel conseil l'auteur donne-t-il à la fin de son article ?

II Production écrite

Un de vos amis francophones hésite à poursuivre ses études à l'étranger. Vous lui écrivez un mél dans lequel vous lui expliquez l'intérêt d'une telle expérience et lui donnez des conseils pour la constitution de son dossier d'inscription (comment raconter son parcours universitaire et/ou professionnel, comment mettre en valeur ses compétences…). (160 mots minimum)

III Production orale

Exercice 1 Pour s'entraîner à la partie 1 de l'épreuve orale : l'entretien dirigé

Vous vous présentez, vous parlez de vous, de votre parcours (universitaire, professionnel).

Exercice 2 Pour s'entraîner à la partie 2 de l'épreuve orale : l'exercice en interaction

Par deux. Vous étudiez en France et vous souhaitez travailler quelques heures par semaine.
Vous rencontrez un des responsables d'une entreprise pour lui proposer vos services. Il hésite à vous embaucher. Vous lui exposez votre parcours et exprimez votre motivation afin de le faire changer d'avis.

Exercice 3 Pour s'entraîner à la partie 3 de l'épreuve orale : l'expression d'un point de vue

Dégagez le thème principal de ce sujet. Donnez ensuite votre opinion sous la forme d'un petit exposé de trois minutes environ.

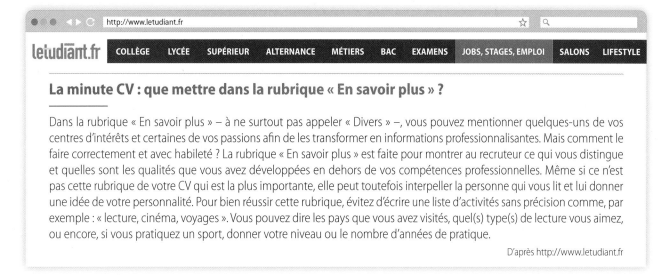

http://www.letudiant.fr

letudiant.fr   COLLÈGE   LYCÉE   SUPÉRIEUR   ALTERNANCE   MÉTIERS   BAC   EXAMENS   JOBS, STAGES, EMPLOI   SALONS   LIFESTYLE

La minute CV : que mettre dans la rubrique « En savoir plus » ?

Dans la rubrique « En savoir plus » – à ne surtout pas appeler « Divers » –, vous pouvez mentionner quelques-uns de vos centres d'intérêts et certaines de vos passions afin de les transformer en informations professionnalisantes. Mais comment le faire correctement et avec habileté ? La rubrique « En savoir plus » est faite pour montrer au recruteur ce qui vous distingue et quelles sont les qualités que vous avez développées en dehors de vos compétences professionnelles. Même si ce n'est pas cette rubrique de votre CV qui est la plus importante, elle peut toutefois interpeller la personne qui vous lit et lui donner une idée de votre personnalité. Pour bien réussir cette rubrique, évitez d'écrire une liste d'activités sans précision comme, par exemple : « lecture, cinéma, voyages ». Vous pouvez dire les pays que vous avez visités, quel(s) type(s) de lecture vous aimez, ou encore, si vous pratiquez un sport, donner votre niveau ou le nombre d'années de pratique.

D'après http://www.letudiant.fr

Informons-nous, exprimons-nous !

Le point sur… les médias

MÉDIAS TRADITIONNELS

Le Monde

TV5MONDE

kaizen

FRANCE 24

PURE PLAYERS (WEB)

MÉDIAS SOCIAUX

Rue89

1

a. Observez ce document. Que représente-t-il ?

b. Par deux. Observez les pictos associés aux trois catégories de médias.
À l'aide de ces pictos, proposez une courte définition pour chaque catégorie.

c. En petits groupes. Parmi les médias présentés, lesquels connaissez-vous ?
Faites la liste.

d. En petits groupes. Ajoutez d'autres médias francophones connus ou que vous
avez découverts dans votre manuel. Partagez votre liste avec la classe.

C'est quoi, une information ?

Pour comprendre le monde, on a besoin d'informations.
Mais comment reconnaître une « vraie » info ?
1jour1actu vous donne quelques indices…

Une information, C'EST un message fondé sur des faits vérifiés.

Elle peut prendre différentes formes :

 UN TEXTE

UN SON

UNE VIDÉO

 UNE PHOTO

Une information, CE N'EST PAS…

un simple témoignage

Quelqu'un a été témoin de quelque chose : il en parle aux médias ou sur Internet. C'est peut-être une information… ou pas ! Cette personne peut raconter des mensonges, ou simplement s'être trompée.

un communiqué

Un homme politique, ou une entreprise, envoie un message aux médias. Ce message contient de l'information, mais dans le but de communiquer et d'influencer l'opinion des gens.

une opinion

Quelqu'un donne son avis sur l'actualité ? C'est peut-être intéressant mais, à lui seul, ce point de vue ne suffit pas pour être une information.

une publicité

La publicité cherche à convaincre les gens d'acheter quelque chose. Ce n'est pas un message neutre, donc ce n'est pas une information !

C'est quoi, une FAUSSE information ?

Une fausse information, c'est une histoire ou des paroles qui ont été inventées…
mais qu'on présente comme une information, pour faire croire que c'est vraiment arrivé.

D'après http://www.francetvinfo.fr

2

a. Observez cette infographie. Identifiez le titre et les sous-titres.

b. En petits groupes. Donnez votre définition pour chaque sous-titre.

c. En petits groupes. Lisez l'infographie. Comparez vos réponses (activité **b**) avec les définitions proposées.

PROJETS

Un projet de classe

À partir d'un sujet d'actualité, écrire un article avec de fausses informations.

Et un projet ouvert sur le monde

Créer la une de notre magazine francophone et choisir un média pour nous faire connaître.

Pour réaliser ces projets, nous allons apprendre à :

- analyser la une d'un magazine
- comparer les médias traditionnels et les médias sociaux
- relater un événement

- structurer un article de presse
- rapporter des faits passés

- repérer des fake news
- analyser des fake news

- capter l'attention d'un public
- expliquer et argumenter

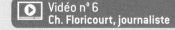
Vidéo n° 6
Ch. Floricourt, journaliste

LEÇON

1 Vous avez dit « médias » ?

- Analyser la une d'un magazine ▸ Doc. 1 et 2
- Comparer les médias traditionnels et les médias sociaux ▸ Doc. 3
- Relater un événement ▸ Doc. 4

document 1

N°112 JUIN - SEPTEMBRE 2017

L'ÉCHO DES RIZIÈRES

GRATUIT - EMPORTEZ MOI
FREE - TAKE ME HOME

Grand Angle
SOÁI PHẠM
PHOTOGRAPHE
ASSEMBLEUR
DE COULEURS

Rencontre
BLANDINE CAUCHY
ŒNOLOGUE

Solidarité
**POUSSIÈRES DE VIE
& LE CMI**
AU CŒUR DE
L'ENGAGEMENT SOCIAL

Dossier
**LE VIETNAM ET
LA FRANCOPHONIE**

LE MAGAZINE DE L'ASSOCIATION DES FRANCOPHONES AU VIETNAM

1. Observez la une du magazine *L'Écho des rizières* (doc. 1).

a. Trouvez le pays de publication, le type de lecteur, le prix, la fréquence de parution, le numéro et l'éditeur.

b. En petits groupes. Échangez. Cette une vous donne-t-elle envie de lire le magazine ? Pourquoi ?

2. Par deux. Lisez le premier paragraphe de l'article (doc. 2). Pour chaque mot en gras, donnez un exemple extrait de la une de *L'Écho des rizières* (doc. 1).

Exemple : la composition de la page → *Les différents textes sont disposés autour du bateau.*

document 2

La une est le premier élément visible d'un magazine. L'apparence et la mise en page sont très importantes. Le choix des **images**, **leur position**, **les couleurs, le titre, les polices**[1] ou encore **la composition de la page** nécessitent une attention particulière.

Les magazines doivent attirer l'œil mais ils doivent également convaincre avec **leur contenu**. Il est donc important que la une d'un magazine montre des éléments qui parlent à son public (**accroche, thèmes, rubriques**…).

D'après e-media, le portail de l'éducation aux médias de la Suisse romande.

1. police : forme des lettres (Times, Arial…).
   Les effets : *italique*, **gras**…

3. Lisez le deuxième paragraphe (doc. 2). Identifiez.
  – l'accroche,
  – les rubriques,
  – les thèmes de la une du magazine (doc. 1).

▸ p. 107, n° 1

4

En petits groupes. Échangez. Que pensez-vous des thèmes choisis (doc. 1) ?
À votre avis, peuvent-ils intéresser un public de francophones ? Pourquoi ?

5. Observez (doc. 3). Identifiez le type de document et son thème.

6. Par deux. Lisez les commentaires de Guillaume, Lionel et Christophe (doc. 3). Reformulez l'idée ou les idées essentielle(s) de chaque message en une phrase.

document **3**

La Libre.be

Menu | Journal | Alertez-nous | Je me connecte | Radio | Newsletter | Recherche | ABONNEZ-VOUS

Débats – Médias traditionnels, médias sociaux

Guillaume	On a souvent tendance à opposer les médias traditionnels et les réseaux sociaux. Pourtant, les réseaux sociaux témoignent des mêmes défauts que les médias traditionnels : ils cherchent tous les deux à obtenir des revenus de la publicité. Cependant, une chose fait toute la différence : sur les réseaux sociaux, on peut échanger, on peut remettre l'info en question. Elle devient coconstruite par les différents utilisateurs.
Lionel	Pas question de réglementer les réseaux sociaux ! En leur demandant de différencier les « fake news » des « real news », nous donnerions à Facebook et Google le pouvoir de contrôler ce qui est vrai et ce qui ne l'est pas. On peut comprendre l'intention, mais quand même, il vaut mieux que nous soyons sans cesse exposés à des informations qui s'opposent, à des nouvelles qui remettent nos croyances en question.
Christophe	Plusieurs présidents dans le monde ont été élus malgré des campagnes très dures de la part des médias d'information. Bien que les journalistes les aient accusés de contradictions et de mensonges, les électeurs ont voté pour eux. Ils n'ont pas été influencés par ces informations et ont montré que ça leur était égal. La fameuse influence dont tout le monde parle à l'époque des réseaux sociaux a choisi son camp et a déserté les médias d'information. La victoire de ces présidents est la défaite historique des médias traditionnels.

7. Par deux. Relisez les commentaires (doc. 3). Relevez les extraits qui expriment une contradiction.

Exemple : *Plusieurs présidents dans le monde ont été élus malgré des campagnes féroces de la part des médias d'information.*

▸ | p. 106, n° 1

8

En petits groupes. Débattez.

a. Divisez la classe en trois groupes (« médias traditionnels », « médias sociaux » et « médiateur », groupe qui fait la relation entre les deux points de vue).

b. Comparez les deux types de médias. Donnez des exemples (journaux et magazines payants ou gratuits, radios, télévisions, réseaux sociaux…).

document **4** 🎧 055, 056 et 057

9. 🎧◗055 Écoutez la première partie de l'émission diffusée sur Europe 1 (doc. 4). Retrouvez :

a. le titre et le thème de l'émission ;
b. la date et les villes de l'événement.

10. 🎧◗056 Par deux. Écoutez la deuxième partie de l'émission (doc. 4). Répondez.

a. Que s'est-il passé le premier jour ? Comment a réagi le syndicat du livre ? Quelles ont été les conséquences ?

b. Quelle a été la réaction des journaux traditionnels ? Pourquoi ?

11. 🎧◗057 Par deux. Écoutez la troisième partie de l'émission (doc. 4). Relevez deux éléments clés de l'histoire du journal *Métro*.

▸ | p. 106, n° 2

 **À NOUS** ✏ 💬

12. Nous relatons un événement.

En petits groupes.

a. Choisissez un média de votre pays ou un média que vous connaissez bien (activité 8).

b. Que s'est-il passé le jour de sa sortie / de sa première diffusion / de sa mise en ligne ?

c. Indiquez la réaction du public et des médias.

d. Dites ce qu'est devenu ce média aujourd'hui.

e. Partagez avec la classe.

LEÇON

2 Tous journalistes ?

- Structurer un article de presse ▸ Doc. 1
- Rapporter des faits passés ▸ Doc. 2

---

document 1

http://assises.journalisme.epjt.fr

EPJT École publique de journalisme de Tours — **ASSISES DU JOURNALISME** — **EPJT** École publique de journalisme de Tours

En direct ⌄   « (S')Informer dans 10 ans » ⌄   Les Assises ⌄   Découvrir les médias ⌄

1 **Médias participatifs : dans 10 ans, tous journalistes ?**

2 AgoraVox, Mediapart, Radio Londres… Tous ces médias vous disent sûrement quelque chose, mais qu'ont-ils en commun ? Une nouvelle vision du journalisme. Ces sites participatifs ont révolutionné l'information en invitant le lecteur à contribuer.

4 Avec Internet, plus besoin d'avoir des qualifications journalistiques pour pouvoir débattre, interagir ou s'exprimer sur un sujet. Tout ça grâce aux médias participatifs, des sites web diffusant des contenus fournis par des personnes qui ne sont pas forcément journalistes de formation ou de métier. Médias participatifs, journalisme citoyen, audience active, médias alternatifs… Les appellations sont nombreuses mais elles soulèvent une même question : sommes-nous tous amenés **5** à être journalistes ?

Certains sites comme AgoraVox n'hésitent pas à recruter des contributeurs depuis leur page d'accueil. Photo : Laura Bannier/EPJT.

6 Apparu en 2000, le journalisme participatif s'est développé par l'intermédiaire des blogs et de l'autopublication, utilisés alors pour apporter des informations complémentaires voire opposées à celles publiées dans les médias traditionnels. Le mouvement s'est ensuite accentué avec l'apparition de médias participatifs encadrés avec Rue 89, lancé en 2007, ou le Bondy Blog. On distingue deux types de médias participatifs : les sites autoproduits, constitués de bénévoles, et les sites autorégulés, gérés par des journalistes, qui s'appuient sur des participations ponctuelles de lecteurs. Les premiers proposent un contenu directement publié par les citoyens, les seconds sont des modules où les échanges se font notamment sous forme de commentaires.

Aujourd'hui, le journalisme participatif est normalisé et bien intégré. Les sites se sont professionnalisés et leurs éditeurs également. Il est maintenant possible de lire du contenu de qualité et il devient parfois difficile de discerner média participatif et média traditionnel.

7 Nous ne sommes pas tous journalistes, mais nous pouvons tous apprendre les codes pour le devenir.

Laura Bannier

📖 **1.** Observez cette page Internet (doc. 1). Identifiez :
– le site,
– l'auteure,
– le thème de l'article.

📖 **2.** Par deux. Lisez l'article (doc. 1). Associez les éléments suivants aux différentes parties de l'article.

le développement des faits • la légende • la conclusion • le titre • le chapeau • le rappel de l'idée principale • l'introduction
Exemple : *1) le titre.*

3. Par deux. Relisez l'article (doc. 1).
Attribuez une fonction à chaque partie.

Exemple : « Avec Internet, plus besoin
d'avoir des qualifications journalistiques
pour pouvoir débattre, interagir ou
s'exprimer sur un sujet ». (l'introduction,
n° 4) → *Inviter le lecteur à lire la suite.*

a. Raconter l'histoire du journalisme
participatif et définir les types
de sites.

b. Premier contact avec l'article
pour donner envie de le lire.

c. Attirer l'attention du lecteur en
réutilisant la question principale
pour la développer.

d. Marquer la fin du texte.

e. Accompagner une photo pour lui donner un sens.

f. Résumer le propos qui va être développé et donner envie
de lire la suite.

▶ p. 107, n° 2 et 3

4. En petits groupes. Échangez. Connaissez-vous
des médias participatifs ? Qu'en pensez-vous ?
Avez-vous déjà écrit dans ce type de média ?

5

En petits groupes. Choisissez votre article préféré dans les
tâches ou projets que vous avez réalisés dans votre manuel.
Analysez cet article avec un regard journalistique. Quels
éléments retrouvez-vous (activité 2) ? Lesquels ajouteriez-
vous aujourd'hui ? Partagez avec la classe.

---

document 2 🎧 058, 059 et 060

---

6. Observez ces trois extraits de pages
Internet (doc. 2). Quel est leur point
commun ?

7. 🎧058 Écoutez l'introduction
du journaliste.

a. Quel est le nom de l'émission ?

b. Dites quel est le lien entre la personne
interviewée et les médias (Le Petit
Journal Stockholm et La Suède en kit).

8. 🎧059 Par deux. Écoutez la deuxième
partie de l'émission (doc. 2). Relevez :

a. comment Noémie a commencé
à écrire pour Le Petit Journal ;

b. ce qui l'a motivée à écrire des articles
pour des médias francophones ;
(Exemple : *Elle était plutôt disponible.*)

c. ce que cette expérience lui a apporté.

9. 🎧060 Par deux. Écoutez la troisième partie de l'émission
(doc. 2). Vrai ou faux ? Justifiez.

a. La Suède en kit propose des activités de loisir en français
pour répondre à une demande des francophones.

b. Ce média en ligne a été créé il y a longtemps.

c. Noémie ne sait pas si son article sur les cafés
où sortir avec des enfants a eu du succès.   ▶ p. 106, n° 3

À NOUS 🎤 💬✏️

10. **Nous racontons notre histoire.**

En petits groupes.

a. Répondez aux questions du journaliste de Radio Élan
en adaptant la profession à votre situation (livret p. 14).

b. Indiquez le rôle des personnes qui ont été importantes
dans votre histoire. (*Elles vous ont demandé de / si …
Elles vous ont conseillé de …*)

c. Précisez la chronologie des faits.

d. Prenez des notes.

e. Enregistrez vos histoires et envoyez-les à votre professeur.

FOCUS LANGUE

Grammaire

L'expression de la concession pour débattre d'un sujet
p. 176 et p. 217

1. Relisez vos réponses à l'activité 7 de la leçon 1 (p. 103).

a. Complétez.

Pour exprimer la concession (une contradiction entre deux faits), je peux utiliser les mots ou expressions suivants : *malgré* (« *Plusieurs présidents dans le monde ont été élus <u>malgré</u> des campagnes très dures de la part des médias d'information.* ») ; … ; … ; … ; …

b. Vrai ou faux ? Justifiez.
1. Tous les marqueurs de la concession sont suivis de l'indicatif.
2. *Malgré* est suivi d'un nom ou d'un groupe nominal.

c. Quel signe de ponctuation est utilisé après *pourtant*, *cependant*, *quand même* ?
Pourquoi ? Choisissez la réponse correcte.
Pour mettre en relief. • Pour opposer. • Pour répéter.

La voix passive pour insister sur le résultat d'une action / L'accord du participe passé
p. 176 et p. 213

2. ◯ �▸061 **Par deux. Écoutez ces extraits de l'émission diffusée sur Europe 1 (doc. 4 et act. 10 et 11 p. 103).**

a. Complétez le tableau et vérifiez avec la transcription (livret p. 14).

les rues (féminin pluriel)	les exemplaires (…)	des distributeurs (…)	les journaux traditionnels (…)	*Métro* (…)	il (…)
ont été recouvertes	…	…	…	…	…

b. Vrai ou faux ? Justifiez.
À la voix passive, le participe passé s'accorde avec le sujet.

Les indicateurs de temps pour préciser le moment où on parle
p. 176 et p. 214

3. a. ◯ ⏵062 **Écoutez ces extraits de l'émission diffusée sur Radio Élan (doc. 2 et act. 8 et 9 p. 105).**
Associez les expressions de temps équivalentes.

1. En 2015, la rédactrice en chef m'a demandé si je voulais intégrer l'équipe des bénévoles.
2. Deux ans auparavant, j'avais écrit quelques articles.

A. À l'époque, on m'avait fait remarquer que j'écrivais plutôt bien.
B. À ce moment-là, j'étais plutôt disponible et je lui ai répondu que j'étais partante.

b. ◯ ⏵063 **Par deux. Écoutez ces extraits de l'émission diffusée sur Radio Élan (doc. 2 p. 105).**
Complétez avec les indicateurs de temps qui conviennent.
1. Je suis arrivée en Suède en 2012. …, j'avais commencé à chercher du travail.
2. C'était … de la rentrée scolaire, l'année dernière.
3. La conférence de rédaction s'est tenue … de la publication.

c. Observez le tableau et lisez la règle.

À l'époque, on m'avait fait remarquer… Deux ans auparavant, j'avais écrit quelques articles. L'année précédente, j'avais commencé à chercher du travail.	Aujourd'hui, on m'a fait remarquer… Il y a deux ans, j'ai écrit quelques articles. L'année dernière, j'ai commencé à chercher du travail.
À ce moment-là, j'étais plutôt disponible.	En ce moment, je suis plutôt disponible.
La conférence de rédaction s'est tenue le lendemain de la publication.	La conférence de rédaction se tiendra demain (après la publication).

Les indicateurs de temps changent en fonction du moment où on parle et donc des temps employés.

Mots et expressions

Analyser la une d'un magazine
p. 176

1. Par deux. Associez ces mots et expressions de la leçon 1 (act. 2 et 3 p. 102) à la une du magazine.
Exemple : le nom du magazine : *L'Écho des rizières*

Les polices : normal, *italique*, **gras**

Le nom du magazine

L'accroche

Les thèmes

Les rubriques

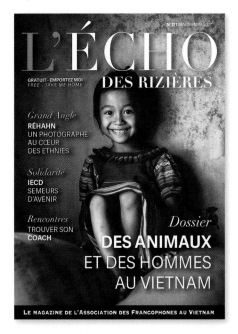

Le numéro

La périodicité (fréquence de diffusion)

Le message incitatif

L'éditeur

Les termes de l'écriture journalistique
p. 177

2. Associez ces termes de la leçon 2 (doc. 1 et act. 2 et 3 p. 104-105) aux définitions correspondantes.

a. La conclusion (ou la chute)
b. Le chapeau (ou chapô)
c. La légende
d. Le titre
e. La relance
f. Le développement

1. Résume le propos qui va être développé et donne envie de lire la suite.
2. Exposé détaillé d'un sujet.
3. Dernières phrases d'un article.
4. Texte qui accompagne une photo pour lui donner un sens.
5. Premier contact du lecteur avec l'article.
6. Phrase qui attire l'attention en réutilisant la question principale pour la développer.

Les termes des médias traditionnels / participatifs
p. 177

3. Par deux. Classez les expressions suivantes dans les catégories qui conviennent : médias traditionnels, médias participatifs ou les deux (doc. 1 et act. 2 et 3 p. 104-105).
Exemple : médias participatifs : j, …
a. Débattre, interagir ou s'exprimer sur un sujet. b. Diffuser des contenus. c. Journalistes de formation ou de métier.
d. Journalisme citoyen, audience active, médias alternatifs. e. Les sites autoproduits. f. Les sites autorégulés.
g. La rédaction. h. Participations ponctuelles de lecteurs. i. Proposer un contenu publié par les citoyens.
j. Échanges sous forme de commentaires. k. Lire du contenu de qualité.

Sons et intonation
p. 177 et p. 196

Les sons /O/ et /Œ/

4. Par deux.

a. 🎧▶064 Écoutez ces mots extraits de la leçon 1 (p. 102-103). Complétez le tableau en écrivant ces mots dans la colonne des /O/ ou des /Œ/.

[o] – [ɔ] – /O/	[ø] – [œ] – /Œ/
éch<u>o</u>	coul<u>eur</u>
…	…

b. Vérifiez vos réponses en vous reportant aux pages 102-103, puis comptez le nombre de mots que vous avez correctement écrits dans chaque colonne. Comparez avec les autres binômes.

LEÇON

3 Info ou intox ?

- Repérer des fake news
  ► Doc. 1 et 2
- Analyser des fake news
  ► Doc. 3

document 1

http://www.legorafi.fr

☰ Menu   **G | Le Gorafi**

Un Français va tenter de vivre pendant un an sans se plaindre

● 103   Sciences   Publié le 01/09/2015 par La Rédaction

L'Agence Spatiale Européenne (ASA) vient de dévoiler l'identité du Français qui sera son prochain sujet d'étude. Ce Lyonnais de 29 ans va vivre pendant un an coupé du reste de ses compatriotes avec l'interdiction formelle de se plaindre.

1. Observez cette page Internet (doc. 1) : le nom du site, le titre de l'article, la photo. Faites des hypothèses sur le type de site et le contenu de l'article.

2. Par deux. Lisez le chapeau (doc. 1). À votre avis, cette information est-elle vraie ou fausse ? Pourquoi ? Quelle est l'intention du site ?

3. Observez cet article (doc. 2). Quel est son objectif ?

4. Par deux. Lisez l'article (doc. 2).
  a. Quelle est l'information analysée par le journaliste ?
  b. Listez les éléments qui composent l'article et indiquez leur fonction.

  Exemples : un titre (présenter et préciser l'objectif de l'article : « comment repérer une fake news ») ; un sous-titre (une annonce : « Facebook lance un outil de signalement »).

document 2

Comment repérer une « fake news » ?

Ces fausses nouvelles, souvent liées à une opération de désinformation, s'affichent sur les réseaux. Pour ralentir leur diffusion, **Facebook lance un outil de signalement**.

Les *fake news* (fausses informations) sont des mensonges ressemblant à de vraies infos, diffusés par un individu ou une organisation. Ces contenus ont toujours existé, mais les réseaux sociaux augmentent leur visibilité, comme dans notre exemple.

1 Qui publie l'information ?

Le nom utilisé pour publier cette photo n'est pas celui d'un média professionnel. Les médias et les journalistes ont des obligations de déontologie : ils doivent garantir les informations, les vérifier, etc. Ce n'est pas le cas des internautes ou des groupes de discussion.

2 Où se trouve l'auteur ?

William Damien a partagé
À Rouen, il y a un instant

William s'est géolocalisé quand il a publié sa photo : il était à Rouen. Il a pu être témoin de la scène. Mais ce n'est pas un élément suffisant pour prouver que son information est vraie. Il est préférable de vérifier si les médias locaux parlent de cette information.

⟫⟫⟫⟫⟫⟫⟫ Le saviez-vous ?

Donald Trump a contribué à populariser l'expression « fake news ». Il qualifie régulièrement avec ce terme les informations des journalistes qui ne lui plaisent pas,

5. En petits groupes. Relisez « le saviez-vous » ? Échangez sur le contenu de cette rubrique. Quelle est l'intention des personnes qui diffusent des fake news ? Partagez avec la classe.

6. En petits groupes. Relisez (doc. 2).

a. Retrouvez les expressions utilisées pour parler des fausses informations et de la volonté de désinformer le lecteur.

Exemple : *Ces fausses nouvelles […] s'affichent sur les réseaux.*

b. Listez ce qu'il faut faire pour s'assurer que des informations sont vraies.

Exemple : *Les vérifier.*

▸ p. 113, n° 1

7

En petits groupes. Proposez des informations vraies et des fake news. La classe essaie de repérer les fake news.

Info ou intox ?

Les élèves genevois sensibilisés aux médias et à l'image. Contre la désinformation, la lutte doit commencer très tôt. Les écoles genevoises dispensent une heure de cours sur les médias et l'image en dernière année du secondaire.

8. Observez la page d'accueil de l'émission *15 minutes* de la radio suisse RTS (doc.3). Répondez :

a. quel est le thème du reportage ?

b. à votre avis, qu'est-ce qu'une « info » ? Une « intox » ?

9. 🎧►065 Par deux. Écoutez le reportage (doc.3). Identifiez les intervenants et leur rôle. Justifiez.

10. 🎧►065 Par deux. Vrai ou faux ? Réécoutez le reportage (doc. 3) et répondez. Justifiez avec des extraits du reportage.

a. La lutte contre la désinformation commence dès le plus jeune âge.

b. Les jeunes ne savent pas faire preuve d'esprit critique.

c. Les journalistes font toujours preuve de déontologie.

d. Il est difficile de lutter contre le manque de confiance.

▸ p. 112, n° 1

3 **L'auteur publie-t-il dans un but précis ?**

Le commentaire de William n'est pas neutre. Il souhaite orienter ses lecteurs, pour qu'ils pensent que cet incendie a été provoqué par des fumeurs imprudents.

William Damien a partagé une photo
À Rouen, il y a un instant

Incendie d'une forêt près de Rouen

👍❤️😮 1,25 K   675 commentaires   1425 partages

William Damien
Et maintenant, les fumeurs détruisent
nos forêts !   212 👍❤️😮

4 **Cette information semble-t-elle plausible ?**

De nombreuses *fake news* présentent des contradictions facilement repérables. Par exemple, il existe un panneau qui indique que Marseille est à 25 kilomètres. Or, selon la géolocalisation, l'événement se passe à Rouen, soit à 900 kilomètres de là ! Cette photo a été sortie de son contexte pour diffuser l'idée de l'incendie provoqué par des fumeurs imprudents.

alors que lui-même en fait circuler. Il a ainsi évoqué dans un de ses discours un attentat terroriste en Suède qui n'avait jamais eu lieu.

D'après www.leparisien.fr

À NOUS

11. Nous analysons des fake news.

En petits groupes.

a. Choisissez une fake news (différente de celles proposées dans l'activité 7).

b. Analysez-la et montrez pourquoi elle est fausse.

c. Présentez-la sous la forme d'un post avec photo.

d. Partagez avec la classe.

e. Proposez vos propres moyens de lutter contre la désinformation. Faites la liste de la classe.

LEÇON

4 Des vies de journalistes

- Capter l'attention d'un public ▶ Doc. 1
- Expliquer et argumenter ▶ Doc. 2 et 3

document 1 ▶ Vidéo n° 6

Ch. Floricourt, journaliste

1. Observez ces images de la vidéo (doc. 1).

a. À votre avis, quel est le thème de l'émission ?

b. Associez chaque image à la définition correspondante.

1. Micro-trottoir : technique qui consiste à interroger des personnes, le plus souvent dans la rue, pour leur poser une question.

2. Journal télévisé : émission d'information généralement animée par un ou deux présentateurs.

3. Édition spéciale : interruption des programmes pour faire une annonce importante.

c. En petits groupes. Micro-trottoir, journal télévisé ou édition spéciale : qu'est-ce qui vous attire le plus ? Pourquoi ?

2. Regardez la vidéo (doc. 1).

a. Identifiez le type d'émission et son thème.

b. Mettez dans l'ordre les sujets évoqués.

évolution de carrière • découverte du métier • conseils et recommandations aux jeunes • domaine préféré • études • compétences développées • difficultés du métier

3. Par deux. Regardez encore la vidéo (doc. 1). Pour chaque sujet évoqué, retrouvez les questions posées.

Exemple : études → *Comment êtes-vous devenue journaliste ? / Quelles études avez-vous faites ?*

4. Par deux. Regardez à nouveau la vidéo (doc. 1). Vrai ou faux ? Justifiez avec des extraits de la vidéo.

a. Christelle est devenue journaliste grâce à son grand-père.

b. Ce qui lui a plu dans le métier de journaliste, c'est qu'on a une seule spécialité pendant toute sa carrière.

c. La principale qualité qu'elle a développée, c'est la curiosité.

d. Son sujet préféré, c'est la politique.

e. Dans le métier de journaliste, il est important d'être curieux.
▶ p. 112, n° 2

5

En petits groupes : des groupes A et des groupes B.

a. Groupes A : choisissez une profession qui vous intéresse.

b. Groupes B : préparez des questions à poser aux groupes A pour deviner la profession présentée.

c. Groupes A : préparez vos réponses. Ne mentionnez pas le nom de la profession, utilisez des procédés pour capter l'attention.

Exemple : *Dans ce métier-là, c'est sûr qu'il faut…*

d. La classe devine les professions présentées.

6. Lisez le titre de cette bande dessinée (doc. 2). Faites des hypothèses sur le thème.

7. Par deux. Lisez la présentation de la BD (doc. 2) et vérifiez vos hypothèses.

document **2**

Correspondante de guerre,
BD de Anne Nivat et Daphné Colignon

Correspondante de guerre est née de la rencontre entre Anne Nivat, célèbre grand reporter, et Daphné Colignon, auteur de bandes dessinées. Daphné n'a pas souhaité faire le portrait d'Anne en « super héroïne ». Elle s'est attachée à montrer une femme, vraie, vivante, de chair, de sang, d'émotions, de larmes. Une femme passionnée.

document **3**

8. Lisez cette planche de la BD (doc. 3).
  a. Identifiez Anne et Daphné.
  b. Par deux. Résumez avec vos mots le premier reportage d'Anne et sa vision du journalisme.

9. En petits groupes. Observez les dessins (doc. 3) et échangez sur la manière de réaliser le portrait d'Anne : le choix du lieu, l'ambiance, les personnages, les expressions des visages… Que pensez-vous des choix de Daphné ?

10. Par deux. Relisez cette planche de la BD (doc. 3). Relevez :
  a. les expressions utilisées par Anne pour attirer l'attention de son interlocutrice ;
  b. comment elle insiste sur ce qui est important pour elle dans son métier de journaliste ;
  c. le signe de ponctuation qui montre qu'elle s'exprime avec passion.

▶ **p. 113, n° 2**

À NOUS

11. Nous nous mettons en scène.

Par deux.
  a. Reprenez la profession qui vous intéresse (activité 5).
  b. À la manière de la BD *Correspondante de guerre*, préparez votre miniscène à jouer devant la classe.
  c. Celui / Celle qui est interviewé(e) s'exprime avec passion.
     Il / Elle insiste sur les faits significatifs et interpelle son interlocuteur.
     Attention à l'intonation et aux expressions du visage !
  d. La classe vote pour la miniscène la plus convaincante.

FOCUS LANGUE

Grammaire

p. 177

Quelques verbes prépositionnels pour parler de l'information et de la désinformation

1. a. Relisez vos réponses à l'activité 10 de la leçon 3 (p. 109). Complétez les phrases suivantes avec les prépositions qui conviennent.

1. Ils savent faire preuve … esprit critique.

2. Ils finissent même … douter.

3. On doute justement … tout ça.

4. Lutter … la méfiance est parfois encore plus difficile que lutter … la désinformation.

b. Par deux. Relisez le doc. 2 de la leçon 3 (p. 108-109). Relevez les verbes prépositionnels qu'il contient.

Les procédés de mise en évidence pour capter l'attention : l'emphase

p. 178 et p. 202

2. a. Par deux. Observez ces extraits de la vidéo de la leçon 4 et les structures employées pour capter l'attention (act. 4 p. 110).

Extraits	Structures
Christelle Floricourt, 24 ans, journaliste.	Phrase sans verbe conjugué.
Alors ce métier de journaliste, je l'ai découvert grâce à mon grand-père.	Élément de sens en début de phrase, repris par un pronom.
Cet aspect découverte, cet aspect curiosité et touche-à-tout m'a vraiment plu.	Répétition d'un élément de sens.
Alors les compétences que j'ai développées, la principale, c'est vraiment la curiosité.	Emploi d'une tournure de présentation (*c'est…*) pour insister sur l'élément mentionné juste avant.
Le domaine que je préfère couvrir, c'est le domaine « société ».	
Dans ce métier-là, c'est sûr qu'il faut comme je le disais s'intéresser à tout.	

b. Qui parle ? L'émetteur (celui qui produit le message) ou le récepteur (celui qui reçoit le message, le lecteur, le spectateur, l'auditeur) ? Associez.

Exemple : 1-a

1. l'émetteur

2. le récepteur

a. J'attire l'attention.

b. Je m'interroge sur le but du message (faire réagir, enthousiasmer…).

c. Je donne plus de force à mon idée.

d. J'utilise la répétition pour capter l'attention.

e. Je perçois le renforcement d'une idée, d'un thème, d'un point de vue.

Sons et intonation

p. 178 et p. 200

Troncation et niveau de langue

3. a. 🎧 ▶) 066 Écoutez ces dialogues et identifiez les mots tronqués.

b. Retrouvez les mots originaux.

Exemple : *C'est quoi cette <u>info</u> que je viens de voir à la <u>télé</u> ?*

→ « *info* » = *information* ; « *télé* » = *télévision*.

La troncation donne un caractère plus familier au dialogue et s'emploie dans une situation informelle.

Mots et expressions

Les termes de l'information et la désinformation
► p. 178

1. Observez. Relisez le doc. 2 et vos réponses à l'activité 6 p. 108-109.

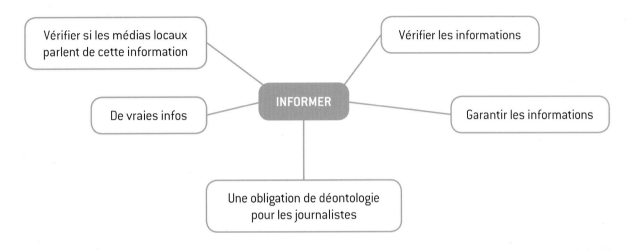

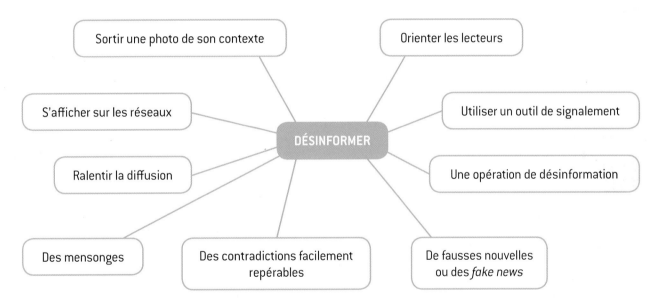

Insister sur des faits significatifs et interpeller l'interlocuteur
► p. 178

2. Par deux. Relisez vos réponses à l'activité 10 de la leçon 4 (p. 111). Associez chaque intention de communication à un exemple de la bande dessinée.
Exemple : c-1

a. Questionner l'interlocuteur pour attirer son attention.
b. Accentuer (intensifier) son propos.
c. Renforcer une réponse.
d. Indiquer l'obligation, la nécessité.
e. Exprimer la condition.

1. Mais la guerre justement !
2. Tu imagines ?
3. Il faut aller enquêter sur le terrain.
4. Même pas !
5. Il faut absolument y aller.
6. Toute seule !
7. Mais c'est même la seule raison d'être du journalisme !!!
8. Et pour avoir quelque chose à écrire, il faut aller le chercher !

Écrire un bon article

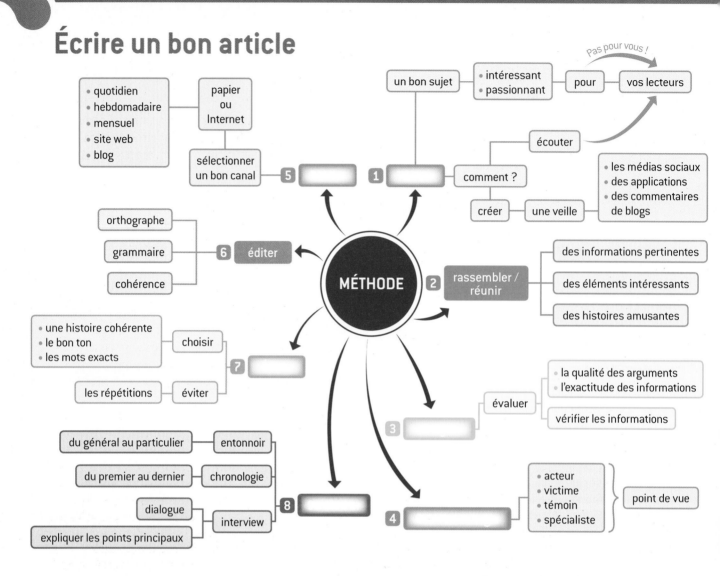

1. **Observez cette carte mentale. Quel est son objectif ?**

2. **Par deux. Complétez la carte avec les actions suivantes.**
   structurer • trouver • écrire • analyser • publier • choisir un angle

3. **Par deux. Illustrez cette méthode avec des exemples tirés du dossier 6.**
   Exemple : Vérifier les informations.
   → *Repérer et analyser les fake news (leçon 3).*
   a. Sélectionner un bon canal.
   b. Structurer un article.
   c. Réussir une interview.
   d. Choisir le bon ton.

4. **En petits groupes. À votre avis, quelles rubriques pourrait-on ajouter ?**

Apprenons ensemble

5. **a. En petits groupes. Cherchez la une d'un magazine francophone qui vous permet d'identifier un maximum d'éléments ci-dessous.**
   - le nom du magazine
   - l'accroche
   - les thèmes
   - les polices
   - les rubriques
   - le numéro
   - la périodicité
   - un message incitatif
   - un prix
   - l'éditeur

   b. Chaque groupe note en combien de temps il a réalisé l'activité.

   c. En groupe. Partagez les stratégies qui vous ont permis de trouver la une la plus pertinente le plus vite possible.

Projet de classe

À partir d'un sujet d'actualité, nous écrivons un article avec de fausses informations.

Mode d'emploi pour créer une *fake news* réaliste

1 Trucs et astuces

Une *fake news* sans fautes et bien rédigée vous permettra de piéger plus facilement le lecteur. Vous devez être créatif et votre *fake news* doit paraître réaliste.

2 Faux titre

Choisissez un titre accrocheur pour votre *fake news*. Plus votre titre sera étonnant et original, plus vous pourrez faire croire à votre fausse information.

3 Description

Soyez imaginatif et donnez envie à vos lecteurs de lire l'article. Rendez-les curieux !

4 Publication

Choisissez un réseau social et publiez votre fausse information. Comptez le nombre de « likes » !

1. Par deux. Lisez le mode d'emploi. Associez chaque rubrique aux éléments de la carte mentale « Écrire un bon article » (p. 114).
   a. Sélectionner un bon canal.
   b. Choisir le bon ton.
   c. Faire attention à l'orthographe, la syntaxe, la cohérence.
   d. Trouver un bon sujet, un sujet intéressant pour les lecteurs.

2. En petits groupes : des groupes « Islande » (A) et des groupes « riz » (B).
   a. Lisez les articles ci-dessous. Analysez-les avec les éléments du mode d'emploi.
   b. La *fake news* est-elle réaliste ? Partagez avec la classe.

A

L'Islande vous paye 4 500 euros par mois pour vous marier avec une Islandaise

Gagnez votre vie en épousant une Islandaise ! C'est le job en or que vient de mettre en place l'Islande, pour encourager la démographie. Ce petit pays du Nord a trop de célibataires et pas assez d'enfants. L'État cherche désespérément à marier ses filles, en proposant de payer les hommes qui voudraient les épouser. La somme permet de vivre confortablement dans ce pays. En effet, pour toucher ce salaire, il faut vivre en Islande. ∎

B

Alerte au riz en plastique sur les marchés africains

Des milliers de consommateurs ont été victimes de la tromperie du riz en plastique, vendu sur les marchés de plusieurs pays africains. L'enquête n'a pas permis de remonter la filière qui s'étend jusqu'en France. Des consommateurs parisiens ont été victimes de la tromperie, pour du faux riz acheté dans des épiceries.

L'illusion est parfaite, c'est seulement au moment de le cuire que les victimes découvrent que c'est du faux riz qu'on ne peut pas consommer.

3. En petits groupes.
   a. Choisissez un thème et listez les fausses informations que vous voulez diffuser.
   b. Rédigez votre article. N'oubliez pas le titre !
   c. Ajouter à votre article une illustration originale.

4. En groupe.
   a. Affichez les articles dans la classe.
   b. Comparez-les et votez pour l'article le plus original et le plus vraisemblable.
   c. Choisissez un réseau social et publiez l'article de la classe. Comptez le nombre de likes !

Projet ouvert sur le monde ▸📖GP

Nous créons la une de notre magazine francophone et nous choisissons un média pour nous faire connaître.

I Compréhension de l'oral

 ⏵067

Lisez les questions. Écoutez le document puis répondez.

Vous écoutez cette émission sur Internet.

1. D'après le journaliste, que permettent la variété des plates-formes de lecture et Internet ?

2. D'après le journaliste, qu'est-ce que le numérique a permis dans le secteur de la presse ?

3. 40 % des Français lisent la presse généraliste…
   a. sur Internet seulement.
   b. en format papier uniquement.
   c. autant en version numérique que papier.

4. Quel est le pourcentage de personnes déclarant ne jamais lire la presse ?

5. Quelle partie de la population s'informe régulièrement via la presse écrite ?
   a. Les 20-30 ans.   b. Les 30-40 ans.   c. Les 50 ans et plus.

6. D'après le journaliste, 50 % des Français préfèrent lire…
   a. chez eux.   b. à leur travail.   c. dans les transports en commun.

7. Pour 60 % des Français, quel est l'avantage de lire la presse sur Internet ?

8. D'après le journaliste…
   a. la presse papier va très certainement disparaître.
   b. la majorité des Français envisage d'abandonner la presse papier.
   c. très peu de Français pensent qu'il n'existera bientôt que la presse numérique.

II Production écrite

Vous étudiez en France. Dans certains articles du journal de l'université, vous avez repéré de fausses informations. Vous décidez d'écrire à la direction du journal pour dire quelles sont ces fausses informations. Vous expliquez l'intérêt de s'assurer que les informations qui vont être publiées dans le journal sont bien réelles et vous donnez des conseils pour vérifier si l'information est vraie ou fausse. (160 mots minimum)

III Production orale

Exercice 1   Pour s'entraîner à la partie 1 de l'épreuve orale : l'entretien dirigé

Vous parlez de vous, de vos centres d'intérêt. Vous dites quel(s) média(s) vous utilisez pour vous informer.

Exercice 2 **Pour s'entraîner à la partie 2 de l'épreuve orale : l'exercice en interaction**

Par deux. Vous discutez avec un(e) ami(e) francophone au sujet de la mauvaise information que certains médias peuvent diffuser. Votre ami(e) est persuadé(e) que toutes les informations données par les différents médias sont correctes. Vous n'êtes pas d'accord et vous lui expliquez pourquoi.

Exercice 3 **Pour s'entraîner à la partie 3 de l'épreuve orale : l'expression d'un point de vue**

Choisissez un des deux sujets suivants. Dégagez le thème principal du sujet. Donnez ensuite votre opinion sous la forme d'un petit exposé de trois minutes environ.

SUJET 1

Comment aider les plus jeunes à reconnaître une fausse information ?

Une fausse information ressemble toujours à une vraie.
Comment avertir les adolescents ? Voici quelques réflexes simples qui permettent de la reconnaître.

1 **Vérifier l'origine.**
Le premier réflexe est de vérifier d'où vient cette information. Est-ce que c'est un vrai site d'information (ou un vrai journaliste) qui la donne ? Certains sites Internet comme YouTube ou Facebook ne sont pas considérés comme fiables. Tout le monde peut y donner sa version des faits.

2 **En parle-t-on ailleurs ?**
Il faut ensuite se demander si cette information a un sens. Pour cela, il faut regarder si d'autres sites d'actualité considérés comme sérieux en parlent. Si une information qui paraît incroyable n'est présente sur aucun autre média, il y a de fortes chances qu'elle soit fausse !

3 **Repérer les mots-clés.**
Ceux qui postent des fausses informations utilisent souvent les mêmes mots. Les repérer permet de savoir si vous êtes en présence d'un article qui défend ces théories.

4 **En discuter.**
Préciser enfin aux ados qu'en cas de doute, ils ne doivent pas hésiter à en discuter autour d'eux, avec leurs parents ou leurs professeurs.

www.lalsace.fr

SUJET 2

Est-ce bientôt la fin des journaux papiers ?

En voyant leurs ventes baisser, plusieurs grands journaux mondiaux ont décidé de mettre fin à leur version papier. En France, trois quotidiens de la presse papier ont disparu en seulement cinq ans. Bien sûr, d'autres pays ont également stoppé l'impression de leur quotidien comme par exemple le Canada qui, en 2015, a définitivement arrêté la version imprimée du quotidien *La Presse* puis, début 2016, celle du *Guelph Mercury*, un quotidien qui était né en 1867. Pour Ken Goldstein, un spécialiste des médias au Canada, « *en 2025, il est fort probable qu'il n'y ait plus aucun quotidien papier en circulation dans le pays* ». Ken Goldstein explique qu'en 1950, les journaux quotidiens dépassaient les 102 % de diffusion. En 1995, la diffusion est descendue à 50 % et en 2014, elle n'était plus qu'à 20 %. À partir de ces données, il prévoit que la diffusion papier des journaux tombera entre 5 à 10 % en 2025. Bonne ou mauvaise nouvelle ?

D'après www.rtbf.be

DOSSIER 7

Nous nous intéressons à l'innovation française

Le point sur… les innovations françaises et francophones

https://www.curie.asso.fr

RÉSEAU C.U.R.I.E.

Accueil | Les innovations de notre quotidien | Les dernières innovations | Comprendre la valorisation | À propos du Réseau C.U.R.I.E.

Les innovations de notre quotidien

Savez-vous que de nombreux chercheurs français ont participé à l'évolution de notre société en créant des innovations révolutionnaires, toujours présentes dans notre quotidien ?

1971
Le premier métro automatique

1974
La carte à puce

1981
Le TGV

2005
La greffe de visage

2013
Le cœur artificiel autonome

2017
La construction d'une maison avec une imprimante 3D

1

a. Lisez cette page Internet. Identifiez le point commun entre ces innovations.

b. Associez chaque innovation au domaine qui correspond.
médecine • transport • logement • commerce

c. Saviez-vous que ces innovations étaient françaises ?
Pensiez-vous qu'elles venaient d'autres pays ? Pourquoi ?

d. En petits groupes. Connaissez-vous d'autres innovations françaises ou francophones ?

La French Tech, star du CES 2017 !

La French Tech est un label français attribué à des villes françaises (Bordeaux, Grenoble, Lille, Lyon, Montpellier, Nantes, Rennes, Toulouse, etc.) reconnues pour leur soutien aux start-up. C'est aussi une marque commune utilisable par les entreprises innovantes françaises.

2

a. **Par deux. Lisez ce document. Choisissez les réponses correctes.**

La French Tech, c'est…

1. un label français attribué à des villes en France.
2. un genre musical français innovant.
3. une marque d'entreprises françaises innovantes.

b. **Quiz – Associez chaque objet présenté au CES (Consumer Electronics Show) à ce qu'il permet de faire.**

1. La montre connectée indique aux enfants les tâches qu'ils doivent réaliser, comme se laver les dents, mettre la table ou aller au lit.
2. Le robot à commande vocale est destiné aux personnes âgées. Il leur permet de communiquer plus facilement avec le monde extérieur (famille, amis, professionnels de la santé).
3. Le feu de freinage connecté se fixe au dos d'un casque de moto pour avertir les conducteurs et permet de contacter les secours en cas d'accident.
4. Le radio-réveil à reconnaissance vocale permet de communiquer avec des objets connectés de la maison. Il allume vos ampoules connectées ou joue votre playlist préférée.
5. La douche connectée permet de gérer sa consommation d'eau à l'aide de son Smartphone.
6. Le boîtier connecté vous aide à trier vos déchets en vous donnant des informations sur la manière de recycler vos emballages, sur votre consommation et votre impact sur l'environnement.

(Corrigé : a3 – b6 – c4 – d5 – e1 – f2).

c. **Quel objet trouvez-vous le plus innovant ? Pourquoi ?**

PROJETS

Un projet de classe

Réaliser la carte des innovations francophones préférées de la classe.

Et un projet ouvert sur le monde

Imaginer les conséquences d'une découverte dans un article à publier en ligne.

Pour réaliser ces projets, nous allons apprendre à :

- comprendre une émission qui présente une innovation scientifique
- découvrir de jeunes talents francophones et leurs réalisations

- expliquer simplement une découverte scientifique
- présenter une innovation technologique

- faire comprendre un concept innovant
- exprimer une opinion

- imaginer le futur
- envisager les conséquences positives et négatives d'une innovation

Vidéo n° 7
Les robots intelligents

LEÇON

1 Jeunes talents francophones

- Comprendre une émission qui présente une innovation scientifique
  ▸ Doc. 1, 2 et 3
- Découvrir de jeunes talents francophones et leurs réalisations
  ▸ Doc. 4

---

document 1

Carte d'identité

Fondatrice de

c'est la mer qui nous éclaire

Sandra Rey

1990 : naissance à Boulogne-Billancourt.

2009-2013 : master en design industriel et victoire au prix Artscience pour le projet Glowee.

Décembre 2014 : création de Glowee.

Juin 2015 : premières 24 heures de lumière.

Décembre 2015 : lancement du premier produit pour l'événementiel pendant la COP21.

Mars 2016 : reconnue par le MIT Technology Review parmi les 10 meilleurs innovateurs français de moins de 35 ans.

1. Par deux. Lisez la carte d'identité de Sandra Rey (doc. 1) et répondez.
a. Quels sont les éléments clés de son parcours ?
b. Quelles informations trouve-t-on sur la société Glowee ?

document 2

VOUS LE SAVIEZ ? On en apprend tous les jours

LA BIOLUMINESCENCE

La bioluminescence est une réaction chimique qui permet à certains organismes vivants de produire de la lumière. 90 % des organismes marins – algues, méduses, calamars, poissons ou encore crevettes – sont capables de bioluminescence.

---

2. Lisez l'encart « Vous le saviez ? » (doc. 2). À votre avis, quel est le lien entre la bioluminescence et la société Glowee ?

document 3 🎧 068, 069 et 070

3. 🎧▸068 Écoutez l'introduction de cette émission de radio (doc. 3). Retrouvez le lien avec le document 1.
▸ p. 125, n° 1

4. 🎧▸069 Écoutez la première partie de l'interview (doc. 3).
a. Comment Sandra Rey a-t-elle eu l'idée de créer Glowee ?
b. Précisez le contexte, l'événement à l'origine de l'initiative et l'idée innovante.

5. 🎧▸069 Par deux. Réécoutez la première partie de l'interview (doc. 3). Vrai ou faux ? Justifiez.
a. Il existe très peu de recherches sur le phénomène de la bioluminescence.
b. Les scientifiques ont découvert plusieurs gènes pour ce phénomène.
c. Les scientifiques ont développé des technologies pour reproduire l'ADN.
▸ p. 124, n° 1

6. 🎧▸070 Par deux. Écoutez la deuxième partie de l'interview (doc. 3) et répondez.
a. Quels sont les objectifs à court terme et à long terme de Glowee ?
b. Quelles sont les contraintes techniques pour réaliser ces objectifs ?

7.

En petits groupes.
a. Identifiez des jeunes talents de votre pays et leur(s) réalisation(s).
b. Classez-les dans les catégories suivantes : arts, culture et mode, environnement, service public, technologie, etc.

document **4**

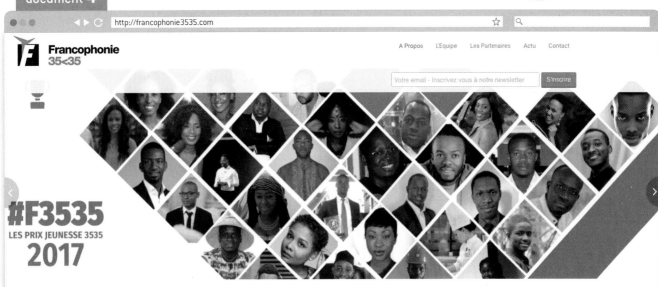

http://francophonie3535.com

Francophonie
35<35

A Propos   L'Equipe   Les Partenaires   Actu   Contact

Votre email - Inscrivez vous à notre newsletter   S'inscrire

#F3535
LES PRIX JEUNESSE 3535
2017

LES 35 JEUNES QUI FONT BOUGER L'ESPACE FRANCOPHONE EN 2017

L'association 3535, avec le concours du réseau de l'Institut français et de l'École supérieure de commerce d'Abidjan, vient d'annoncer les lauréats de la deuxième édition des Prix Jeunesse 3535. Les prix récompensent 35 jeunes francophones âgés de 18 à 35 ans qui ont des réalisations exceptionnelles à leur actif. L'appel à candidatures a enregistré un record : 411 jeunes innovateurs résidant dans 37 pays et provenant de quatre continents.

ENVIRONNEMENT
Yebhe Mamadou Bah (GUINÉE), 35 ans :
« Électrifier l'Afrique avec des mini-éoliennes. »
En Afrique, plus de 800 millions de personnes n'ont pas accès à l'électricité. C'est pourquoi Eol-Guinée a choisi d'apporter l'éclairage de base aux populations africaines. Eol-Guinée est spécialisée dans la conception et la fabrication de mini-éoliennes utilisant des matériaux locaux pour l'électrification. Ces éoliennes démarrent avec des vents très faibles et ne nécessitent presque pas d'entretien. Yebhe Mamadou Bah a déjà installé 14 mini-éoliennes en Guinée depuis 2014. Il ambitionne d'être représenté un peu partout en Afrique de l'Ouest.

INNOVATION SOCIALE
Évariste Akoumian (CÔTE D'IVOIRE), 35 ans :
« Faire ses devoirs sans lumière dans les zones rurales. »
Évariste Akoumian a conçu un sac solaire appelé Solarpak, doté d'une plaquette solaire et d'une batterie qui se recharge à la lumière du jour. Le sac contient une lampe LED connectée à la plaquette. L'énergie stockée permet d'alimenter la lampe et l'élève peut faire ses devoirs. Cinq cents sacs ont été distribués gratuitement dans des villages où les élèves n'avaient pas d'électricité et cela a changé leur vie. Les témoignages d'enseignants et d'élèves restent les premières satisfactions d'Évariste Akoumian, qui va commencer la commercialisation du sac Solarpak. Son défi : conquérir toute l'Afrique et le Moyen-Orient.

---

8. Observez cette page Internet (doc. 4).

a. Identifiez les éléments qui composent l'image.
Un logo : #F3535 ; le nom du prix : « les Prix Jeunesse 3535 2017 »…

b. Qui sont les personnes récompensées par les Prix Jeunesse 3535 ? Faites des hypothèses.

9. Lisez l'introduction de l'article (doc. 4) et vérifiez vos hypothèses.

10. Par deux. Lisez les présentations des lauréats des catégories « Environnement » et « Innovation sociale » (doc. 4).

a. Relevez le type d'innovation et leur point commun.

b. Précisez le nom de l'innovation, le pays d'origine, les caractéristiques.

c. Retrouvez pour chaque lauréat ce qu'il a déjà réalisé et ce qu'il projette de réaliser.

d. Quelle innovation préférez-vous ? Pourquoi ?   ▶ p. 124, n° 2

À NOUS

11. Nous présentons une innovation / une réalisation exceptionnelle.

En petits groupes.

a. Choisissez une innovation réalisée dans votre pays (activité 7).

b. Listez les éléments clés pour la présenter. Précisez son utilité et son fonctionnement.

c. Précisez le contexte, l'événement à l'origine de l'initiative et l'idée innovante.

d. Présentez votre innovation à la classe.

e. Votez pour l'innovation la plus écologique ou sociale.

LEÇON

2 Innovations françaises

- Expliquer simplement une découverte scientifique ▸ Doc. 1 et 2
- Présenter une innovation technologique ▸ Doc. 3

document **1**

LE FIGARO santé
JUILLET · AOÛT · SEPTEMBRE 2017

Prendre soin de son **cerveau**
Mémoire, méditation, relaxation, sommeil…

DOSSIER LES PERTURBATEURS ENDOCRINIENS, CE QU'IL FAUT SAVOIR | **PSYCHO** NOS ANIMAUX, CES ALLIÉS DE SANTÉ

D'un poids de 130 tonnes, l'aimant Iseult équipe le plus puissant scanner du monde consacré à l'étude du cerveau humain. Il est installé à NeuroSpin, centre d'imagerie médicale, près de Paris.

1. Observez la une du magazine *Le Figaro santé* (doc. 1) et identifiez le thème de ce numéro.

2. Observez la photo du scanner (doc. 1).
- a. À votre avis, quel est le lien entre la une du magazine et cette photo ?
- b. Lisez la légende et vérifiez vos hypothèses.

3. Par deux. Observez cette page du magazine *Le Figaro santé* (doc. 2).
- a. À votre avis, qu'est-ce qu'un édito ?
- b. Repérez les éléments qui le composent : l'abréviation « Édito », la photo de l'auteur, le titre, la phrase en gras pour chaque paragraphe, la signature de l'auteur.

4. Lisez l'introduction de l'édito (doc. 2 ❶). Quel est le lien avec la photo (doc. 1) ?

5. Lisez le deuxième paragraphe (doc. 2 ❷).
- a. À quoi compare-t-on le cerveau ? Pourquoi ?
- b. Relevez :
  – ce que la connaissance actuelle du cerveau permet de faire ;
  – ce que le scanner pourrait apporter.

6. Par deux. Lisez le troisième paragraphe (doc. 2 ❸).
- a. Identifiez les similitudes et les différences entre le cerveau et les autres organes du corps humain.
- b. Listez les pratiques bénéfiques pour notre santé.
  ▸ p. 125, n° 2

7. Par deux. Lisez la conclusion de l'édito (doc. 2 ❹). Relevez l'information principale développée.
  ▸ p. 125, n° 3

8

En petits groupes.
- a. Connaissez-vous des magazines et/ou des émissions de vulgarisation scientifique ?
- b. Listez des exemples de sujets traités dans ces magazines et/ou émissions.

document **2**

Votre cerveau **est fabuleux**

L'information est passée relativement inaperçue : en mai dernier le centre NeuroSpin, situé près de Paris et unique en Europe, a installé le plus gros scanner IRM humain jamais réalisé. Pourquoi ? Les scientifiques veulent lire encore plus en profondeur dans notre cerveau, étudier son fonctionnement comme cela n'a encore pas été fait jusqu'à aujourd'hui.

L'imagerie cérébrale est devenue un outil extrêmement intéressant pour les spécialistes en neurosciences. Et s'il existe un pas entre savoir comment fonctionne un moteur et le réparer, il est difficile de le conserver en état de marche sans avoir quelques notions de mécanique. Actuellement, pour rester sur cette comparaison du moteur, on peut dire qu'on sait, pour le cerveau, ajuster le niveau d'huile et remettre de l'eau dans le radiateur. Ça n'est pas rien. Cela sauve déjà des milliers de vies, réduit des handicaps, ouvre des perspectives sur des pathologies lourdes comme les maladies d'Alzheimer ou de Parkinson. Dans les dix prochaines années, grâce à ces nouvelles connaissances, l'épilepsie, la schizophrénie, des risques de dépression vont reculer, espèrent les chercheurs.

Le cerveau dévoile progressivement sa complexité. Mais on découvre aussi qu'il n'est pas si différent des autres organes du corps humain. Sa plasticité, c'est-à-dire sa capacité à se modifier en fonction des apprentissages, est exceptionnelle. Il se muscle, évolue et gère son énergie en fonction des sollicitations et de son environnement. Les médecins ont acquis la certitude qu'il ne s'use que si l'on ne s'en sert pas, qu'il se fatigue plus vite si on le nourrit mal ou si ses besoins essentiels ne sont pas respectés. Sans surprise, les neuroscientifiques s'intéressent à la méditation, la sophrologie, l'hypnose, les arts martiaux, le yoga… Ils étudient comment ces pratiques se révèlent bénéfiques à la santé de manière générale et à celle de notre cerveau.

Une idée est ainsi en train de germer : comme on fait ses exercices d'assouplissement ou de gainage, pour conserver souplesse et musculature, quelques heures consacrées au bien-être du cerveau devraient s'imposer dans notre quotidien, de manière préventive, ce que confirment dans nos pages les spécialistes que nous avons consultés. Un bel objectif pour les vacances d'été.

Christophe Doré – Cdore@figaro.fr

---

document **3** 🎧 071 et 072

MENU **france musique**   Classique Jazz Opéra Contemporain

9. 🎧▶071 Écoutez la première partie de l'émission *Musique et web* diffusée sur France Musique (doc. 3).

a. Identifiez le sujet du jour.

b. Listez les instruments de musique mentionnés.

c. Quelle est la particularité de ces instruments ?

10. 🎧▶071 Par deux. Réécoutez la première partie de l'émission (doc. 3).

a. Pourquoi ces instruments sont-ils futuristes ou innovants ?

b. Expliquez le « cocorico » de la journaliste.

c. Que pensez-vous du son entendu ? À votre avis, de quel instrument s'agit-il ? Caractérisez-le.

▶ | p. 125, n° 4

11. 🎧▶072 Écoutez la deuxième partie de l'émission (doc. 3).

a. Qu'est-ce que le 3DVarius ? Expliquez le choix de ce nom.

b. Par deux. Identifiez les trois étapes de la fabrication du 3DVarius. Pour chaque étape, indiquez le temps nécessaire à sa réalisation.

c. Quelles sont les difficultés liées à la création d'un instrument sur imprimante 3D ?

À NOUS 🔔 💬 ✏️

12. Nous vulgarisons une découverte scientifique.

En petits groupes : des groupes A et des groupes B.

a. Choisissez un sujet traité dans un magazine ou une émission de vulgarisation scientifique (activité 8b).

b. Faites des recherches sur ce sujet.

c. – Groupes A : préparez une introduction et une présentation audio de votre sujet. Enregistrez-vous.
   – Groupes B : rédigez un article de vulgarisation sur votre sujet.

d. Regroupez l'ensemble des présentations pour réaliser le recueil des découvertes scientifiques de la classe.

FOCUS LANGUE

Grammaire

p. 179 et p. 201

Les pronoms relatifs composés pour éviter les répétitions

1. 🎧 073 **Par deux. Réécoutez ces extraits de la première partie de l'interview de Sandra Rey (doc. 3 p. 120).**

a. **Retrouvez les structures utilisées par Sandra Rey pour éviter les répétitions (act. 5 p. 120).**

Exemple : La bioluminescence, c'est <u>un phénomène</u> très connu. Il y a beaucoup de littérature **sur** <u>ce phénomène</u>.
→ *La bioluminescence, c'est un phénomène **sur** <u>lequel</u> il y a beaucoup de littérature.*

1. On a identifié plusieurs gènes **pour** <u>ce phénomène</u>.
2. Aujourd'hui, on a des technologies comme <u>la biologie synthétique</u>. On peut coder l'ADN **grâce à** <u>la biologie synthétique</u>.

b. **Complétez la règle à l'aide des éléments suivants.**

laquelle • sur • lequel • grâce à • lesquelles • pour

> J'utilise … (masculin singulier) ; … (féminin singulier) ; *lesquels* (masculin pluriel) ; … (féminin pluriel) après une préposition (…, …, *sous*, *avec*, *dans*, etc.) et après l'expression … .

❗ Avec la préposition **à** :
à + lequel = auquel, à + lesquels = auxquels, à + lesquelles = auxquelles.

Quelques structures pour expliquer l'utilité et le fonctionnement d'une innovation

p. 179

2. **Observez ces extraits du doc. 4, activité 10b (p. 121). Classez-les.**
 – Ces éoliennes démarrent avec des vents très faibles.
 – L'énergie stockée permet d'alimenter la lampe.
 – Une structure qui apporte l'éclairage de base.
 – Un sac doté d'une plaquette solaire et d'une batterie.

Pour préciser l'utilité, la fonction, le fonctionnement d'une innovation, j'utilise…	
un pronom relatif	**un verbe + une préposition + un nom**
une batterie **qui** se recharge à la lumière du jour …	Eol-Guinée **est spécialisée** <u>dans</u> la conception et la fabrication de mini-éoliennes. …
un adjectif + une préposition	**un verbe prépositionnel + infinitif**
une lampe LED **connectée** <u>à</u> la plaquette …	…

Sons et intonation

p. 180 et p. 196

Les sons [r] et [l]

3. En petits groupes.

a. 🎧 074 **Écoutez et classez les mots qui contiennent seulement le son [r], seulement le son [l] ou les deux sons.**

b. **Comparez vos réponses avec les autres groupes et dites les mots à voix haute.**

[r]	[l]	[r] et [l]
transparent	complexe	clarinette
…	…	…

Mots et expressions

Introduire un sujet dans une émission / un reportage (1) `p. 180`

1. Par deux.

a. Observez la définition et l'organisation de l'introduction d'un sujet d'une émission ou d'un reportage.

Définition
Texte rédigé par le présentateur qui permet de « lancer », c'est-à-dire d'introduire un sujet (journal, reportage, émission, etc.).

Première partie
→ La phrase d'accroche : elle contient l'information nouvelle. Elle est rédigée de façon à accrocher l'auditeur, c'est-à-dire fixer son attention.

Deuxième partie
→ Ce sont deux ou trois phrases qui apportent les quelques éléments nécessaires à la compréhension de l'information (qui, quand, où, quoi et pourquoi).

Troisième partie
→ C'est la phrase qui présente la manière dont le sujet est traité. Un même sujet peut être présenté selon des points de vue, des avis différents. Exemples : un portrait, une interview, un rappel des faits, etc.

b. 🎧▶︎075 Réécoutez l'introduction de l'interview de Sandra Rey (doc. 3 et act. 3 p. 120). Illustrez chaque partie par un extrait.
Exemple : la phrase qui présente la manière dont le sujet est traité → *Alors comment lui est venue l'idée de Glowee, son entreprise ? Écoutez-la !* (troisième partie)

Quelques activités pour faire du sport et se relaxer `p. 180`

2. En petits groupes.

a. Proposez une définition pour ces différentes pratiques (doc. 2 et act. 6b p. 122-123).
la méditation • la sophrologie • l'hypnose • les arts martiaux • le yoga • les exercices d'assouplissement • ~~le gainage~~
Exemple : *Le gainage est un entraînement physique et de musculation qui permet de renforcer les muscles abdominaux.*

b. Illustrez vos définitions par un dessin.

Partager une découverte scientifique

3. Observez (doc. 2 p. 122-123).

La **vulgarisation** est une forme de diffusion pédagogique des connaissances qui cherche à mettre le savoir à portée d'un public non expert.
Comment bien vulgariser :
1. s'exprimer simplement, expliciter.
Exemple : *Sa plasticité, **c'est-à-dire** sa capacité à se modifier en fonction des apprentissages, est exceptionnelle.*
2. structurer (introduction, résultats et perspectives, conclusion).
3. donner des exemples. Exemple : *Cela ouvre des perspectives sur des pathologies lourdes **comme les maladies d'Alzheimer ou de Parkinson**.*
4. comparer. Exemple : *Pour rester sur cette comparaison du moteur, on peut dire qu'on sait, pour le cerveau, ajuster le niveau d'huile et remettre de l'eau dans le radiateur.*

Introduire un sujet dans une émission / un reportage (2) `p. 180`

4. Par deux.

a. Lisez cet extrait de l'émission *Musique et web* (doc. 3 et act. 10 p. 123).
<u>Avez-vous entendu parler de</u> saxophones ultra-légers en Nylon, de violons futuristes en résine, de guitares en aluminium ou de clarinettes en Plexiglas ?
<u>Eh bien</u>, ces instruments existent et sont fabriqués grâce à une imprimante 3D, cette machine née dans les années 2000 qui permet d'imprimer de vrais objets. <u>Figurez-vous</u> que de plus en plus de luthiers utilisent ce type d'imprimante pour fabriquer leurs instruments. Un vent d'innovation souffle sur la fabrication instrumentale et, cocorico !, les Français sont à la pointe. <u>D'ailleurs</u>, écoutez ceci.

b. Associez chaque expression soulignée à sa fonction.
1. Expliquer ou justifier une information donnée.
2. Demander à son interlocuteur s'il connaît quelque chose.
3. Introduire un élément d'information que l'on veut communiquer.
4. Attirer l'attention de son interlocuteur en soulignant la nature surprenante d'une information.

LEÇON 3 Économie de l'innovation

- Faire comprendre un concept innovant
  ► Doc. 1 et 2
- Exprimer une opinion
  ► Doc. 3

document 1 🎧 076 et 077

1. 🎧076 Écoutez la première partie de cette émission diffusée sur une station de radio belge (doc. 1). Identifiez le sujet du jour.

2. 🎧076 Réécoutez la première partie (doc. 1).

a. À l'aide des éléments suivants, reconstituez la définition de l'incubateur donnée dans l'émission.

recevoir des conseils, un accompagnement • des porteurs de projets • un espace physique • une période d'incubation
→ Un incubateur, c'est…

b. Répondez.
1. Quel est l'objectif principal d'un incubateur ?
2. Quelle est la particularité de l'incubateur Creatis ?
3. Qu'est-ce qui a motivé sa création ?
► | p. 131, n° 1

3. 🎧077 Par deux. Écoutez la deuxième partie de l'émission (doc. 1).

a. Quel rôle jouent la banque ING et la plate-forme *KissKissBankBank* dans le projet Creatis ?

b. Quelle difficulté rencontre le présentateur de l'émission ? Comment l'exprime-t-il ?

c. Complétez avec les mots et expressions utilisés par le journaliste pour l'aider à comprendre le terme *KissKissBankBank*.
→ D'abord, il épelle …, ensuite il traduit … puis il explique … . Enfin, il fait appel à la mémoire du présentateur et des auditeurs : …, …
► | p. 131, n° 2

4. 🎧077 Par deux. Réécoutez la deuxième partie de l'émission (doc. 1) et listez les domaines concernés par le projet.

document 2

300 Under 30 Europe : la génération montante

Depuis 2012, *Forbes* propose le classement des « Under 30 », qui met en lumière ces jeunes de moins de trente ans qui ont su s'illustrer, ou qui sont prometteurs, dans les domaines des sciences et des arts, des nouvelles technologies et du sport. Le classement européen met à l'honneur 300 jeunes à suivre, dont 26 Français, pour moitié des femmes.

Marjolaine Grondin, 27 ans, fondatrice de Jam

Elle a développé une application utilisant l'intelligence artificielle, au sein de l'incubateur NUMA, avant de rejoindre récemment Station F, le plus grand campus de start-up au monde.

5. Lisez la brève (doc. 2) et justifiez le choix du titre.

6. Relisez la brève (doc. 2) et répondez.
a. Qui est Marjolaine Grondin ? Pourquoi figure-t-elle dans le classement ?
b. Quels sont les critères retenus pour ce classement ?

7

En petits groupes. Connaissez-vous des incubateurs d'entreprises dans votre ville, dans votre pays ou dans d'autres pays ? Quelles sont leurs spécificités ? Échangez et partagez avec la classe.

document 3

Paris devient une capitale mondiale des **start-up**

PAR XAVIER NIEL,
ENTREPRENEUR
POUR LE GROUPE ILIAD

1 Cela fait trente ans que je suis entrepreneur : mon expérience n'est plus un exemple de ce qui est en train de se passer. Tout a déjà changé avec l'explosion du numérique. Prenez l'exemple de Google ou de Snapchat, le coût de leur création n'excède pas quelques dizaines de milliers d'euros. Alors que, dans ma jeunesse, un entrepreneur en bâtiment, ou dans les télécoms, ou dans n'importe quel métier, devait acheter des machines, faire de lourds investissements, il est devenu aujourd'hui beaucoup plus facile de créer une entreprise. À partir du moment où on a besoin de moins d'argent pour créer une entreprise, tout le monde peut devenir entrepreneur. Et quand il commence à y avoir des exemples et que des jeunes se disent : « Je peux le faire aussi », quelque chose de très profond se met à bouger dans la société. C'est ce que je voudrais essayer de vous montrer ici.

2 Le problème, c'est qu'il n'y a pas aujourd'hui un Facebook ou un Snapchat français susceptibles de constituer un exemple. À nous de découvrir ces jeunes, de leur donner envie, de les aider. C'est le rôle de Station F, où chaque année, mille à deux mille start-up s'établiront avant d'en repartir, plus fortes et mieux armées.

3 Paris devient la troisième ville au monde pour les start-up. Il faut arrêter d'avoir un complexe par rapport aux États-Unis. Nos plus belles réussites françaises de ces dernières années sont des entreprises qui sont restées en France et ont été rachetées par les États-Unis. Résultat : le premier incubateur au monde créé par Facebook est à… Station F. On essaie de créer un lieu différent, sympa, fun… et d'en faire une ville dans la ville. On a déjà créé six rues et tout est encore en travaux. Les quatorze personnes qui gèrent Station F ont six passeports différents et parlent au moins huit langues. La réussite des start-up passe par la diversité culturelle et sociale. Station F, ce n'est pas seulement un gigantesque campus de start-up, ni seulement le premier grand aménagement d'une gare depuis le musée d'Orsay. C'est un phare qui va attirer les regards en Europe et dans le monde.

D'après *Forbes 001*, n° 1, 2017 (pages 145-147).

---

8. Lisez l'article (doc. 3).
- **a.** Identifiez le nom de l'auteur et sa profession.
- **b.** Quelle est l'intention de l'auteur dans ce billet d'opinion ?
- **c.** Associez chaque paragraphe à sa fonction.

  mettre en avant Station F et conclure sur une note positive • présenter un problème et la solution proposée • introduire sa prise de position et donner des arguments pour convaincre

9. Par deux. Relisez le premier paragraphe (doc. 3).
- **a.** Listez les arguments donnés par l'auteur dans ce paragraphe.

  Exemple : À partir du moment où on a besoin de moins d'argent pour créer une entreprise, tout le monde peut devenir entrepreneur.
- **b.** Relevez comment l'auteur illustre chaque argument.
- **c.** Partagez-vous son opinion ? Échangez. ▶ p. 130, n° 1

10. Par deux. Relisez le deuxième paragraphe (doc. 3). Retrouvez le problème soulevé par l'auteur et la solution proposée.

11. En petits groupes. Relisez le troisième paragraphe (doc. 3).
- **a.** Listez les informations données sur Station F.
- **b.** Qu'est-ce qui vous plaît ou déplaît dans ce concept ?
- **c.** Justifiez l'optimisme de Xavier Niel avec des extraits de l'article. ▶ p. 131, n° 3

À NOUS

12. Nous rédigeons un billet d'opinion.

En petits groupes.
- **a.** Choisissez un incubateur dans la liste de la classe (activité 7).

En groupe.
- **b.** Décidez de critères pour établir un classement des meilleurs incubateurs (activité 6b).

En petits groupes.
- **c.** À l'aide de l'activité 8c, rédigez un billet d'opinion sur votre incubateur.
- **d.** Affichez vos billets dans la classe. Lisez-les.
- **e.** Classez les incubateurs en fonction des critères retenus.

LEÇON

4 Progrès et dérives*

- Imaginer le futur ▶ Doc. 1
- Envisager les conséquences positives et négatives d'une innovation ▶ Doc. 2 et 3

document 1

http://bien-vivre-chez-soi.com

ACCUEIL | CONTACT

BIEN VIVRE CHEZ SOI

ROMÉO, UN ROBOT AU SERVICE DES PERSONNES ÂGÉES ?

Les robots pourraient très vite faciliter la vie de nombreux retraités en France, notamment dans les maisons de retraite. Autonomes et équipés des dernières technologies médicales, ces nouveaux compagnons ont un bel avenir devant eux !

Roméo : le « made in France »

Ce robot « made in France » est l'œuvre de la start-up parisienne SoftBank Robotics. Cet humanoïde d'1 mètre 40 est présenté comme un « véritable assistant et compagnon personnel ». Il peut marcher, voir et parler. En cas de trous de mémoire de son « patient », le robot peut prendre pour lui des rendez-vous. Si la personne âgée oublie ses médicaments, l'humanoïde va le lui signaler. Directement mis en contact avec un centre de secours, il peut aussi contacter un médecin s'il est inquiété par l'état de santé de la personne.

1. Observez la photo et décrivez-la.

2. Par deux. Lisez l'introduction de l'article (doc. 1).
   a. Identifiez le type d'innovation présenté.
   b. Relevez les différentes manières de nommer cette innovation.

   Exemple : ce robot « made in France ».

   c. Listez les fonctions de Roméo. ▶ p. 131, n° 4a

3. Observez cette image extraite de la vidéo (doc. 2) « Les robots intelligents ». Quelles informations vous donne-t-elle sur cette vidéo ?

document 2 ▶ Vidéo n° 7

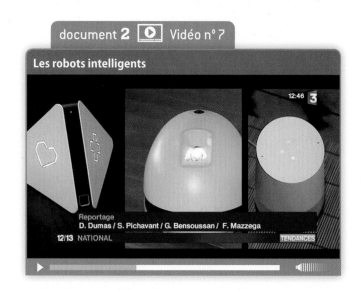

Les robots intelligents

Reportage
D. Dumas / S. Pichavant / G. Bensoussan / F. Mazzega
12/13 NATIONAL   TENDANCES

*Dérives : fait de s'écarter d'une norme.

4. En petits groupes. Regardez la vidéo (doc. 2).

a. Indiquez les fonctions de chacun des robots.

TYPE DE ROBOT DOMESTIQUE	FONCTIONS
La borne d'assistance vocale Google Home	Il organise vos rendez-vous. ...
La pyramide Prizm	... sans intervention de votre part. Il adapte la musique aux personnes qui sont dans la pièce. ...
Le robot Keecker	Il obéit à la voix et vous suit partout. ... Il veille à la sécurité (grâce à sa caméra intégrée). ... ...

b. Parmi les fonctions, listez celles que vous avez vues dans le reportage.

5. Regardez à nouveau la vidéo (doc. 2).

a. Identifiez le point commun entre :
    – les deux dernières personnes interviewées ;
    – les deux derniers robots présentés.

b. Relevez comment ces personnes soulignent « l'intelligence » de leur robot.

c. Justifiez l'expression finale du journaliste « de quoi faire la fête ! » ▸ | p. 131, n° 4b

6

En petits groupes.

a. Que pensez-vous de ces robots « intelligents » ? Quel impact pourront-ils avoir sur notre quotidien ?

b. Listez un maximum de points positifs et négatifs.

c. Partagez avec la classe.

document **3** 🎧 078 et 079

VivaCité Bruxelles ▾

Replay   Podcast   Émissions   Horaires   Agenda   Retrouver un titre

ON N'EST PAS DES PIGEONS

DU LUNDI AU VENDREDI DE 11 : 00 À 12 : 00 SUR VIVACITÉ

➕ Plus d'infos

7. Observez cette page Internet (doc. 3).

a. Identifiez le nom de la station de radio, le pays de diffusion et le titre de l'émission.

b. Le nom de cette émission est inspiré de l'expression *être un (bon) pigeon*. À votre avis, pourquoi utilise-t-on cette expression ? Choisissez.
    1. Pour désigner une personne qui change d'avis.
    2. Pour désigner une personne qui croit tout ce qu'on lui dit.
    3. Pour désigner une personne qui ne comprend rien.

8. 🎧 078 Écoutez la première partie de l'émission (doc. 3). Quel est le thème du reportage ?

9. 🎧 078 Réécoutez la première partie de l'émission (doc. 3) et complétez.

Qui ?	Quoi ?	Quand ?	Où ?	Pourquoi ?
...	Une puce qui contient des données personnelles.	...	En Belgique.	...

10. 🎧 079 Par deux. Écoutez la deuxième partie de l'émission (doc. 3). Listez les avantages et les inconvénients liés à l'utilisation de la puce.

11. 🎧 079 Par deux. Vrai ou faux ? Réécoutez la deuxième partie de l'émission (doc. 3) et répondez. Justifiez.

a. L'animateur s'inquiète des risques éventuels liés à l'innovation.

b. Les risques liés à la santé sont bien connus.

c. Les auditeurs sont invités à donner leur avis.
    ▸ | p. 130, n° 2 et p. 131, n° 5

À NOUS

12. Nous exprimons nos doutes, nos inquiétudes et nos certitudes.

a. En groupe. Choisissez l'un(e) des innovations évoquées dans cette leçon.

b. Divisez la classe en trois :
    – groupe A : exprimez vos doutes et inquiétudes par rapport à cette innovation ;
    – groupe B : exprimez vos certitudes sur les avantages de l'innovation ;
    – groupe C : arbitrez le débat et listez les arguments pour et contre.

c. La classe débat.

FOCUS LANGUE

Grammaire

p. 181 et p. 212

Établir une progression chronologique dans une argumentation

1. Par deux. Relisez le premier paragraphe du billet d'opinion de Xavier Niel (doc. 3 p. 127).
Associez une fonction à chaque extrait (act. 9a et b p. 127).

comparer une situation actuelle et une situation passée • parler d'un fait qui n'est plus actuel • parler d'une action qui commence • parler d'une action en cours • souligner un changement • ~~préciser le contexte~~

Extrait	Fonction
Cela fait trente ans que je suis entrepreneur.	préciser le contexte
Mon expérience n'est plus un exemple.	…
Tout a déjà changé avec l'explosion du numérique.	…
Alors que, dans ma jeunesse…, il est devenu… (*Alors que* + marqueur temporel + imparfait…, *il est devenu*…)	…
ce qui est en train de se passer (*être en train de* + infinitif)	…
Il commence à… (*commencer à* + infinitif) *Quelque chose se met à bouger…* (*se mettre à* + infinitif)	…

L'expression du doute et de la certitude

p. 182 et p. 211

2. 🎧080 Par deux. Réécoutez ces extraits de l'émission *On n'est pas des pigeons* (doc. 2 et act. 11, p. 129).

a. Classez chaque extrait dans la colonne qui correspond.

Pour exprimer la certitude	Pour exprimer le doute
Il est clair qu'il existe des dérives. …	…

b. Complétez la règle.

Quand j'exprime une certitude, j'utilise le mode … .
Exemple : *En tout cas, c'est sûr que c'<u>est</u> assez inquiétant.*
Quand j'exprime un doute, j'utilise le mode … .
Exemple : *Je ne suis pas persuadé que ce <u>soit</u> sans danger.*

c. Classez les expressions suivantes dans le tableau.

~~je suis certain que~~ • ~~je ne crois pas que~~ • je suis persuadé que • je ne suis pas sûr que • je ne pense pas que • je suis sûr que • je sais très bien que • je doute que

Pour exprimer la certitude	Pour exprimer le doute
je suis certain que ; …	je ne crois pas que ; …

Sons et intonation

p. 182 et p. 200

La prononciation ou non du « e »

3. a. 🎧081 Lisez ce texte puis écoutez-le.

Dans la ville de demain, on sera tous hyperconnectés, on se déplacera moins pour le travail, on dépensera moins d'énergie, on achètera de la nourriture sans sortir de la maison… Bref, on fera plein de choses différentes de maintenant.

b. Par deux. Repérez les « e » prononcés et les « e » non prononcés. Comparez avec votre binôme.

Mots et expressions

Parler de l'économie de l'innovation
p. 181

1. En petits groupes.
À l'aide de ce nuage de mots,
rédigez une courte définition pour
décrire les incubateurs
d'entreprises (doc. 1 et
act. 2 p. 126).

promoteurs mettre processus créatif
création projets augmenter accélérer
spécialisé accompagnement approche
période succès domaines démarrer lancer
besoins incubateur entreprises porteurs
marché chance aborder incubation

Expliquer quelque chose à quelqu'un
p. 181

2. Par deux. Associez chacun de ces extraits du doc. 1 de la leçon 3 (act. 3b et c, p. 126) à sa fonction.
On en avait parlé… • Pardon ? • C'est en fait… • Souvenez-vous… • Eh bien c'est…

Fonction	Extrait
exprimer une incompréhension (en français soutenu)	*Pardon ?*
définir simplement quelque chose	…
rappeler quelque chose à quelqu'un	…

Identifier les caractéristiques du texte d'opinion
p. 182

3. Observez (doc. 3 p. 127).

Caractéristiques du texte d'opinion	Exemple(s)
Il est publié dans un média (journal, site web, revue, etc.).	1er numéro de *Forbes* en France : *Forbes 001*, n° 1, 2017.
Il donne une opinion sur un sujet important (pour l'auteur).	*Le problème, c'est qu'il n'y a pas aujourd'hui un Facebook ou un Snapchat français susceptibles de constituer un exemple.*
Il inclut le lecteur dans son texte.	*À **nous** de découvrir ces jeunes. C'est ce que je voudrais essayer de **vous** montrer ici.*
La présence de l'auteur est marquée (pour interpeller le destinataire et impliquer l'auteur).	*Cela fait trente ans que **je** suis entrepreneur : **mon** expérience n'est plus un exemple. **Nos** plus belles réussites françaises…*
Il est bien structuré (titre, progression des arguments, conclusion).	Titre : *Paris devient une capitale mondiale des start-up.* 1er paragraphe : trois arguments principaux. 2e paragraphe : problème et solution. 3e paragraphe : explication de la solution et conclusion.

Humaniser un objet

4. **a.** À l'aide des extraits du document 1
(act. 2c p. 128), repérez les différents procédés
utilisés pour humaniser le robot.
Exemple : *On lui a donné un prénom.*

b. Par deux. Listez d'autres procédés utilisés
pour humaniser les robots (doc.2). Vérifiez
à l'aide des sous-titres de la vidéo.

Exprimer l'inquiétude
p. 182

5. Observez (doc. 3 et act. 11 p. 129).

> C'est un véritable sujet d'inquiétude.
> Il y a de quoi s'inquiéter.
> C'est assez inquiétant.
> Je ne suis pas persuadé que ce soit sans danger.
> Vous pensez qu'on ne risque rien ?

Progresser à l'écrit (2)

1. Lisez la lettre.

a. Repérez la date et les signataires.

b. Êtes-vous surpris par son contenu ? Pourquoi ?

En petits groupes.

2. Relisez la lettre et complétez.

Structure de la lettre ouverte	
Situation de communication	Extraits de la lettre
Les auteurs ont une intention et un but précis.	…
Qualité de l'argumentation / Cohérence du texte	
Les auteurs interpellent et/ou nomment le destinataire.	…
Les auteurs sont « présents » dans la lettre (signature, présence des pronoms *je* ou *nous*).	…
Il y a <u>une progression logique</u> dans l'argumentation : 1. but de la lettre ; 2. justification ; 3. exemple(s) ; 4. appel du destinataire ; 5. conclusion.	1. But de la lettre : « *Protester de toutes nos forces contre la construction de la tour Eiffel.* » 2. Justification : … 3. Exemple : … 4. Appel du destinataire : … 5. Conclusion : « *Si notre cri d'alarme n'est pas entendu, si Paris se déshonore, cette protestation nous honore.* »
Les auteurs de la lettre utilisent des <u>connecteurs logiques</u> pour structurer la lettre.	Opposition : … Conséquence : … Cause : « *Car la tour Eiffel, c'est le déshonneur de Paris.* » Condition : …

3. Choisissez une innovation et rédigez une lettre ouverte pour la critiquer.

4. Utilisez le tableau (activité 2) pour auto-évaluer votre production.

Lettre ouverte adressée à M. Alphand, commissaire de l'Exposition

14 février 1887

Nous venons, écrivains, peintres, sculpteurs, architectes, protester de toutes nos forces au nom de l'histoire et de l'art français menacés, contre la construction, en plein cœur de notre capitale, de l'inutile et monstrueuse tour Eiffel. Nous avons le droit de dire que Paris est la plus belle ville du monde. Les plus nobles monuments se trouvent au-dessus de ses rues, de ses magnifiques promenades. La ville de Paris va-t-elle donc s'associer à l'imagination d'un constructeur de machines et se déshonorer ?

Car la tour Eiffel, c'est le déshonneur de Paris.

Pour se rendre compte de ce que nous décrivons, imaginez un instant une tour ridicule dominant Paris, Notre-Dame, le dôme des Invalides, l'Arc de Triomphe, tous nos monuments humiliés.

C'est à vous, Monsieur et cher compatriote, à vous qui aimez tellement Paris, de la défendre une fois de plus. Et si notre cri d'alarme n'est pas entendu, si Paris se déshonore, cette protestation nous honore.

Parmi les signataires : Garnier, Huysmans, Maupassant, Zola.

D'après www.deslettres.fr

Apprenons ensemble

5. En petits groupes.

a. Lisez la production de Gizem. À quelle consigne a-t-elle répondu ?

> Une belle invention qui j'ai découvert cette année, c'est l'imprimante 3D. Il y avait quelques années, c'était de la science-fiction. J'ai lu que les premières imprimantes 3D sont arrivés sur le marché en 1996, mais elles était réservés aux professionnels. Aujourd'hui, on peut même imprimer des maisons entiers. J'ai un oncle qui en a achetée une récemment. J'ai envie de voir ce que ça donne !
>
> (Gizem)

b. Lisez les conseils ci-dessous.

Trois étapes pour réviser mon écrit.

A. Je souligne tous les verbes puis je vérifie le choix des temps et l'accord du participe passé.

B. Je souligne les adjectifs et vérifie leur accord en genre et en nombre.

C. Je vérifie et corrige la structure de la phrase.

c. Utilisez les conseils ci-dessus pour aider Gizem à corriger ses erreurs et à améliorer son écrit. Partagez avec la classe.

Projet de classe

Nous réalisons la carte des innovations françaises préférées de la classe.

En petits groupes.

1. Observez cette page Internet et répondez.

   a. Que propose le site Zoom Zoom Zoom ?

   b. Pourquoi parle-t-on de « carte du futur » ?

2. Lisez les deux innovations présentées.

   a. Identifiez leur pays d'origine et le type d'innovation.

   b. Que pensez-vous de ces deux innovations ?

https://www.zoomzoomzoom.com/carte

ZOOM ZOOM ZOOM

Nos détections   Notre communauté   Notre offre

La carte du futur
LOCALISEZ TOUTES LES INNOVATIONS DÉTECTÉES SUR ZOOM ZOOM ZOOM

ÉCHANGER AVEC SES VOISINS GRÂCE À UNE BOÎTE

Détecté par Elsa Gauffier - 7 octobre 2014. En Suisse, l'association Tako a déposé dans la plupart des grandes villes des boîtes d'échange entre voisins : les citadins sont invités à y déposer livres, disques ou jeux…

SAUVER DES VIES AVEC UNE TABLETTE

Détecté par Le Noël de la French Tech - 8 avril 2015 Le Camerounais Arthur Zang a mis au point une tablette qui permet de mesurer et de transmettre les constantes cardiaques d'un patient. De quoi réaliser des électrocardiogrammes à distance…

3. Listez les innovations francophones découvertes dans ce dossier.

   a. Classez-les par domaines : environnement, innovation sociale, innovation technologique, découverte scientifique, économie de l'innovation, santé, etc.

   Exemples : *le sac Solarpak (innovation technologique et sociale), l'incubateur Station F (économie de l'innovation).*

   b. Choisissez un domaine. Cherchez deux autres exemples d'innovation francophone dans votre domaine. Pour vous aider dans vos recherches, utilisez les sites suivants :

   https://soonsoonsoon.com/carte
   https://letsgofrance.fr

   c. Rédigez un texte pour expliquer à la classe pourquoi vous avez choisi ces innovations. Pensez à introduire votre sujet et à utiliser des stratégies pour capter et retenir l'attention des autres groupes.

   d. Précisez ce qu'apportent ces innovations, pourquoi elles présentent un concept innovant.

4. Partagez avec la classe.

En groupe.

5. Choisissez vos innovations préférées par domaines (parmi celles présentées et celles découvertes dans le dossier).

6. Mettez-vous d'accord sur un modèle de présentation et réalisez la carte des innovations préférées de la classe.

Projet ouvert sur le monde

▶ 📖 GP

Nous imaginons les conséquences d'une découverte dans un article à publier en ligne.

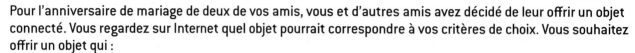

DELF 7

I Compréhension des écrits

Pour l'anniversaire de mariage de deux de vos amis, vous et d'autres amis avez décidé de leur offrir un objet connecté. Vous regardez sur Internet quel objet pourrait correspondre à vos critères de choix. Vous souhaitez offrir un objet qui :

– est utile à toute la famille ;   – prend peu de place ;   – coûte au maximum 100 €.
– est facile d'utilisation ;   – est apprécié des utilisateurs ;

Globe terrestre lumineux avec noyau en lévitation

Cet énorme globe terrestre est un très bel objet décoratif. Disposez sur la base allumée le noyau en métal. Celui-ci sera maintenu en lévitation et aura un léger mouvement de rotation. Vous pourrez aussi disposer sur la base l'hémisphère Nord du globe, qui sera comme suspendu au-dessus de l'hémisphère Sud : il semblera flotter dans les airs !

AVIS Un peu compliqué à installer. La mise en lévitation du noyau ou de l'hémisphère Nord nécessite de la précision et beaucoup de patience.   **Prix : 119 €.**

Enceintes connectées

Grâce à cet objet connecté, vous pourrez obtenir des réponses à vos questions, profiter de vos divertissements en famille et contrôler d'autres objets connectés. Cette petite enceinte ronde est connectée à Internet et l'assistant Google répond à vos questions grâce au contrôle vocal. Simple d'utilisation, elle est aussi capable de distinguer différentes voix afin d'offrir des réponses personnalisées à chacun.

AVIS La qualité sonore n'est pas très bonne et les réponses de l'assistant ne sont pas toujours pertinentes…   **Prix : 83 €.**

Projecteur pour Smartphone Deluxe

Pas très pratique de regarder le petit écran de son Smartphone… Et si vous le projetiez sur un mur ? Grâce à ce petit projecteur, vous pourrez regarder des vidéos ou des photos, en famille ou entre amis. Installez ce beau projecteur pour Smartphone sur la table basse de votre salon, éteignez les lumières, lancez la vidéo et placez votre téléphone dans le projecteur. Installez-vous confortablement : la séance va commencer !

AVIS Un gadget high-tech très pratique et simple à utiliser. Le cadeau idéal !   **Prix : 35,90 €.**

Guismo, le robot connecté

Guismo est un petit robot de compagnie qui parle, qui interagit, qui a son propre caractère. Il possède la reconnaissance faciale : face à son propriétaire, le robot parle et l'appelle donc par son prénom. Équipé d'une caméra et d'une intelligence artificielle, il tient dans la paume de la main. Sa mise en route ne prend que cinq minutes. Bien sûr, il faut le charger, mais les réglages via l'application à télécharger gratuitement sont très simples. Si officiellement Guismo est un robot conseillé à partir de huit ans, il est plus adapté à un enfant d'au moins douze ans.

AVIS Le meilleur robot jouet de l'année !   **Prix : 179 €.**

1. Dans le tableau ci-dessous, indiquez si le critère est respecté ou non.

	Globe terrestre		Enceintes connectées		Projecteur Deluxe		Guismo, le robot connecté	
	OUI	NON	OUI	NON	OUI	NON	OUI	NON
Utile à la famille								
Facile d'utilisation								
Prend peu de place								
Apprécié des utilisateurs								
Maximum 100 €								

2. Quel objet correspond à tous vos critères de choix ?

II Production écrite

Vous lisez cet appel dans le courrier des lecteurs d'un magazine scientifique français.

QUELLE EST POUR VOUS LA PLUS IMPORTANTE INNOVATION SCIENTIFIQUE ? POURQUOI ?

Si vous souhaitez participer à la rédaction de notre prochain numéro consacré à l'innovation technologique, envoyez votre texte à la rédaction de *Science et Vie* avant le 28 juin.

Vous décidez de répondre à cet appel. Vous écrivez un texte dans lequel vous présentez l'innovation scientifique qui vous semble la plus importante. Vous expliquez pourquoi et décrivez les conséquences de cette innovation sur la société. (160 mots minimum)

III Production orale

Exercice 1 Pour s'entraîner à la partie 1 de l'épreuve orale : l'entretien dirigé

Vous vous présentez, vous parlez de vous, de vos centres d'intérêt et de vos projets.

Exercice 2 Pour s'entraîner à la partie 2 de l'épreuve orale : l'exercice en interaction

Par deux. Vous discutez avec un(e) de vos amis francophones au sujet de la place des robots dans la société. Votre ami(e) trouve que cette évolution est une menace. Vous pensez, au contraire, qu'il s'agit d'un réel progrès utile et nécessaire. Chacun discute son point de vue.

Exercice 3 Pour s'entraîner à la partie 3 de l'épreuve orale : l'expression d'un point de vue

Dégagez le thème principal de ce sujet. Donnez ensuite votre opinion sous la forme d'un petit exposé de trois minutes environ.

MÊME AVEC DES ROBOTS, IL Y AURA TOUJOURS DU TRAVAIL POUR LES HUMAINS
L'évolution technologique transforme notre façon de vivre, de travailler, et par conséquent le fonctionnement de nos sociétés. Avec la quatrième révolution industrielle, plusieurs technologies (comme la robotique, les nanotechnologies, la réalité virtuelle, l'impression 3D, l'Internet des objets, l'intelligence artificielle et la biologie ultramoderne) sont mises en œuvre et se développent. Cela provoque dans toutes les disciplines, dans toutes les industries et dans toutes les économies des évolutions et transforme la façon dont les individus, les entreprises et les sociétés produisent, distribuent, consomment et utilisent les biens et les services. Les changements considérables – et même révolutionnaires – qui s'annoncent ne se produiront pas d'un coup mais sur plusieurs dizaines d'années. Les personnes, les entreprises et les sociétés auront donc le temps de s'adapter, mais nous devons dès maintenant commencer à créer l'avenir dont tous pourront profiter.

D'après www.latribune.fr

DOSSIER 8

Nous nous intéressons à la culture

Le point sur… la production culturelle francophone

La villa Médicis,
Académie de France
(Rome, Italie)

Le nouvel opéra de Pékin de l'architecte Paul Andreu (Pékin, Chine)

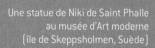

Une statue de Niki de Saint Phalle
au musée d'Art moderne
(île de Skeppsholmen, Suède)

Le palais de l'Assemblée de l'architecte Le Corbusier (Chandigarh, Inde)

1

a. Observez ces images.
1. Connaissez-vous ces lieux ou ces réalisations ?
2. Associez-les à un ou plusieurs domaines.
   lieu de diffusion culturelle • architecture • art

b. Échangez.
1. Par deux. Quels domaines culturels vous intéressent ?
   Dites ce que vous aimez faire, voir, écouter.
2. Listez et partagez les activités ou événements culturels préférés de la classe.

Les industries culturelles et créatives en France

1re

entreprise de production
et d'édition musicale
(Universal Music France)

Un des **leaders** mondiaux
de l'écoute de **musique**
en *streaming* (Deezer)

3^e

groupe mondial d'édition
(Hachette Livre)

3^e

éditeur mondial
de jeux vidéo
(Ubisoft)

4^e

marché de l'art
dans le monde

3^e

producteur
mondial
de cinéma

2^e

exportateur
derrière
les États-Unis

3^e

producteur mondial
de films d'animation

1er

télédiffuseur européen
(TF1)

2^e

répertoire musical le plus
diffusé au monde après le
répertoire anglo-américain

2

a. Observez cette infographie et lisez son titre. Faites des hypothèses sur les industries culturelles et créatives : qu'est-ce que c'est ?

b. Lisez l'infographie et vérifiez vos hypothèses.
1. Relevez les différents domaines représentés.
2. Connaissez-vous d'autres pays qui exportent dans ces domaines ? Comparez.
3. Identifiez les différentes sociétés françaises. Quels types de produits vendent-elles (des livres, des films, etc.) ?

c. En petits groupes. Listez des produits de l'industrie culturelle et créative française que vous utilisez.
1. Associez-les aux domaines de l'infographie.
2. Donnez votre avis sur ces produits.
3. Faites un classement de vos produits préférés.

PROJETS

Un projet de classe

Organiser une exposition d'un de nos artistes francophones préférés.

Et un projet ouvert sur le monde

Réaliser une carte de découvertes culturelles francophones et la partager avec d'autres étudiants de français.

Pour réaliser ces projets, nous allons apprendre à :

▷ faire une critique positive d'un événement culturel
▷ présenter une œuvre
▷ exprimer notre enthousiasme

▷ parler des spectacles vivants
▷ nous informer sur la carrière d'un artiste

▷ comprendre un palmarès
▷ commenter des films
▷ réagir à une critique

▷ trouver des livres francophones
▷ nous interroger sur l'importance de la lecture

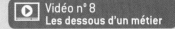 Vidéo n° 8
Les dessous d'un métier

LEÇON 1 De l'art pour tous

- Faire une critique positive d'un événement culturel ▶ Doc. 1, 2 et 3
- Présenter une œuvre ▶ Doc. 4
- Exprimer son enthousiasme ▶ Doc. 5

document 1 🎧 082 et 083

▷ L'événement « Un été au Havre » (*Y. Calvi, M. Younès*)

document 3

document 2

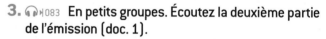

3. 🎧▶083 **En petits groupes. Écoutez la deuxième partie de l'émission (doc. 1).**

a. Complétez les fiches techniques de chaque œuvre.

> Artiste : Vincent Ganivet
> Lieu d'exposition : …
> Taille de l'œuvre : …
> Technique utilisée : …

> Artiste : Chiharu Shiota
> Lieu d'exposition : …
> Taille de l'œuvre : …
> Technique utilisée : …

b. Associez chaque œuvre à une photo (doc. 2 et 3) et donnez-leur un titre.

📖 **1. Observez le bandeau de ce site Internet (doc. 1). Identifiez la radio. Faites des hypothèses sur le sujet de l'émission.**

2. 🎧▶082 **Écoutez la première partie de l'émission (doc. 1) et vérifiez vos hypothèses.**
   a. Pourquoi organise-t-on cet événement ? Quels sont sa forme et son objectif ?
   b. Quelles sont les personnes à l'origine du projet ? Quel est leur rôle ?

4. 🎧▶083 **Par deux. Réécoutez (doc. 1). Relevez les impressions de la journaliste. Quel est son sentiment général ? Quelle est son œuvre préférée ? Justifiez.**
   ▶ p. 143, n° 1

5 🖥️

En petits groupes. Présentez un événement culturel auquel vous avez participé. Dites ce que vous avez aimé.

document 4

Le Journal du Dimanche

Jean Nouvel :
« Ce musée ne pourrait pas exister à Paris. »

Abu Dhabi crée son Louvre afin de se positionner sur la scène culturelle internationale. Une riche collection couvre plus de vingt siècles de civilisation. Le musée ressemble à un palais de l'Antiquité. Le site est conçu par Jean Nouvel à la manière d'un lieu de vie avec des espaces de rencontre. L'architecte explique son concept : « J'ai voulu créer un quartier urbain sur la mer, relié à l'île de Saadiyat. Le musée est protégé par un dôme avec des trous pour laisser passer 2 à 3 % du soleil comme s'il pleuvait de la lumière. C'était indispensable : il fait très chaud dans ce pays ! Grâce à l'eau, il fait plus frais dans le musée. Le dôme repose sur quatre bâtiments, comme s'il flottait dans l'air. Il fallait que le Louvre Abu Dhabi se mélange au paysage et à la couleur du sable pour appartenir à cette culture arabe. Ce musée ne pourrait pas exister à Paris. La hauteur des salles varie jusqu'à neuf mètres. Ainsi, on peut adapter ou fermer certaines galeries de manière à ce que les œuvres trop fragiles ne soient pas exposées au soleil. »

6. Lisez le titre (doc. 4). Faites des hypothèses sur Jean Nouvel et le thème de l'article.

7. En petits groupes. Lisez l'article (doc. 4).
- **a.** Vérifiez vos hypothèses.
- **b.** Répondez.
  1. Pourquoi créer un musée du Louvre à Abu Dhabi ?
  2. À quel type de bâtiment fait penser ce musée ?
- **c.** Légendez chaque photo avec un extrait de l'article.
- **d.** Relevez comment le site est conçu et comment les œuvres sont protégées.
- **e.** Expliquez le titre de l'article. ▶ | p. 142, n° 1

8

En petits groupes. Choisissez une œuvre d'art que vous aimez. Décrivez-la. Échangez.

9. Lisez le rapport (doc. 5).
- **a.** Identifiez sa source et son thème.
- **b.** Expliquez le succès de l'art contemporain.
- **c.** Pour quelle raison l'œuvre de J.-M. Basquiat est-elle citée ?

10. En petits groupes. Relisez le rapport (doc. 5).
- **a.** Répondez.
  Ce rapport est-il : négatif, pessimiste, optimiste, enthousiaste ?
- **b.** Justifiez votre choix avec des extraits du rapport. ▶ | p. 142, n° 2

document 5

Le **rapport** sur le **marché de l'art contemporain 2017**

Actuellement, l'art contemporain est le domaine le plus dynamique du marché de l'art.

▌ Des conditions favorables
La création contemporaine se distingue aujourd'hui par la diversité la plus grande jamais rencontrée au niveau des origines et du sexe des artistes. Cette meilleure parité sert les intérêts de tous ceux qui achètent, exposent, critiquent et récompensent l'art. Ces conditions favorables agissent sur le marché : les prix de l'art contemporain montent parfois jusqu'aux sommes les plus élevées.

▌ Un nouveau record
Le 18 mai 2017, un collectionneur japonais a acheté une toile de Jean-Michel Basquiat, pionnier du mouvement underground, pour 110,5 millions de dollars. Le prix d'*Untitled* (1982) a dépassé les prévisions les plus folles ! C'est l'un des artistes les plus chers qu'on connaisse aujourd'hui.
Les résultats en vente publique montrent que les échanges s'accélèrent et s'internationalisent. L'art contemporain se libère peu à peu des règles traditionnelles du marché de l'art qui s'ouvre enfin aux femmes et au street art.

D'après Artprice, *Rapport sur le marché de l'art contemporain 2017.*

À NOUS 🎨 ✏️

11. Nous présentons une œuvre d'art qui nous enthousiasme.

Par deux. Choisissez une œuvre (activité 8).
- **a.** Rédigez une fiche de présentation de cette œuvre (titre, nom de l'artiste, lieu d'exposition et description).

En groupe.
- **b.** Comparez les fiches et votez pour la présentation la plus convaincante.

Que le spectacle commence !

document **1**

Les Gémeaux
Scène Nationale - Sceaux

SAISON 2017 2018

THÉÂTRE
Résidence de production aux Gémeaux

Variations d'après *La Mouette* **d'Anton Tchekhov**

Texte, mise en scène, adaptation Benjamin Porée

Du jeudi 9 au dimanche 19 novembre

MUSIQUE

Les Adieux, Haydn

Orchestre philharmonique de Radio France

Avec 32 musiciens sur scène

Direction Bernard Labadie

Du samedi 14 au dimanche 15 octobre

CIRQUE

Bestias

Baro d'Evel Cirk Compagnie / Camille Decourtye, Blaï Mateu Trias

Du vendredi 19 janvier au dimanche 4 février

DANSE

Nouvelles pièces courtes

Un spectacle de la compagnie DCA/Philippe Découflé

Mise en scène et chorégraphie Philippe Découflé

Du jeudi 5 au dimanche 8 avril

RÉSERVATIONS :
01 46 61 36 67 / lesgemeaux.com

 1. Lisez cet avant-programme (doc. 1).

a. Identifiez le lieu des représentations, les types de spectacles vivants programmés et les différents moyens de réserver.

b. Retrouvez dans l'avant-programme :
– deux metteurs en scène ;
– un chef d'orchestre ;
– un chorégraphe.

c. Quels spectacles sont des créations originales ? Pourquoi ?
▸ p. 143, n° 2

2

En petits groupes. Quels spectacles vivants et quels artistes connaissez-vous ? Partagez avec la classe.

3. Observez l'affiche (doc. 2) et faites des hypothèses sur le type de spectacle.

document **2**

CITYPROD PRÉSENTE
LE CHEF D'ŒUVRE MUSICAL
D'ALAIN BOUBLIL et CLAUDE-MICHEL SCHONBERG
D'APRÈS LE ROMAN de VICTOR HUGO

Les Misérables
EN CONCERT

30 Chanteurs

Orchestre Symphonique

Le Palais des Congrès de Paris
4 & 5 MARS 2017
ET EN TOURNÉE DANS TOUTE LA FRANCE

lesmiserablesenconcert.com

document 3 🎧 084

4. 🎧📻084 Par deux. Écoutez l'émission de radio (doc. 3).

a. Vérifiez vos hypothèses.

b. Complétez la fiche du spectacle (doc. 2).

> Nom du spectacle : …
> D'après le roman de : …
> Version : …
> … : Robert Hossein
> … : Alain Bloubil et Jean-Marc Natel
> … : « Victor Hugo » (Besançon)
> … : Yves Guinhut

5. 🎧📻084 En petits groupes. Réécoutez (doc. 3) et répondez.

a. Comment les artistes ont-ils été sélectionnés ?

b. De quand date la première mise en scène ?

c. Pourquoi avoir fait un travail de recherche historique sur les costumes ? ▶ | p. 143, n° 3

6

En petits groupes. Échangez. Les comédies musicales vous intéressent-elles ? Allez-vous en voir ? Listez celles que vous connaissez. Expliquez ce qui vous plaît ou vous déplaît.

📖 **7.** Lisez cette biographie (doc. 4).

a. Identifiez l'artiste et sa profession. Où s'est-elle formée ? Avec qui ? À quoi ?

b. Relevez la particularité de son travail. Quelle pièce illustre cette particularité ? Pourquoi ?

📖 **8.** Par deux. Relisez la biographie (doc. 4).

a. Listez les événements majeurs de la carrière de l'artiste.

Exemple : 1983 → *Création de* Fase.

b. Complétez avec des extraits du document.

D'abord	Ensuite
…	elle continue sa formation à New York
elle présente sa création *Soirée Steve Reich*	…
…	elle revient au Festival d'Avignon avec Boris Charmatz
elle est invitée par le Festival de Marseille et à Montpellier Danse	…

▶ | p. 142, n° 3

---

document 4

🏠 › FIGAROSCOPE › MUSIQUE › DANSE › ANNE TERESA DE KEERSMAEKER

ANNE TERESA DE KEERSMAEKER

Danseuse et chorégraphe belge

Chorégraphe reconnue, Anne Teresa de Keersmaeker travaille le rapport entre la danse et la musique.

Après avoir suivi les cours de l'école de danse bruxelloise de Maurice Béjart, elle continue sa formation à New York. C'est là qu'elle s'ouvre à la danse américaine postmoderne. En 1983, suite au succès de sa création *Fase*, sa compagnie « Rosas » naît et fait le tour du monde.

Ses performances reçoivent un accueil enthousiaste de la presse et du public international. Elle commence alors une collaboration avec le théâtre de la Monnaie, à Bruxelles, dans les années quatre-vingt-dix, et crée l'école P.a.r.t.s.

En 2007, elle présente sa création *Soirée Steve Reich* au Théâtre de la Ville à Paris en hommage au musicien, avant de réaliser un changement important dans sa manière de chorégraphier. Elle écrit *The Song*, une pièce construite autour du silence et de quelques sons.

Après y avoir créé ses deux spectacles, *En attendant* et *Cesena*, elle revient au Festival d'Avignon en 2013 avec Boris Charmatz, chorégraphe français, pour présenter une pièce de danse contemporaine intitulée *Partita 2*.

En 2015, elle reçoit un Lion d'or à la Biennale de Venise pour l'ensemble de sa carrière. Elle est invitée par le Festival de Marseille et à Montpellier Danse, avant de débuter une collaboration avec l'Opéra de Paris.

Partita 2

À NOUS 🗣✏️

9. Nous présentons la carrière d'un artiste que nous aimons.

En petits groupes.

a. Choisissez un artiste de spectacle vivant que vous aimez (activités 2 et 6).

b. Faites une recherche sur sa carrière et son travail.

c. Rédigez une biographie en présentant trois ou quatre événements majeurs de sa carrière.

d. Réalisez le recueil des artistes de la classe.

FOCUS LANGUE

Grammaire

Exprimer la manière et la ressemblance
▶ p. 183 et p. 212

1. Relisez vos réponses aux activités 7b, c et d de la leçon 1 (doc. 4 p. 139).

a. Relevez les formules qui expriment : – la manière ;
                                          – la ressemblance.

b. Observez les structures et retrouvez les temps employés.

c. Complétez.

Pour exprimer la manière, j'utilise :	Pour exprimer la ressemblance, j'utilise :
… *de/d'* + nom	… *à* + nom
… *à ce que* + subjonctif	… *si* + imparfait

Le superlatif pour exprimer l'enthousiasme
▶ p. 184 et p. 207

2. Par deux. Observez ces extraits du document 5 de la leçon 1 (act. 10 p. 139).

1	2	3	4	5
…	…	Tournures superlatives	…	
les	sommes	les plus	élevées	
les	prévisions	les plus	folles	
la	diversité	la plus	grande	a) *jamais* rencontrée
le	domaine	le plus	dynamique	b) *du* marché
l'	un des artistes	les plus	chers	c) *qu'*on connaisse

a. Complétez les colonnes 1, 2 et 4.

b. Observez la colonne 5 (a, b et c) et associez les procédés utilisés pour renforcer le superlatif.

   1. Indiquer qu'une chose se distingue par rapport à un ensemble de choses semblables.

   2. Indiquer que la caractéristique principale est repérée par un ensemble de personnes.

   3. Indiquer qu'une chose se produit pour la toute première fois de l'histoire.

   ❗ Les relatives dépendant d'un superlatif (le plus…, le moins…) sont le plus souvent au subjonctif.

c. En petits groupes. Choisissez un « record » que vous connaissez. Présentez-le à l'aide des procédés de renforcement (2b). Partagez avec la classe.

Les temps de l'infinitif pour comprendre une chronologie
▶ p. 184 et p. 210

3. En petits groupes. Relisez vos réponses à l'activité 8b de la leçon 2 (p. 141).

a. Complétez ces extraits avec *avant de* ou *après*.

   1. … réaliser un changement important dans sa manière de chorégraphier

   2. … avoir créé ses deux spectacles

   3. … avoir suivi les cours à l'école de danse bruxelloise

   4. … débuter une collaboration avec l'Opéra de Paris

b. Observez. Quelle structure introduit :

   – un fait antérieur (d'abord) ?

   – un fait postérieur (ensuite) ?

c. Relevez les verbes à l'infinitif présent et ceux à l'infinitif passé.

   ❗ L'infinitif **présent** est un temps **simple** → verbe à l'infinitif.

   L'infinitif **passé** est un temps **composé** → *avoir* ou *être* (à l'infinitif) + participe passé.

d. Complétez la règle.

J'utilise :	J'utilise :
avant de + …	*après* + …
pour exprimer l'**antériorité** <u>par rapport à</u> un fait.	pour exprimer la **postériorité** <u>par rapport à</u> un fait.
Exemple : *Elle est invitée au Festival de Marseille avant de débuter une collaboration avec l'Opéra de Paris.*	**Exemple :** *Après avoir suivi les cours de l'école de danse bruxelloise, elle continue sa formation à New York.*

Mots et expressions

Exprimer un jugement positif
► p. 184

1. En petits groupes.

a. Observez (doc. 1 et act. 4 p. 138). Associez chaque expression à une définition :

1. C'est magnifique !
2. C'est vraiment étonnant.
3. C'est très bien fait.

> **Pour parler de ses sentiments**
> Le résultat est <u>bluffant</u>.
> La vision de ce maelstrom est <u>à tomber à genoux</u>.
> **Pour parler d'une œuvre**
> C'est vraiment <u>une prouesse technique formidable</u>.

b. Complétez avec d'autres expressions que vous connaissez.

Les termes pour parler des spectacles vivants
► p. 184

2. En petits groupes. Observez ce nuage de mots extraits de l'avant-programme (doc. 1 et act. 1 p. 140).

ADAPTATION THÉÂTRE DANSE
RÉSIDENCE CHORÉGRAPHIE
ORCHESTRE SPECTACLE VIVANT
COMPAGNIE MISE EN SCÈNE
CIRQUE PIÈCE MUSIQUE

a. Classez les mots du nuage dans le schéma en ajoutant des articles.

b. Complétez ce schéma avec d'autres mots que vous connaissez.

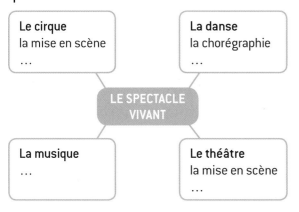

Le cirque
la mise en scène
…

La danse
la chorégraphie
…

LE SPECTACLE VIVANT

La musique
…

Le théâtre
la mise en scène
…

3. Observez ce tableau. Complétez-le avec d'autres mots ou expressions que vous connaissez (doc. 3 et act. 5 p. 141).

La sélection des artistes
– passer un casting
– jouer un rôle

Le type de spectacle
– une comédie musicale

L'œuvre
– tiré(e) de
– les paroles

Les artistes
– un chanteur lyrique

Les costumes
– d'époque
– sur mesure

La musique
– une bande
– un orchestre symphonique

Sons et intonation
► p. 185 et p. 199

L'expression de l'enthousiasme

4. Par deux.

🎧▶085 **Écoutez ces phrases. Dites si le ton est neutre ou si la personne exprime l'enthousiasme.**

Exemples : Lecture neutre : L'architecture de ce musée est vraiment étonnante et la visite guidée était très intéressante.

Lecture avec enthousiasme : L'architecture de ce musée est **vrai**ment **é**tonnante et la visite guidée était **très** intéressante.

LEÇON

3 Qu'en pensez-vous ?

- Comprendre un palmarès ▸ Doc. 1 et 2
- Commenter des films ▸ Doc. 3
- Réagir à une critique ▸ Doc. 4

1. Observez cette annonce de concours (doc. 1).

a. Quelle radio l'organise ? Quel genre de musique diffuse-t-elle ?

b. Identifiez :
1. l'événement associé au concours ;
2. les artistes récompensés nominés.

c. Dites comment les auditeurs peuvent participer.
Que pourront-ils recevoir ?

document 1

VIANNEY · AMIR · KUNGS · JULIEN DORÉ · JAIN

LES **V**ICTOIRES de la Musique *2017*

VOTEZ POUR VOTRE ARTISTE PRÉRÉRÉ ET GAGNEZ VOS ALBUMS !

Virgin RADIO POP ROCK ELECTRO

---

document 2 🎧 086

2. 🎧086 **En petits groupes. Écoutez le palmarès des Victoires de la musique (doc. 2).**

a. Identifiez :
1. les artistes récompensés nominés par Virgin Radio ;
2. les autres artistes récompensés.

b. Associez les victoires aux artistes.
artiste féminine • artiste masculin • révélation scène • musique électronique • album rock • clip • chanson originale • musique du monde

c. Choisissez la bonne réponse.
Renaud dédie sa victoire à…
1. sa femme.
2. ses parents.
3. ses enfants.

3. 🎧086 **Par deux. Réécoutez (doc. 2).**

a. En vous aidant si nécessaire de la transcription (livret p. 18), relevez comment le journaliste annonce les victoires de LEJ, Jain et Vianney.

b. Choisissez la bonne réponse.
Le message de Renaud sert à…
1. introduire la présentation.
2. faire une transition.
3. faire une pause dans la présentation.
4. conclure.
▸ p. 149, n° 1

4

En petits groupes. Qui sont les chanteurs connus dans votre pays ? Classez-les par catégories (activité 2b) et proposez votre palmarès. Puis présentez-le à la classe.

---

document 3 🎧 087

5. 🎧087 **Écoutez la conversation téléphonique (doc. 3). Relevez :**
a. les personnes qui se parlent ;
b. l'objet de la conversation ;
c. de quelles autres personnes ils parlent.

6. 🎧087 **En petits groupes. Réécoutez la conversation (doc. 3). Retrouvez :**
a. les films mentionnés ;
b. les films choisis ;
c. quand aura lieu la sortie.

7. 🎧087 **Par deux. Réécoutez la conversation (doc. 3).**
a. Dites qui a un avis positif ou négatif sur les films et la programmation. Justifiez.
Exemple : *Céline, avis positif sur L'Odyssée :*
« *Je n'en ai entendu que du bien.* »

b. Relevez les cinq actions (conseils, …). Comme dans l'exemple, précisez de quoi on parle.

Exemple : « *J'allais te le proposer.* » *Brett allait proposer à Céline d'aller voir le film* L'Odyssée.

▶ p. 148, n° 1

 Par deux.

a. Faites une liste de trois films que vous connaissez en commentant vos choix.

b. Partagez la liste avec la classe. Avez-vous des films communs ?

---

document **4**

lnrockuptibles

Valérian et la Cité des mille planètes

Très critiqué, *Valérian et la Cité des mille planètes* vaut mieux que ça

C'est une adaptation de la bande dessinée de Jean-Claude Mézières. Comme aux débuts de la science-fiction, on perçoit un bel esprit d'enfance. Visuellement, il y a de vraies réussites dans la reconstitution de cette superbe nature imaginaire et poétique.

Dane DeHaan et Cara Delevingne, des adolescents amoureux

On retrouve aussi chez les personnages une légèreté enfantine, cependant pas toujours drôle. Dès la scène d'ouverture, une orpheline extraterrestre assiste à la destruction barbare d'un monde, pendant que Dane DeHaan et Cara Delevingne jouent aux amoureux de comédie, comme des adolescents.

La pression est forte pour la grosse production qui va sortir. Luc Besson aurait pris un risque. Son studio a dépensé 170 millions d'euros sur le film. Et déjà, la presse américaine a critiqué l'œuvre de mauvaise imitation hollywoodienne.

Une fascination pour les débuts de la science-fiction

C'est quand même dur, car le film surprend par une certaine modestie, et un esprit agréablement détendu et gai.

Le nouveau Besson échoue parfois, surtout dans la progression du récit. Mais il a aussi une belle réussite : une impressionnante scène d'action. Finalement, avec son charme de blockbuster inhabituel, *Valérian*… ne déçoit pas.

D'après l'article de Jean-Marc Lalanne, août 2017.

---

9. Lisez cette critique de film des *Inrockuptibles* (doc. 4).

a. Qui est le réalisateur ? De quoi le film est-il adapté ?

b. Vrai ou faux ? Justifiez.

1. La critique américaine a rejeté le film.
2. Le journaliste est d'accord avec cette critique.

10. En petits groupes. Relisez la critique (doc. 4).

a. Retrouvez les jugements positifs et négatifs.

Exemple : Positifs : Valérian et la Cité des mille planètes *vaut mieux que ça* ; …
Négatifs : …

b. Choisissez la bonne réponse.

Le journaliste conclut sur un avis : favorable, très favorable, défavorable. ▶ p. 149, n° 2

À NOUS

11. Nous donnons notre avis sur un film.

a. En petits groupes. Recherchez le dernier palmarès du Festival de Cannes. Quels films connaissez-vous ? Choisissez-en un.

b. Faites deux équipes :
– équipe A : préparez cinq arguments positifs sur ce film ;
– équipe B : préparez cinq arguments négatifs sur ce film.

c. Échangez les points de vue de chaque équipe et votez pour l'équipe la plus convaincante.

LEÇON

4 Lire en français

- Trouver des livres francophones ▶ Doc. 1
- S'interroger sur l'importance de la lecture ▶ Doc. 2

▶ **1.** Regardez la vidéo sans le son du début jusqu'à 1'15" (doc. 1).

a. Identifiez le lieu et les personnes.

b. Retrouvez les plans correspondant aux situations suivantes et dites dans quel ordre ils apparaissent à l'écran.

portrait d'homme • extérieur • livres rangés • installation • portrait de femme • accueil • achat de livres

c. Faites des hypothèses sur ce lieu : est-il récent ? Qui l'a créé ?

▶ **2.** Regardez la vidéo avec le son du début jusqu'à 1'15" (doc. 1).

a. Vérifiez vos hypothèses.

b. Relevez :

1. pourquoi cette librairie a été créée ;
2. ce qui motive la libraire.

▶ **3.** En petits groupes. Regardez la suite de la vidéo (doc. 1).

a. Vrai ou faux ? Justifiez.

1. C'est surtout une librairie pour les francophones.
2. On n'est pas obligé d'acheter des livres quand on vient.

b. Associez les étapes aux images correspondantes.

aménager la librairie • ranger les rayons • accueillir • réceptionner les commandes • vendre • conseiller

document **1** ▶ Vidéo n° 8

Les dessous d'un métier

▶ **4.** Par deux. Regardez la vidéo du début jusqu'à la fin (doc. 1).

a. Dites ce qui fait une bonne librairie d'après la libraire.

b. Retrouvez ce qui satisfait la libraire. ▶ p. 149, n° 3

5 ⬭

En petits groupes.

a. Listez les moyens d'accéder aux livres francophones dans votre ville.

b. Comparez vos pratiques et justifiez-les.

Exemple : *10 % des personnes de la classe vont à la médiathèque parce qu'il y a du choix et que ce n'est pas cher.*

document **2**

Livres

Extrait

" Où trouver le temps de lire ?
Grave problème.
Qui n'en est pas un.

Dès que se pose la question du temps de lire, c'est que l'envie n'y est pas. Car à y regarder de près, personne n'a jamais le temps de lire. Ni les petits, ni les ados, ni les grands. La vie est une entrave perpétuelle à la lecture[1].

– Lire ? Je voudrais bien, mais le boulot, les enfants, la maison, je n'ai plus le temps…

– Comme je vous envie d'avoir le temps de lire !

Et pourquoi celle-ci, qui travaille, fait des courses, élève des enfants, conduit sa voiture, aime trois hommes, fréquente le dentiste, déménage la semaine prochaine, trouve-t-elle le temps de lire, et ce chaste[2] rentier[3] célibataire non ?

Le temps de lire est toujours du temps volé. (Tout comme le temps d'écrire, d'ailleurs, ou le temps d'aimer.)

Volé à quoi ?

Disons, au devoir de vivre.

C'est sans doute la raison pour laquelle le métro – symbole rassis[4] dudit devoir[5] – se trouve être la plus grande bibliothèque du monde.

Le temps de lire, comme le temps d'aimer, dilatent[6] le temps de vivre.

Si on devait envisager l'amour du point de vue de notre emploi du temps, qui s'y risquerait ? Qui a le temps d'être amoureux ? A-t-on jamais vu, pourtant, un amoureux ne pas prendre le temps d'aimer ?

Je n'ai jamais eu le temps de lire, mais rien, jamais, n'a pu m'empêcher de finir un roman que j'aimais.

La lecture ne relève pas de l'organisation du temps social[7], elle est, comme l'amour, une manière d'être.

La question n'est pas de savoir si j'ai le temps de lire ou pas (temps que personne, d'ailleurs, ne me donnera), mais si je m'offre ou non le bonheur d'être lecteur. "

Extrait de *Comme un roman*, Daniel Pennac.

1. une entrave perpétuelle à la lecture : quelque chose qui empêche tout le temps de lire.
2. chaste : qui n'a volontairement pas de relations sexuelles.
3. un rentier : quelqu'un qui vit sans avoir besoin de travailler.
4. rassis, -ise : vieilli(e) et résistant(e).
5. dudit devoir : du devoir dont on parle.
6. dilater quelque chose : le faire grandir.
7. le temps social : le temps passé hors du travail à faire des activités avec d'autres personnes.

6. Lisez l'extrait (doc. 2).
Choisissez la bonne réponse.
Ce livre…
a. est un roman / un essai / une nouvelle.
b. expose une réflexion / raconte une histoire.

7. En petits groupes. Relisez (doc. 2).
a. Vrai ou faux ? Justifiez.
Pour l'auteur…
1. quand on est amoureux, on trouve toujours le temps d'aimer.
2. quand on aime un livre, on trouve toujours le temps de le lire.
3. la question du temps de lire est fondamentale.

b. Relevez les questions qui permettent de…

Lancer le sujet	Où trouver le temps de lire ?
Justifier des arguments	… ; … ; … ; …
Reprendre une idée pour faire une transition	…

▶ | p. 148, n° 2

À NOUS

8. Nous faisons la carte des profils de lecteurs de la classe.

a. Par deux. Posez-vous des questions sur :
– votre intérêt général pour la lecture ;
– les endroits où vous trouvez vos livres (activité 5) ;
– ce que vous lisez et vos goûts ;
– vos pratiques de lecture : le temps consacré, les lieux de lecture, comment vous lisez, etc.

b. Partagez avec la classe et comparez vos différents profils.

c. En groupe. Faites la carte des profils de lecteurs de votre classe.

FOCUS LANGUE

Grammaire

p. 185 et p. 203

La double pronominalisation pour éviter de répéter

1. **En petits groupes. Relisez vos réponses à l'activité 7b de la leçon 3 (doc. 3 p. 145). Comparez-les avec ce tableau.**

   a. Identifiez les pronoms COD et COI.

   b. Observez l'ordre des pronoms et complétez la règle.

   c. Trouvez d'autres exemples avec *me/lui/les*.

		1	2	3	
Je	*peux*	nous	les		réserver.
J'	*allais*	te	le		proposer.
Je		te	le		laisse.
Je		vous	le		conseille.
Je		la	leur		envoie.
Je			leur	en	parle ?

	1	2
• Dans une phrase avec deux pronoms, l'ordre est le suivant : →	…	…
• Avec le pronom COI (3e personne), l'ordre change → Exemple : *Je la leur envoie.*	COD	COI
• Le pronom *en* est toujours en … position.		

p. 186 et p. 215

L'interrogation pour organiser sa réflexion

2. **En petits groupes. Relisez vos réponses à l'activité 7b de la leçon 4 (doc. 2 p. 147).**

   a. Classez les questions comme dans l'exemple.

Question ouverte	Où trouver le temps de lire ? …
Question fermée	…

   b. Relevez les mots interrogatifs et observez leur place : sont-ils au début ou à la fin de la question ?

   c. Retrouvez le sujet de chaque question.

   d. **Complétez.**
   - Dans une question ouverte :
     – le mot interrogatif se place **au début** ;
     Exemple : …
     – sauf pour reprendre une idée : dans ce cas, le mot interrogatif se place **à la fin** ;
     Exemple : *Le temps de lire est toujours du temps volé.*
     → …
   - Dans une question fermée : quand le verbe est à un temps composé, on **place le sujet entre l'auxiliaire et le participe passé.**
     Exemple : …

   e. **Comment formulerait-on ces questions à l'oral ?**

p. 186 et p. 199

Sons et intonation

La liaison obligatoire et la liaison facultative

3. a. 🎧 ▶088 **Lisez ces phrases qui contiennent chacune deux liaisons. Identifiez la liaison obligatoire et la liaison facultative.**

   b. **Par deux. Écoutez les phrases et dites si la liaison facultative est faite ou non.**
   Exemple : LEJ est un nom qui vous est familier → « est un » → liaison facultative / liaison faite   « vous est » → liaison obligatoire
   1. Dans une ville comme Toronto, on a plein de librairies.
   2. Il n'y avait pas encore de librairie francophone, mais nous allons changer cette situation.
   3. Une librairie, c'est un lieu de vie, c'est donc nécessaire pour les habitants.
   4. Si on connaît bien les auteurs, on peut être de bons conseillers pour les clients.
   5. Je suis arrivée dans cette ville il y a deux ans.
   6. Avec mon amie, on s'est beaucoup investies dans ce projet.

Mots et expressions

Les termes pour récompenser et féliciter
▶ p. 185

1. Observez et complétez avec des expressions que vous connaissez (doc. 2 et act. 3 p. 149).

> une révélation
> une victoire
> un palmarès
> faire une entrée remarquée
> être sacré(e) « meilleur(e) artiste »
> remporter une récompense
> récompenser quelqu'un
> dédier une victoire à quelqu'un

Les jugements positifs et négatifs pour commenter
▶ p. 185

2. Par deux. Lisez ces extraits des doc. 3 et 4 de la leçon 3 (p. 144-145).

> Le film vaut mieux que ça.
> Je n'en ai entendu que du bien.
> Le film ne me dit rien.
> La programmation est excellente.
> Très touchant.
> À ne pas rater !
> Le film surprend par une certaine modestie.
> Il paraît que c'est décevant.
> Il y a de vraies réussites dans la reconstitution de cette superbe nature imaginaire et poétique.
> Avec son charme, le film ne déçoit pas.
> Le film échoue parfois.

a. Associez chaque définition à un extrait souligné.
1. Il ne faut pas le laisser passer.
2. Tout n'est pas réussi.
3. On s'attendait à mieux.
4. Il ne me fait pas envie.
5. Le film n'est pas prétentieux.
6. Le film est à la hauteur des attentes.

b. Classez les commentaires en bleu du moins bon au meilleur.

😃	…
🙂	Le film vaut mieux que ça.
😐	…
🙁	…

Les termes pour parler du livre et de la librairie
▶ p. 186

3. 🎧 ◗089 **Par deux. Écoutez et observez ces extraits de la vidéo (doc. 1 et act. 4 p. 146).**
– Je prends la quatrième de couverture, je lis ce qui se passe.
– La librairie, moi, telle que je l'entends, c'est tout d'abord et avant tout un service à la communauté.
– C'est un lieu de vie, une librairie.
– On devient l'experte du livre.
– Il faut vraiment faire un travail profond, connaître les prix, connaître les auteurs, connaître tout le milieu.
– Il faut entre quatre et six mois pour ouvrir une librairie, et avoir une belle collection.
– Mais c'est surtout je pense les lecteurs qui vont nous dire ce dont ils ont envie.
– Il y a beaucoup de choses qui font une bonne librairie : c'est la sélection des livres que l'on trouve dedans, c'est l'ambiance qu'on trouve.

a. Classez les mots soulignés.

Le livre	Les personnes autour du livre	Le lieu pour le livre
une collection ; … ; …	le milieu ; … ; … ; …	… ; … ; …

b. Listez les services à la communauté importants pour vous dans une ville.
Exemple : *la librairie.*

c. Complétez avec le nom des professionnels du livre : *illustrateur, éditeur, maquettiste, correcteur, critique littéraire, imprimeur.*

LES PROFESSIONNELS DU LIVRE

…
Il le publie.

…
Il le corrige.

L'auteur(e)
Il/Elle l'écrit.

…
Il/Elle le critique.

…
Il le fabrique.

Le libraire
Il/Elle le vend.

…
Il l'illustre.

…
Il/Elle fait sa mise en page.

Rédiger une critique

1. Lisez cette critique. Identifiez le spectacle et les artistes.

a. Relevez la caractéristique de ce spectacle.

b. Dites si la critique est positive ou négative. Justifiez avec des extraits du document.

2. En petits groupes. Relisez la critique.

a. Associez-la au modèle qui correspond.

b. Associez les autres modèles de critique aux types d'œuvre.

critique de film • critique de livre • critique d'œuvre d'art

Modèle 1

1. Accroche.
2. Présentation : *titre, auteur, genre, thème*.
3. Résumé de l'histoire.
4. Appréciation : *thème, histoire, personnages, écriture*.
5. Conclusion.

Modèle 2

1. Accroche.
2. Présentation : *quoi, qui, où, quand*.
3. Description : *ce qu'on voit, comment c'est fait (forme, couleurs, technique)*.
4. Interprétation : *ce que l'artiste a peut-être voulu dire*.
5. Conclusion.

Modèle 3

1. Accroche.
2. Présentation : *quoi, qui, où, quand*.
3. Description : *ce qu'on voit, ce qu'on raconte*.
4. Appréciation : *mise en scène, lumières, musique, jeu / danse, costumes*.
5. Conclusion.

Modèle 4

1. Accroche.
2. Présentation : *titre, réalisateur, où, quand*.
3. Résumé de l'histoire.
4. Appréciation : *scénario, réalisation, bande son, acteurs, costumes*.
5. Conclusion.

POÉSIE ET SENSATIONS FORTES

La Nuit du cheval, un spectacle construit autour d'une rencontre originale : celle de la poésie et des sensations fortes !

Imaginez un son énergique rythmant la chorégraphie d'une dizaine de chevaux en liberté. Ajoutez des jeux de lumières. *La Nuit du cheval* 2017 met en scène les 25 et 26 novembre au Salon du cheval un spectacle rare : l'association des Tambours du Bronx au spectacle de Lorenzo.

Debout sur deux chevaux, Lorenzo sait les diriger. Grâce à des tableaux impressionnants, il fait naître l'émotion du public. Quant aux Tambours du Bronx, ils ont su créer une identité forte grâce à leurs instruments extraordinaires. Chacune de leurs étonnantes compositions est parfaitement chorégraphiée pour faire de ce spectacle une expérience aussi belle à voir qu'à entendre.

Ces deux éléments qui, en apparence, n'ont rien en commun, partagent pourtant beaucoup. L'énergie qu'ils communiquent ne laisse pas insensible. L'association des chevaux de Lorenzo qui dansent sur la piste et des tambours de métal aux sons énergiques est étonnante.

3. Par deux. Choisissez un document du dossier 8 qui présente une œuvre.

a. Sélectionnez le modèle de critique qui correspond au document.

b. Rédigez votre critique.

c. Illustrez-la avec des extraits du document.

Recommandation : une bonne accroche, c'est un bref résumé de votre opinion en une phrase qui doit donner envie de lire. Rédigez-la en dernier.

Apprenons ensemble

4. a. Observez l'image. Faites des hypothèses sur le problème.

b. 🎧 ▶090 Écoutez la conversation et expliquez la situation.

1. Quelle difficulté Zafar rencontre-t-il ?
2. À votre avis, quel est le problème ?

c. Échangez. Donnez des conseils pour aider Zafar à rédiger sa critique.

1. Regarder le film. → *Résumer seulement l'histoire.*
2. Préparer ses idées. → *Lister...*
3. ...

Projet de classe

Nous organisons une exposition d'un de nos artistes francophones préférés.

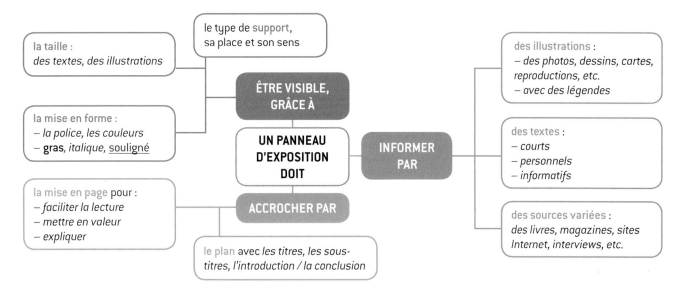

la taille :
des textes, des illustrations

le type de support,
sa place et son sens

la mise en forme :
– *la police, les couleurs*
– **gras**, *italique*, souligné

ÊTRE VISIBLE, GRÂCE À

UN PANNEAU D'EXPOSITION DOIT

INFORMER PAR

la mise en page pour :
– *faciliter la lecture*
– *mettre en valeur*
– *expliquer*

ACCROCHER PAR

le plan avec *les titres, les sous-titres, l'introduction / la conclusion*

des illustrations :
– *des photos, dessins, cartes, reproductions, etc.*
– *avec des légendes*

des textes :
– *courts*
– *personnels*
– *informatifs*

des sources variées :
des livres, magazines, sites Internet, interviews, etc.

1. Observez cette carte mentale. Identifiez les trois fonctions d'un panneau d'exposition.

2. Lisez la carte mentale. Relevez les moyens :
– de réaliser un panneau visible ;
– d'accrocher le regard et l'intérêt des visiteurs ;
– d'informer sur le thème de l'exposition.

3. En groupe. Choisissez l'artiste francophone préféré de la classe, puis mettez-vous d'accord sur la date et le lieu de l'exposition.

4. a. Formez deux équipes et recherchez :
– des photos de l'artiste et des informations sur sa vie et son parcours (équipe 1) ;
– des illustrations et des informations sur le travail et les œuvres importantes de l'artiste (équipe 2).

b. Mettez en commun puis choisissez l'œuvre préférée de la classe.

5. En petits groupes (groupes A, B et C). Répartissez-vous ces trois activités.

Groupe A : faites une biographie de l'artiste.
a. Listez ses événements importants.
b. Rédigez sa biographie : 1) son identité ; 2) sa formation ; 3) les étapes de son parcours.
→ *Quel aspect de sa vie voulez-vous mettre en relief ?*
Groupe B : faites une présentation du travail de l'artiste.
a. Listez les œuvres ou les réalisations qui l'ont rendu célèbre.
b. Décrivez ces œuvres et leurs caractéristiques (nom, date, lieu, thème, raisons du succès).
c. Rédigez votre présentation.
Groupe C : faites une critique de l'œuvre choisie par la classe.
a. Choisissez une belle illustration.
b. Observez l'œuvre. Relevez ce qui vous plaît et pourquoi (préparez vos arguments).
c. Choisissez un modèle p. 150 et rédigez votre critique.

6. En groupe. Mettez en commun pour valider vos réalisations et préparez l'accrochage.

Projet ouvert sur le monde

▶ 📖 **GP**

Nous réalisons une carte de découvertes culturelles francophones et nous la partageons avec d'autres étudiants de français.

I Compréhension de l'oral

 091

Lisez les questions. Écoutez la conversation puis répondez.

Vous être en France. Vous entendez cette conversation dans la rue.

1. Actuellement, Marius vit…
   a. à Lille.
   b. à Toulouse.
   c. à Bordeaux.

2. Quelle est l'activité professionnelle de Marius ?

3. Pour quelle raison le travail de Marius est-il particulièrement difficile en ce moment ?

4. Marius est…
   a. surpris par son métier.
   b. insatisfait de son métier.
   c. heureux de faire son métier.

5. Comment Marius qualifie-t-il la compagnie dont il parle ?

6. Avant de trouver son groupe de jazz, qu'est-ce que Lucile a dû faire ?

7. Que pense Lucile des musiciens de son groupe ?

8. Demain soir, Lucile propose à Marius…
   a. d'aller au cinéma.
   b. de venir l'écouter chanter.
   c. de se promener en centre-ville.

9. Que pense Lucile du film du Guédiguian ? (*Plusieurs réponses possibles, deux réponses attendues.*)

II Production écrite

Exercice 1

Vous étudiez en France. Chaque mois, un étudiant poste un article traitant d'un événement culturel sur le journal du site Internet de l'école de langue. Vous écrivez un article pour présenter un événement auquel vous avez participé. Vous exprimez votre enthousiasme et expliquez pourquoi vous l'avez beaucoup apprécié. N'oubliez pas de donner un titre à votre article. (160 mots minimum)

Exercice 2

Vous êtes étudiant à l'université ou dans une école de langue. Vous pensez qu'il serait intéressant de mettre en place un événement culturel autour des arts de la scène. Vous écrivez un mèl au directeur. Vous vous présentez, vous lui dites ce que vous aimeriez mettre en place et pourquoi. (160 mots minimum)

III Production orale

Exercice 1 Pour s'entraîner à la partie 1 de l'épreuve orale : l'entretien dirigé

Vos parlez de vous, de vos activités personnelles et professionnelles et de vos centres d'intérêt.

Exercice 2 Pour s'entraîner à la partie 2 de l'épreuve orale : l'exercice en interaction

Choisissez un des deux sujets suivants.

— **SUJET 1** —

À deux. Vous aimeriez mettre en place des soirées littéraires où chaque étudiant de votre école de langue française pourrait parler d'un livre qu'il a récemment lu et apprécié. Vous proposez votre idée à la personne en charge des événements culturels de votre école. Elle hésite à vous aider à mettre en place votre projet. Vous essayez de la convaincre.

— **SUJET 2** —

À deux. Vous venez de voir un film avec un(e) de vos ami(e)s francophones. Il / Elle n'a pas apprécié le film. Au contraire, vous trouvez que le film était vraiment réussi. Il / Elle n'est pas d'accord. Vous argumentez.

Exercice 3 Pour s'entraîner à la partie 3 de l'épreuve orale : l'expression d'un point de vue

Choisissez un des deux sujets suivants. Dégagez le thème principal du sujet. Donnez ensuite votre opinion sous la forme d'un petit exposé de trois minutes environ.

SUJET 1

LES CAFÉS-LIBRAIRIES

Les cafés-librairies vous permettent désormais de lire tout en buvant votre café, confortablement installé(e) dans un canapé. Il semblerait que les lecteurs délaissent peu à peu les librairies classiques au profit de ces nouveaux petits pôles littéraires que sont les cafés-librairies. À l'heure où les libraires se soucient de leur avenir, le concept du café-librairie, lui, s'est répandu dans de nombreux pays et tend à toucher de nombreuses régions françaises. Ces cafés-librairies organisent de nombreux événements tournés autour de la lecture et rassemblent des centaines de passionnés désireux de partager leur amour des mots et de faire des rencontres. Par exemple, au Café Livres de Lille, chaque vendredi, une soirée « crêpes à volonté » est proposée aux lecteurs qui s'attablent autour d'une crêpière familiale avec des gens qu'ils ne connaissent pas, mais qui partagent la même passion pour les livres, et les crêpes.
Et vous, que pensez-vous de ce concept florissant ? Vous êtes-vous déjà laissés tenter par le café-librairie ?

D'après www.edilivre.com

SUJET 2

SEMAINE DU DÉVELOPPEMENT DURABLE

ELISE DONNE UNE SECONDE VIE À VOS LIVRES !

Personne n'aime jeter ses livres. Et pourtant, ils peuvent vite devenir encombrants ! Dans le cadre de la semaine du développement durable, ELISE (Entreprise locale d'initiative au service de l'environnement) propose à ses clients d'organiser une collecte permettant de recycler ou de réemployer les livres que chacun garde chez soi ou au bureau. Si les livres sont en bon état, ils seront transférés à des associations d'insertion qui les revendront sur le marché du livre d'occasion. S'ils sont en moins bon état, ils seront recyclés en France pour redevenir de la pâte à papier. En se débarrassant de leurs livres, les collaborateurs font ainsi « d'une pierre, trois coups » : ils agissent pour l'environnement, pour la création d'emplois solidaires, et ils partagent leurs livres avec le plus grand nombre.

D'après www.elise.com.fr

ANNEXES

DOSSIER 1

Leçon 1

> FOCUS LANGUE ▸ p. 16-17

Quelques verbes prépositionnels pour parler de l'expatriation

1. Complétez les témoignages avec les prépositions *à*, *de* et *pour*.

> **Natacha, 30 ans, la rêveuse**
> Adolescente, je suis partie … l'Australie deux mois avec mes parents. J'ai eu un coup de cœur … ce pays, ses grands espaces et sa culture. J'ai décidé … vivre là-bas à la fin de mes études. Avant mon départ, j'avais tendance … idéaliser le pays, mais j'ai appris à le connaître et je ne regrette pas une minute mon choix !
>
> a

> **Fred, 42 ans, l'exilé**
> b
> Après mes études, j'avais du mal à trouver du travail, je n'arrivais pas … trouver ma place professionnellement et j'en avais marre … alterner les périodes de chômage et de petits boulots. Quand je me suis installé … Londres, j'ai pris un nouveau départ et ça m'a réussi ! Aujourd'hui, je réfléchis … l'avenir : je vais peut-être rentrer en France.

Les critères de choix d'une ville

2. Complétez les phrases avec les critères proposés.

taux de chômage • taux de célibataires • restaurants gastronomiques • ligne TGV • nombre de bars par habitant • offre culturelle • nombre de jours d'ensoleillement • coût de la vie

a. C'est un quartier très animé où on peut facilement prendre un verre avec des amis : le … est impressionnant !

b. Paris est une ville où le … est très élevé. C'est un paradoxe pour la ville de l'amour !

c. Beaucoup de retraités vont vivre dans le Sud de la France en raison du climat : le … est le plus important de France.

d. On mange très bien dans la région : les … sont nombreux.

e. Le … est en baisse car la région a pris des mesures efficaces pour créer des emplois.

f. C'est une petite ville mais l'… y est assez riche : il y a toujours des spectacles ou des concerts à aller voir.

g. Nous avons quitté Paris à cause du … : les prix des biens et services y sont supérieurs de 9 % à ceux de la province !

h. La création de la … Paris-Rennes va permettre à Rennes de se développer au niveau national.

Rendre compte d'un classement

3. Complétez l'article avec les mots proposés. Conjuguez les verbes.

arriver • prendre en compte • se classer • critères • établi • se hisser • s'imposer comme • perdre des points • se placer

> ## Le classement des villes les plus dynamiques de France
>
> **D**'après un récent classement … par *Le Figaro* concernant les villes de plus de 50 000 habitants, c'est Cergy qui … la ville la plus dynamique économiquement. Neuilly-sur-Seine … en deuxième position, ex aequo avec Issy-les-Moulineaux. Au total, ce sont dix villes du département des Hauts-de-Seine qui … dans le top 20. Malgré des atouts évidents, Paris, la capitale, … seulement vingt-troisième. Les villes du nord-est et du sud méditerranéen … en fin de classement. Calais, en dernière position, … à cause de son taux de chômage élevé. Ce classement … quatre grands … : le dynamisme démographique, les entreprises et le marché du travail, les infrastructures et les services, le niveau de vie. ▪

Issy-les-Moulineaux, département des Hauts-de-Seine, près de Paris.

Mettre en garde à propos d'un phénomène de société

4. Complétez les phrases avec des expressions pour mettre en garde.

Exemple : *Quand on part vivre à l'étranger, il faut faire attention à bien gérer son argent.*

a. Attention ! … d'obtenir un visa de travail dans certains pays.

b. Ayez toujours une photocopie de votre passeport. … : si vous perdez votre passeport, vous serez bien content d'en avoir une copie.

c. Si vous partez à l'étranger parce que vous pensez avoir trouvé le pays idéal, … !

d. Pendant un séjour à l'étranger, il y a souvent des moments difficiles : … .

e. Vivre et travailler dans certains pays peut paraître formidable mais il faut … des publicités idylliques.

Leçon 2

> **FOCUS LANGUE** ► **p. 16-17**

Exprimer une intention, une ambition

5. Transformez les phrases pour exprimer une intention ou une ambition. Variez les formules.

a. Nous allons déménager.

b. Tu vas trouver un poste à l'étranger.

c. Ils vont partager leur expérience d'expatriés.

d. Je vais faire un échange de maison.

e. Il va changer de métier.

Le conditionnel présent (1) pour formuler une demande polie ou un souhait

6. a. Associez un souhait à une question.

a. Je veux obtenir des informations sur le logement au Québec.

b. Ils veulent recevoir une réponse au sujet des postes vacants.

c. Nous voulons connaître la ville où nous allons travailler.

d. Je veux avoir mon propre véhicule.

e. Nous voulons savoir comment trier les ordures ménagères.

1. Peux-tu leur préciser que nous recherchons trois enseignants ?

2. Vous pouvez nous expliquer le fonctionnement du tri sélectif ?

3. Peut-il m'indiquer une agence de location de voitures ?

4. Peux-tu me renseigner sur les différents modes d'hébergement ?

5. Pouvez-vous nous la présenter en quelques mots ?

b. Reformulez les souhaits et les questions. Utilisez le conditionnel présent.

Donner des informations sur un logement et sur ses équipements

7. Repérez les erreurs dans le mél puis corrigez-les à l'aide des mots proposés.

cuisine • lave-linge • terrasse • pièces • chambre • frigo

De : benedicte-dsc@gmail.com
À : laurasepul@hotmail.com
Objet : échange de logement

Bonjour Laura,

Voici une brève description de notre logement. C'est un appartement de trois bureaux, d'une superficie de 75 m², au 4e étage d'un immeuble récent situé à cinq minutes du tramway. Le séjour a une grande superficie qui donne sur la rue. La cuisine principale dispose d'une salle d'eau. La deuxième chambre sert aussi de bureau. La salle à manger est aménagée et dispose de l'équipement de base (un balcon, un four et une plaque de cuisson). Le micro-ondes est dans la salle de bains.

Vous trouverez en pièces jointes quelques photos. Pourriez-vous me donner quelques informations sur votre maison ?

Cordialement,

Bénédicte

Échanger des précisions et des informations pratiques au téléphone

8. Reformulez les éléments en gras.

a. Quand tu dis que tu vas louer un « char », tu **parles d'une** « voiture » ?

b. Oui, **absolument** !

c. Vous êtes **certain** que la concierge sera là ?

d. **Je vous rappelle que** les magasins ferment le dimanche.

e. **Pourriez-vous** déposer les clés dans la boîte à lettres ?

f. **Rassurez-vous** : le quartier n'est pas dangereux.

Sons et intonation ▸ p. 16

Liaison et enchaînement consonantique

9. 🎧 ◀092 **a.** Écoutez ces groupes de mots et dites si vous entendez un enchaînement ou une liaison. **b.** Répétez en respectant le découpage des mots à l'oral.

Exemple : *notre appartement → enchaînement – nos appartements → liaison*

1. à votre avis – à mon avis
2. un hôpital – un grand hôpital
3. ils oublient – il oublie
4. cette information – ces informations
5. une épicerie – une grande épicerie
6. une formule exceptionnelle – un avis exceptionnel
7. la ville des expatriés – c'est une ville incroyable
8. de brillantes études – elle a un brillant avenir

Leçon 3

▸ FOCUS LANGUE ▸ p. 22-23

La place de l'adjectif pour caractériser un lieu de vie

10. Placez les adjectifs avant ou après les noms soulignés. Faites les modifications nécessaires.

a. C'est une habitante (nouveau) du quartier qui travaille pour la radio (anglais).
b. Si vous vous promenez dans le quartier, vous verrez des façades (vieux, authentique).
c. Voici une adresse (bon) qui propose des plats (végétarien, original).
d. J'aimerais essayer ce restaurant (petit, chinois).
e. Quels sont vos lieux (trois, préféré) dans le quartier ?

11. Observez la photo. Décrivez l'immeuble, la fresque et le personnage en utilisant des adjectifs.

Fresque murale, rue Jeanne d'Arc, 13ᵉ arrondissement de Paris. Artistes : Jana und Js.

Le conditionnel présent (2) pour donner des conseils

12. Donnez un conseil au conditionnel présent pour chaque situation. Variez les formules.

Exemple : Je suis invité à dîner chez des collègues français. (apporter une bouteille de vin)
→ *Tu devrais apporter une bouteille de vin.*

a. Je n'ai pas d'amis français. (sortir dans des bars)
b. Nous ne connaissons que Paris. (visiter d'autres villes françaises)
c. Il veut manger un bon steak-frites. (essayer un petit bistrot)
d. Je ne parle pas bien français. (faire un séjour linguistique en France)
e. Nous voulons avoir de bonnes relations avec nos collègues français. (se montrer polis)

Le conditionnel présent (2) pour décrire une situation hypothétique

13. Conjuguez les verbes comme dans l'exemple.

Exemple : *S'il devait (devoir) travailler à l'étranger, il partirait (partir) au Canada.*

a. Si nous … (s'installer) dans le Sud du pays, nous … (choisir) un petit village de montagne.
b. S'ils … (voyager) plus souvent, ils … (être) plus ouverts sur le monde.
c. Si tu … (prendre) le temps de parler aux gens, tu … (voir) qu'ils sont très sympathiques !
d. Si on me … (permettre) de partir un mois en France, j'… (aller) à Lyon.
e. Si je … (connaître) mieux les habitudes des habitants, j'… (avoir) plus de facilités à m'intégrer.
f. Si vous … (rester) plus longtemps en France, nous … (passer) nos vacances ensemble.
g. Si on vous … (offrir) un voyage en France, que … (faire)-vous ?
h. Si elle … (s'expatrier), elle … (s'installer) dans un pays d'Europe.

Le conditionnel présent (2) pour faire des propositions

14. Formulez librement une suggestion pour chaque situation.

Exemple : Le centre-ville est mort.
→ *Il faudrait redynamiser le centre-ville.*

a. Les entreprises quittent la région.
b. La piscine municipale a vieilli.
c. Le patrimoine historique de la ville est mal entretenu.
d. La vie culturelle s'appauvrit.
e. L'insécurité grandit dans certains quartiers de la ville.

Caractériser un lieu de vie

15. Associez chaque mot ou expression
à sa définition.

> sans chichi   authentique   méconnu
>
> innovation   avec une âme

a. Qui est vrai, conforme à la tradition.
b. Qui a du caractère et une atmosphère particulière.
c. Introduction d'une nouveauté, invention.
d. Qu'on connaît mal.
e. Qui est simple, sans complication inutile.

Exprimer des sentiments (1) par rapport à une ville

16. Reformulez les phrases suivantes en utilisant
les expressions de l'activité 2 p. 23.

a. Le quartier du marché est votre quartier préféré
b. La disparition des petits commerces du centre-ville
les attriste beaucoup.
c. La protection des espaces verts est très importante
à mes yeux.
d. Il est regrettable que la mairie ne développe pas
la vie culturelle.
e. Nous adorons notre petit village !
f. Je me rappelle les concerts gratuits donnés sous
le kiosque à musique.
g. Vous avez l'impression que le quartier est moins
animé que dans votre enfance.

Leçon 4

FOCUS LANGUE ▶ p. 22-23

Les pronoms *où* (1) et *dont* pour donner des précisions sur un lieu

17. Transformez les phrases comme dans l'exemple.

Exemple : Je dors dans une chambre. L'exposition
de la chambre est sud-est.
→ *Je dors dans une chambre dont l'exposition est
sud-est.*

a. Nous avons acheté un appartement.
Nous avons modifié le plan de l'appartement.
b. Elle habite un très bel immeuble. La porte cochère
de l'immeuble est remarquable.
c. Nous sommes allés dans une nouvelle piscine.
Nous avons oublié le nom de cette piscine.
d. Nous photographions des immeubles. Les façades
de ces immeubles sont recouvertes de fresques
géantes.

e. J'ai dîné dans un restaurant. Les serveurs
de ce restaurant parlaient tous anglais.
f. Il vit dans un pays. Il ne connaît pas la culture
de ce pays.

18. Complétez avec *où* ou *dont*.

a. – Paris est la ville … j'ai toujours rêvé !
– Paris est la ville … j'ai rencontré ma femme.
b. – L'hôtel … nous sommes descendus se trouve près
de la gare Montparnasse.
– L'hôtel … on nous a donné l'adresse est très bien situé.
c. – C'est un supermarché … on trouve des produits
biologiques.
– C'est un supermarché … l'heure de fermeture
est tardive.
d. – Nous louons un appartement … les chambres
donnent sur un parc.
– Nous louons un appartement … nous pouvons
dormir à cinq.
e. – C'est un quartier … il y a de nombreux petits
restaurants.
– C'est un quartier … on nous a beaucoup parlé.
f. – Le café … le propriétaire a eu un accident a fermé
le mois dernier.
– Le café … nous avions nos habitudes a changé
de propriétaire.

Sons et intonation ▶ p. 23

Les marques du français familier à l'oral

19. a. 🎧 ▶093 Écoutez et dites si ces phrases sont
du registre familier ou standard.

Exemple : On n̸e connaît pas bien c̸e quartier.
→ *Registre familier.*

1. Depuis que j'habite ici, je ne vois pas beaucoup
de touristes.
2. Tu crois qu'il y a des restaurants sympas dans
ce quartier ?
3. Celui que je préfère est juste en face de l'épicerie
du coin : tu le connais ?
4. Il faut se lancer pour parler le français avec
les commerçants.
5. Quand on est venus ici pour la première fois,
il n'y avait pas de jardin.
6. Ce qui est le plus dur dans notre situation,
c'est le premier jour.
7. Dès le premier jour, je me suis sentie bien dans ce quartier.
8. Qu'est-ce que tu as fait quand tu es allé à Genève ?

b. **Par deux. À tour de rôle, lisez les phrases en
choisissant un registre. Votre binôme devine le registre.**

DOSSIER 2

Leçon 1

> **FOCUS LANGUE** ▶ p. 34-35

Le subjonctif pour exprimer des sentiments liés au quotidien

1. Transformez les phrases. Utilisez les structures proposées.

Exemple : Les professeurs travaillent peu.
(Je ne pense pas…) → *Je ne pense pas que les professeurs travaillent peu.*

a. Les étudiants sont toujours en retard.
(Je ne comprends pas…)

b. Les Français partent très souvent en vacances.
(Ça m'étonne…)

c. Les professeurs ont beaucoup de temps libre.
(Je ne crois pas…)

d. Vous mangez beaucoup de pâtisseries sans grossir !
(Je suis étonné…)

e. Tu dois encore t'habituer à ta nouvelle vie en France.
(Je comprends…)

f. Les étudiants peuvent frauder facilement aux examens. (Je ne pense pas…)

g. Nous avons régulièrement des problèmes avec Internet. (C'est bizarre…)

h. Mon ami japonais fait de très bonnes quiches.
(Je suis surpris…)

i. Vous me demandez souvent de l'aide.
(Ça ne me gêne pas…)

j. Elle ne me comprend pas à cause de mon accent.
(Ça m'énerve…)

k. Vous me présentez des amis français.
(Je suis content…)

Les structures pour rédiger une lettre de réclamation

2. Lisez les phrases. Choisissez le mode correct.

a. Permettez-moi de vous dire que votre attitude est / soit regrettable.

b. Nous demandons que vous faites / fassiez un geste commercial.

c. Sachez que je suis / sois extrêmement déçu.

d. Je souhaite que vous me répondez / répondiez rapidement.

Exprimer des sentiments (2) liés au quotidien

3. Lisez les affirmations suivantes. Exprimez l'étonnement, l'incompréhension ou le doute.

Exemple : Il existe plus de mille fromages français.
→ *Je suis surpris qu'il existe plus de mille fromages français.*

a. Tout le monde peut s'inscrire à l'université.

b. Les professeurs ne veulent pas échanger avec leurs étudiants.

c. Les Français fraudent très souvent dans les transports en commun.

d. Il est vraiment difficile de se faire des amis en France.

e. De nombreux étudiants doivent travailler pour financer leurs études.

f. En France, les gens s'invitent souvent à dîner.

g. On a accès à Internet gratuitement dans tous les lieux publics.

Résoudre un problème avec Internet

4. Lisez le message et corrigez les erreurs, comme dans l'exemple.

De : Romain
À : Takashi
Objet : **Problème avec Internet**

Salut Takashi,
Pour ton problème de bouton Internet, voilà ce que tu peux faire : appuie puis éteins ta box. La tonalité doit changer de couleur et passer au vert après quelques instants. Si ton téléphone fixe a de la connexion mais que le voyant est vraiment lent, ta ligne est peut-être endommagée et dans ce cas, tu dois téléphoner à ton opérateur. Tu devras appuyer sur le débit « reset » au dos de ta ligne pour qu'ils vérifient l'état de ta ligne. Si ça ne marche pas, un technicien passera sûrement chez toi. Bon courage !
Romain

Exemple : Pour ton problème de bouton Internet…
→ *Pour ton problème de connexion Internet…*

Leçon 2

FOCUS LANGUE ▶ p. 34-35

Exprimer une conséquence

5. Lisez les phrases. Exprimez une conséquence logique avec des articulateurs.

Exemple : J'étais malade et je ne pouvais pas sortir.

→ *Du coup, j'ai demandé à un ami d'aller me chercher des médicaments à la pharmacie.*

a. Ces derniers temps, je suis vraiment surmené.

b. Il boit plus de sept cafés par jour.

c. Vous n'avez pas mangé depuis deux jours.

d. J'ai repris le sport après six mois d'interruption.

e. Tu as attrapé la grippe.

f. Le médecin lui a prescrit des médicaments trop forts.

g. Je me suis senti très mal en pleine nuit.

h. Elle a dû rester trois semaines à l'hôpital.

6. Reformulez les phrases. Utilisez une structure exprimant la conséquence.

Exemple : J'ai trop de courbatures. Je ne peux plus monter l'escalier.

→ *J'ai tellement de courbatures que je ne peux plus monter l'escalier.*

a. J'étais vraiment énervé ! J'ai écrit un mél pour réclamer le remboursement de mes soins.

b. Il est très prévoyant. Il pensera à prendre tous ses papiers en cas de problème à l'étranger.

c. Elle est très malade. Elle ne pourra pas venir.

d. Il avait beaucoup de fièvre. Le paracétamol était inefficace.

e. J'ai eu très peur. J'ai appelé les urgences médicales.

f. Nous avons très mal aux jambes. Nous n'arrivons plus à marcher.

Décrire les symptômes d'une maladie

7. Associez les phrases qui ont le même sens.

a. J'ai de la température.

b. J'ai beaucoup trop de travail.

c. J'ai le cœur qui bat très vite.

d. Mon visage n'a plus de couleurs.

e. J'ai des douleurs au dos.

1. Je suis surmené.

2. J'ai mal au dos.

3. Je suis pâle.

4. J'ai de la fièvre.

5. J'ai des palpitations.

Comprendre le fonctionnement de l'assurance maladie

8. Complétez les phrases avec les mots proposés. Faites les modifications nécessaires.

s'affilier • être couvert • bénéficier • carte Vitale • ordonnance • assurance santé • carte européenne d'assurance maladie

a. Y a-t-il un bon système d'… dans votre pays ?

b. Si vous ne …, vous risquez d'avoir des frais de santé très lourds.

c. Après les études, il faut … au régime général de la sécurité sociale.

d. Quand je suis partie faire mon stage en Allemagne, j'ai demandé une … .

e. As-tu pensé à mettre à jour ta … ? C'est important pour être remboursé.

f. C'est à vous d'effectuer les démarches indispensables pour pouvoir … du remboursement de vos soins médicaux.

g. J'ai perdu l'… que le médecin m'avait donnée.

Sons et intonation ▶ p. 35

L'expression du mécontentement – L'accent d'insistance

9. 🎧 ▶094 Écoutez et soulignez les syllabes accentuées. Puis répétez les phrases en utilisant des gestes et des mimiques pour accompagner votre expression.

Exemple : *C'est fou ! C'est vraiment fou ! C'est vraiment complètement fou !*

a. Je ne suis pas content ! Je ne suis vraiment pas content ! Je ne suis vraiment pas du tout content !

b. C'est pareil ! C'est toujours pareil ! C'est vraiment toujours pareil !

c. Ça m'énerve ! Qu'est-ce que ça m'énerve ! Mais qu'est-ce que ça peut m'énerver !

d. Ça dure depuis longtemps ! Ça dure depuis trop longtemps ! Ça dure depuis bien trop longtemps !

e. C'est pas vrai ? Non mais c'est pas vrai ? Non mais dis-moi que c'est pas vrai !

Leçon 3

‣ FOCUS LANGUE ▸ p. 40-41

**L'impératif et les pronoms personnels
pour donner des instructions**

10. Répondez aux questions. Utilisez l'impératif
avec des pronoms personnels.

Exemple : Je téléphone à mon conseiller ?
→ *Oui, téléphonez-lui.*

a. J'inscris les enfants à l'école ?

→ Oui, …

b. J'appelle le responsable du département ?

→ Non, …

c. Je me rends à l'association ?

→ Oui, …

d. Je laisse deux photos d'identité ?

→ Non, …

e. Je remplis le formulaire maintenant ?

→ Oui, …

11. Donnez des instructions pour chacune
des situations suivantes. Utilisez l'impératif avec
des pronoms personnels.

Exemple : Je voudrais prendre des cours de français.
→ *Renseignez-vous sur les écoles, sélectionnez-les
et appelez-les.*

a. Je voudrais parler à mon conseiller bancaire.

b. Je voudrais louer un appartement.

c. Je voudrais acheter une carte de transport.

**Le discours indirect pour rapporter
des paroles ou des pensées**

12. Mettez les phrases au discours indirect.

Exemple : Il faudra faire la queue deux heures
pour entrer.
→ *On m'a dit qu'il faudrait faire la queue deux heures
pour entrer.*

a. Je dois apporter un justificatif de domicile.

→ On m'a dit…

b. Nous pourrons faire des photocopies sur place.

→ L'employé nous a expliqué…

c. Ils ont perdu leurs papiers et ils sont bien embêtés.

→ Ils nous ont dit…

d. Elle a perdu le dossier d'inscription.

→ Elle m'a dit…

e. Est-ce qu'il y a un consulat de France dans ta ville ?

→ Je t'ai demandé…

f. J'ai rempli le formulaire pour renouveler ma carte
de séjour.

→ Je te dis…

g. Elle a eu son code et elle va passer son permis
de conduire.

→ Elle nous a dit…

h. Avez-vous une pièce d'identité ?

→ Il veut savoir…

Réussir ses démarches administratives

13. Complétez l'annonce avec les éléments proposés.

ne les oubliez pas • rendez-vous • effectuez-la •
consultez-les • demandez-les • présentez-vous •
inscrivez-vous

> ## N'ATTENDEZ PAS POUR RENOUVELER VOS PIÈCES D'IDENTITÉ : … DÈS MAINTENANT !
>
>
>
> La démarche est simple et peut être anticipée, alors
> … sans attendre. Pour cela, … sur le site Internet
> de la mairie. … au créneau horaire qui vous con-
> vient. Vous trouverez aussi sur le site les notices
> d'information : … . Pour finaliser la démarche, …
> à la mairie avec les pièces justificatives requises.
> … : s'il manque des pièces, votre dossier ne pourra
> pas être traité.

Demander de l'aide pour gérer un problème

14. Lisez les phrases. Identifiez les sentiments
(le découragement ou la colère) puis réagissez,
en variant les expressions.

Exemple : J'en ai assez de toujours devoir faire la queue
pendant des heures !
→ *(Colère.) Calme-toi, cette fois-ci, ça ne sera pas long.*

a. Je ne sais pas quoi faire pour obtenir une réponse de
l'opérateur.

b. J'ai vraiment beaucoup de travail pour les examens,
je ne vais pas y arriver.

c. J'en peux plus des démarches administratives !
Ça ne finira jamais !

d. Entre le déménagement et les inscriptions
des enfants, je ne m'en sors pas.

e. Ça fait trois fois qu'on me renvoie un courrier
en m'expliquant qu'il manque une pièce et ça
commence vraiment à me prendre la tête !

Leçon 4

❯FOCUS LANGUE ▸ p. 40-41

La négation (1) pour nuancer ses goûts et son intérêt

15. Répondez aux questions. Utilisez les négations *ne ... pas*, *ne ... jamais* ou *ne ... rien* accompagnées d'un pronom personnel.

Exemple : Connaissez-vous ce thé japonais ?
→ *Non, je ne le connais pas.*

a. Avez-vous goûté des spécialités du pays ?
    → Non, …

b. Vous connaissez les coutumes françaises ?
    → Non, …

c. Vous avez déjà parlé aux habitants du pays ?
    → Non, …

d. Vous comprenez quelque chose au football américain ?
    → Non, …

e. Vous vous inscrivez au cours de capoeira ?
    → Non, …

f. Avez-vous aimé ces sushis ?
    → Non, …

g. Vous avez déjà vu un spectacle de flamenco ?
    → Non, …

h. Vous vous êtes déjà intéressé aux traditions japonaises ?
    → Non, …

Nuancer ses goûts et son intérêt

16. Formulez vos goûts et votre intérêt à partir des thèmes proposés.

Exemple : Apprendre une langue rare.
→ *Je ne vais pas me vanter de me passionner pour une langue rare.*

a. Visiter des musées d'art.
b. Découvrir des spécialités culinaires.
c. Lire des bandes dessinées.
d. Aller à la rencontre des habitants.
e. Assister à des spectacles folkloriques.

Valoriser la vie dans une ville

17. Lisez le témoignage de Nicolas. Remplacez chaque formule soulignée par une autre de même sens.

Français de Belgique : vos témoignages

Ça fait maintenant deux ans que je suis à Bruxelles et je suis fan de cette ville. Au début, je pensais rester seulement six mois, le temps d'un stage. Puis je me suis rendu compte qu'il y avait <u>des occasions intéressantes</u> pour travailler. En plus, on trouve des logements <u>à des prix peu élevés</u>. Ça attire vraiment ! Et j'ai découvert les Belges, des gens très sympas qui savent <u>profiter des bonnes choses</u>. Bruxelles est une ville qui bouge sur le plan culturel. Il y a aussi plein d'endroits pour sortir. Personnellement, <u>j'adore</u> la friterie Jean-Mich, un lieu <u>où tu ne peux pas ne pas aller</u>. Évidemment, <u>ce qui plaît en Belgique</u>, ce sont les bières. Le Délirium est <u>un bar qui ne vous décevra pas</u> à Bruxelles ! ■

Nicolas, 22 ans

Sons et intonation ▸ p. 40

Les voyelles nasales

18. 🎧 ◼)095 Par deux. Écoutez puis répétez ces phrases ensemble. Interprétez celle de votre choix <u>d'une seule voix</u> devant la classe.

Exemple : *Un chasseur sachant chasser sait chasser sans son chien.*

a. Marin est marrant dans son pantalon marron.
b. Ta tante t'attend. J'ai tant de tantes. Quelle tante m'attend ? Ta tante Antoinette t'attend.
c. Ces cinq cent cinquante-cinq enfants ont enfin fini leur dessin.
d. Un bon bain bien chaud, c'est si bon qu'on en reprend un dès le lendemain.

DOSSIER 3

Leçon 1

FOCUS LANGUE ▸ p. 52-53

Les expressions pour conseiller

1. Transformez les conseils suivants.
Utilisez les structures de l'activité 1 p. 52.

Exemple : Pour réussir une soirée, choisissez bien vos invités !
→ *Pour réussir une soirée, il faut que vous choisissiez bien vos invités !*

a. Prenez en compte les goûts de tous les participants.

b. Prévoyez différentes activités.

c. N'organisez pas la soirée au dernier moment.

d. Surprenez vos amis en leur proposant une sortie originale.

e. Consultez l'agenda culturel de votre ville.

f. Si vous voulez parler, ne vous réunissez pas dans un endroit bruyant.

Les expressions pour mettre en relief

2. Reformulez les phrases pour mettre en relief l'élément souligné.

Exemple : J'aime faire la fête.
→ *Ce que j'aime, c'est faire la fête.*

a. Nous pouvons aller voir une pièce de théâtre.

b. Pour sa soirée, il s'oblige à faire plaisir à tout le monde.

c. Ils rêvent d'aller voir une comédie musicale.

d. Les fauteuils sont super dans ce cinéma.

e. Vous vous intéressez aux festivals de musique.

f. Dans ce restaurant, la décoration est d'époque.

g. Quand ils se retrouvent entre amis, ils boivent une bière.

h. Nous nous occupons des réservations pour ce spectacle.

i. Il apprécie une soirée entre amis.

j. Je pense au budget de la soirée.

Commenter des données chiffrées

3. Remplacez les éléments soulignés par une expression équivalente.

a. 90 % des jeunes aiment aller au cinéma.

b. 33 % des Français assistent régulièrement à un concert.

c. 57 % des seniors sont intéressés par les musées et les expositions.

d. 25 % des Français cherchent des places à tarif réduit pour leurs sorties culturelles.

e. 50 % des Français sont prêts à réduire leur budget « sorties » pour faire des économies.

Exprimer l'accord et le désaccord

4. Répondez aux questions. Exprimez votre accord, votre désaccord ou une réserve.

Exemple : On pourrait prendre un verre après le film ? *(Accord)* → Oui, bien sûr !

a. Et si on allait au restaurant ce soir ? *(Accord)*

b. J'irais bien danser dans la nouvelle boîte de nuit, pas vous ? *(Accord)*

c. On pourrait aller voir une pièce de théâtre, non ? *(Réserve)*

d. Pour parler tranquillement, ce bar n'est pas idéal, tu ne trouves pas ? *(Accord)*

e. Et si on faisait une visite nocturne de ce musée ? *(Accord)*

f. Ça te dirait d'aller à un concert de musique classique ? *(Désaccord)*

g. 60 euros par personne pour la soirée, ça vous va ? *(Réserve)*

Leçon 2

FOCUS LANGUE ▸ p. 52-53

L'expression du but pour convaincre

5. Reliez les deux phrases pour exprimer un but. Utilisez *pour / afin de* ou *pour que / afin que*.

Exemple : Des ateliers sont mis en place. Ils créent une cohésion d'équipe. → *Des ateliers sont mis en place pour / afin de créer une cohésion d'équipe.*

a. Nous proposons plusieurs activités. Les collaborateurs peuvent développer leur créativité.

b. Les salariés sortent du contexte de l'entreprise. Ils participent à des activités en équipe.

c. Vous suivez un atelier de gestion du stress. Vous améliorez votre prise de parole en public.

d. La directrice des ressources humaines invite les salariés au séminaire. Ils font connaissance.

e. Le formateur vous a conseillé l'atelier « match d'improvisation ». Vous apprenez à mieux gérer les conflits.

6. Complétez les phrases avec les mots proposés. Conjuguez les verbes.

dans le but • être idéal • permettre • viser

a. Les activités ludiques … à apaiser les conflits.

b. Toutes les activités se font en équipe … de renforcer les liens entre les gens.

c. Une activité de team building réussie … pour améliorer l'ambiance au travail.

d. Le team building artistique … de développer l'ingéniosité des collaborateurs.

Quelques verbes prépositionnels pour informer sur un événement

7. Complétez le mél avec la préposition *à* ou *de*.

12 mars 2019 à 9:30

De : Sabine Bichet
À : ensemble du personnel
Objet : Séminaire team building Paris

Chers collègues,

La direction vous fait part … l'organisation d'un séminaire le vendredi 27 avril à Paris. Pensez … inscrire cette date dans vos agendas !

Pendant cette journée, vous êtes conviés … participer aux activités de team building suivantes : une enquête policière à résoudre au parc des Buttes Chaumont ou une flash mob « danse »* au Champ-de-Mars. Nous vous invitons … choisir l'un des deux ateliers avant le 9 avril sur le lien SéminaireParis2019.

Pour clore la journée, la direction vous invite à un cocktail dînatoire à partir de 19 heures au Pavillon Dauphine. Nous vous remercions … bien vouloir confirmer votre participation par retour de mail.

Nous nous occupons … mettre à votre disposition un service de transport après le cocktail.

N'hésitez pas … m'écrire si vous souhaitez plus d'informations. J'essaierai … vous répondre le plus précisément possible.

Bien cordialement,

Sabine Bichet

* flash mob « danse » : chorégraphie express effectuée par un groupe de personnes dans un lieu public.

Les activités de groupe en contexte professionnel

8. Complétez les phrases avec des activités de team building de l'activité 3 p. 53.

a. Pour votre …, vous pouvez organiser un dîner dans une péniche sur la Seine.

b. L'année dernière, j'ai participé à un … à vélo dans les rues de Marseille.

c. Les … comme le quad, le … ou les stages de pilotage sont très appréciés.

d. Vous cherchez une activité alliant précision, concentration et agilité ? Le … est le sport idéal !

e. Pour faire le plein d'énergie et retrouver le … du corps et de l'esprit, conjuguez travail et détente dans un hôtel … .

f. Vous avez envie de bonne humeur ? Alors, prévoyez un … comme un karaoké.

g. Pour que votre … soit une réussite, nous vous conseillons d'alterner réunions de travail et moments de détente.

h. Une … propose aux équipes un itinéraire dont chaque étape est révélée, petit à petit, à l'aide d'indices.

Exprimer une hésitation

9. Complétez les réponses avec les expressions proposées.

je ne suis pas vraiment convaincu • je me demande si • je ne sais pas trop • je dois avouer que j'hésite encore

a. – Pourquoi ne pas organiser un week-end dans un hôtel spa pour vos salariés ?
   – Pour être honnête, … on peut vraiment se détendre dans ces conditions.

b. – Vous savez que les jeux d'équipe sont un excellent moyen de renforcer les liens entre des personnes ?
   – … par l'idée du jeu. Nous ne sommes plus des enfants !

c. – Avez-vous fait votre choix entre l'atelier ski et l'atelier karting ?
   – Non. … parce que j'aime bien les deux sports.

d. – Pensez-vous qu'un atelier cuisine plaira à vos collaborateurs ?
   – … . Je crois qu'il faudrait quelque chose qui les change vraiment de leur quotidien.

Sons et intonation ▸ p. 53

Hésitation et interrogation

10. Par deux. À tour de rôle, choisissez une question dans la liste A et répondez en choisissant dans la liste B. Continuez librement si nécessaire.

 A

– On s'inscrit à un stage de golf pour les prochaines vacances ?

– Une soirée déguisée pour ton anniversaire, ce serait sympa, non ?
– Ça te dirait une croisière en Méditerranée au mois de juillet ?
– Un cours de musculation ensemble, ça te dit ?

B

– Je ne sais pas trop…
– Je me demande si…
– Tu crois que c'est une bonne idée ?
– Heu… Hum…
– Je ne suis pas convaincu(e)…
– Comment savoir si ça me plaira ?
– J'avoue que j'hésite…
– Tu peux me donner plus de détails ?

Leçon 3

FOCUS LANGUE ▸ p. 58-59

Les pronoms *en* et *y* pour remplacer un lieu, une chose ou une idée

11. Reformulez les phrases en utilisant *en* ou *y*.
Exemple : Je viens de chez mes cousins. → *J'en viens.*
a. Il a passé le week-end en Vendée.
b. Tu rêves d'organiser une grande fête de famille.
c. Avez-vous déjà participé aux cousinades de votre famille ?
d. J'ai gardé un très bon souvenir de notre dernière réunion de famille.
e. Il y avait une centaine de cousins qui venaient des quatre coins de la France.
f. Nous nous sommes retrouvés dans le parc du château pour faire la fête.
g. Je n'avais pas entendu parler des cousinades avant de lire un article sur ce sujet.
h. Il est revenu de la fête enchanté.
i. Ils réfléchissent à l'organisation de la cousinade.
j. Tu as pris plus de deux cents photos.

La négation (2) pour exprimer une restriction

12. Mettez les phrases à la forme négative. Utilisez les structures de l'activité 2 p. 58.
a. Nous nous réunissons seulement une fois tous les deux ans.
b. Quelque chose a perturbé le bon déroulement de la fête.
c. Ma belle-mère et ma belle-sœur ont participé à l'organisation de la fête.

d. Quelques images me viennent à l'esprit à propos du mariage en Inde.
e. Quelqu'un sait ce qu'est le lancer de bouquet ?
f. Nous avons prévu quelque chose pour la cérémonie.
g. Ils ont engagé quelqu'un pour les animations.

L'expression de l'opposition et de la concession pour montrer des différences

13. Reliez les phrases en exprimant une concession. Utilisez les mots entre parenthèses.
a. Passer des heures à table me fatigue. J'aime bien manger. (même si)
b. Nous nous entendons très bien. Nous sommes issus de cultures différentes. (bien que)
c. Ce n'est pas toujours facile d'être accepté par sa belle-famille. On fait tout pour lui plaire. (bien que)
d. Il aime bien discuter avec ses voisins. Il ne parle pas couramment leur langue. (même si)
e. Elle sort souvent avec ses amis français. Elle est très indépendante. (bien que)

14. Reformulez les phrases. Utilisez *par contre*, *au contraire* ou *alors que*.
a. Le soir, les Espagnols sortent dans la rue mais les Français préfèrent rester chez eux.
b. Pour les Français, le petit déjeuner du dimanche est un moment en famille mais, pour les Américains, le brunch est l'occasion d'inviter des amis.
c. Les Français anticipent les événements par crainte des risques. Mais les Italiens aiment improviser.
d. Quand un Français n'est pas satisfait, il le dit clairement. Mais un Chinois a tendance à se taire.
e. Dans des échanges professionnels, les Indiens privilégient la relation humaine. Mais les Français se concentrent sur la tâche à effectuer.

Désigner les membres d'une famille

15. De qui parle-t-on ? Reformulez.
Tout le monde est venu voir le nouveau-né de Julia : la famille de son époux, le fils de sa tante, la seconde femme de son père, le second mari de sa mère, la fille de son oncle et même les enfants de ses cousins !
→ Tout le monde est venu voir le nouveau-né de Julia : sa…

Décrire une cérémonie de mariage

16. Complétez les textes avec les mots et expressions proposés.
a. noces • culture populaire • veille des noces • chants • rituel • porter bonheur • future mariée

MAROC

Dans la …, quelques jours avant les …, la … se rend au hammam avec les femmes de sa famille pour prendre un bain de lait purifiant. Puis la …, c'est le … du henné : la future mariée s'habille en vert et se fait tatouer les mains et les pieds au milieu de danses et de … traditionnels. Cette étape est primordiale car elle doit … à la jeune femme.

b. alliances • robe de la mariée • traditions • cérémonie • jeunes mariés • bouquet

ITALIE

Les … du mariage sont encore bien présentes en Italie. En voici quelques-unes.

– Le marié ne se charge pas des … : ce sont les témoins qui les donnent au couple suite à l'échange de vœux. Par contre, le matin de la …, il doit faire livrer le … au domicile de la future mariée.

– La … est traditionnellement blanche depuis la fin du XIXᵉ siècle, pour symboliser la pureté.

– À la fin de la fête, l'usage veut que les … brisent un vase ensemble. Le nombre de morceaux symbolise le nombre d'années heureuses qu'ils passeront ensemble.

Leçon 4

FOCUS LANGUE ▸ p. 58-59

Les pronoms démonstratifs et indéfinis pour décrire des comportements

17. Complétez le texte avec des pronoms démonstratifs (*celui-ci, celle-ci,* etc.)

Une fête de famille, c'est comme une pièce de théâtre. Chacun joue son rôle. Observez plutôt. Les beaux-frères ? … veut amuser tout le monde ; … a toujours une bonne excuse pour ne pas donner un coup de main. Les belles-sœurs ? … parlent sans arrêt, … sont très discrètes. Attention aux belles-mères : … aura toujours une remarque à faire sur votre tenue ; … passera son temps à dire que vos enfants sont mal élevés. Ah, les enfants ! … courent partout dans le salon, … ne veulent rien manger !

18. Complétez le texte avec des pronoms indéfinis (*l'un, les uns ; l'autre, les autres, d'autres ; certains*).

Allons voir ce qui se passe dans le monde de l'entreprise et observons ces collègues de travail : … passe son temps devant la machine à café, … ne fait jamais de pause. … se plaignent toujours, … acceptent tout sans rien dire. …ont toujours un sourire ou un mot gentil, … ignorent le monde qui les entoure.

Décrire des comportements entre amis

19. Complétez les phrases avec les verbes *se rencontrer, se retrouver, se chamailler, se fâcher, se réconcilier.*

a. Ma meilleure amie et moi ne nous sommes pas vues pendant trois mois, mais on a fini par … il y a deux semaines.

b. Lucas et Pauline sont très proches mais ils sont toujours en train de … comme des enfants.

c. Ludovic et Lisa ne se connaissaient pas avant le mariage de mon frère. C'est là qu'ils … .

d. Jules et Alexis ne se parlent plus depuis qu'ils … à cause d'une histoire d'argent.

e. On … chaque année au mois de mai pour passer un week-end entre amis.

Sons et intonation ▸ p. 59

Variations rythmiques et mélodiques

20. **a.** 🎧 �)096 Écoutez l'énumération suivante. Répétez en imitant le rythme et les variations mélodiques.

Pour la prochaine cousi**nade** ↗, nous allons inviter tous les cousins de **Nantes** ↗, les cousins de Bel**gique** ↗, ma cousine de Nice et son co**pain** ↗, mon cousin de Montréal et sa fa**mille** ↗, les cousins de Paris et leurs en**fants** ↗ et bien **sûr** ↗ tous mes frères et **sœurs** ↘.

b. Par deux. Créez des énumérations à partir des propositions suivantes, sur le modèle de l'exercice **a.** Lisez-les à voix haute.

1. Pour réussir cette journée de ma**riage** ↗, nous allons prévoir […] ↗, […] ↗, […] ↗ et bien **sûr** ↗ […] ↘.

2. Pour une soirée fes**tive** ↗, nous allons acheter […] ↗, […] ↗, […] ↗ et bien **sûr** ↗ […] ↘.

3. Pour moi, l'ami(e) idé**al(e)** ↗, c'est une personne qui […] ↗, […] ↗, […] ↗ et bien **sûr** ↗ qui […] ↘.

4. Pour réussir sa vie profession**nelle** ↗, il faut […] ↗, […] ↗, […] ↗ et bien **sûr** ↗ […] ↘.

S'EXERCER

DOSSIER 4

Leçon 1

FOCUS LANGUE ► p. 70-71

Quelques adjectifs et pronoms indéfinis pour exprimer ou nuancer la quantité

1. Reformulez les phrases avec des adjectifs ou des pronoms indéfinis. Faites les modifications nécessaires.

Exemple : Le matin, je passe voir ma voisine de 90 ans pour la saluer.
→ *Chaque matin, je passe voir ma voisine de 90 ans pour la saluer.*

a. La réunion a été un succès : l'ensemble des résidents y a participé et l'ensemble des résidents a pu s'exprimer.

b. Une dizaine de voisins se sont portés volontaires pour entretenir le jardin partagé.

c. Ce que j'apprécie dans l'habitat participatif, c'est qu'on peut s'aider entre voisins.

d. Je ne vois vraiment pas d'inconvénient à partager des lieux de l'immeuble avec mes voisins.

e. Évidemment, une copropriété suppose toujours des discussions entre voisins.

f. Il y a deux types de lieux dans un habitat participatif : des lieux sont partagés et des lieux sont privés.

g. Les habitants ont reçu une clé de la buanderie ; ce sont donc quinze clés qui ont été distribuées.

h. Si on ne répare pas la porte du garage, des inconnus pourront entrer dans l'immeuble.

Décrire des relations de voisinage

2. Écrivez le contraire des phrases suivantes. Utilisez les expressions de l'activité 1 p. 71.

a. Nous n'avons pas de points communs.

b. Nous prenons en compte les différences de chaque personne.

c. Entre voisins, nous nous connaissons parfaitement.

d. Nous n'avons jamais rien à nous dire.

e. Je me méfie de mes voisins.

f. Nous n'avons aucun souci avec nos voisins.

Quelques verbes introducteurs pour rapporter des propos

3. Mettez les phrases au discours indirect. Utilisez les verbes introducteurs proposés.

il lâche que • il précise que • il reconnaît que • il rappelle que • il assure que

a. Pour mémoire, le parking est réservé aux résidents.

b. L'habitat participatif est véritablement l'habitat du futur.

c. Nous ne partageons pas seulement des lieux mais aussi des valeurs.

d. C'est vrai que la vie de l'immeuble n'est pas un long fleuve tranquille.

e. Je n'ose pas le dire mais mes voisins de palier me dérangent vraiment.

Exprimer l'adhésion et émettre des réserves

4. Lisez les descriptions des trois concepts suivants. Pour chacun d'eux, exprimez votre adhésion et émettez des réserves.

A **Le cotravail** est une manière alternative de travailler : des professionnels indépendants et des télétravailleurs partagent un espace commun de travail, au lieu de travailler chacun dans des bureaux privés et séparés. L'idée principale est d'augmenter la productivité individuelle dans un cadre communautaire.

B **Le covoiturage** consiste en l'utilisation commune d'un véhicule par un conducteur non professionnel et un (ou plusieurs) passager(s) dans le but d'effectuer tout ou une partie d'un trajet commun. Il a des avantages à la fois économiques et écologiques.

C **La colocation intergénérationnelle** désigne la cohabitation entre des seniors et des individus d'autres tranches d'âge. Face à la crise économique et aux difficultés croissantes de certaines classes de population à se loger – telles que les étudiants, les jeunes actifs, les familles monoparentales –, la colocation intergénérationnelle semble être une solution de logement innovante.

Leçon 2

FOCUS LANGUE ► p. 70-71

Le participe présent pour préciser une action

5. Transformez les phrases. Utilisez le participe présent.

Exemple : Les consommateurs qui achètent des fruits et légumes moches font un geste pour la planète.

→ *Les consommateurs <u>achetant</u> des fruits et légumes moches font un geste pour la planète.*

a. C'est une campagne nationale <u>qui a</u> pour but de réduire le gaspillage alimentaire.

b. Les magasins <u>qui s'engagent</u> contre le gaspillage alimentaire sont encore peu nombreux.

c. Les personnes <u>qui savent</u> cuisiner les restes font des économies.

d. Le nombre de personnes <u>qui jettent</u> des produits alimentaires est considérable.

e. Il y a des solutions très simples, <u>qui peuvent</u> être mises en place rapidement.

Les adverbes de manière pour donner des précisions

6. Transformez les phrases. Utilisez des adverbes de manière.

Exemple : Les consommateurs cherchent des produits alimentaires parfaits <u>sur le plan esthétique</u>.
→ *Les consommateurs cherchent des produits alimentaires <u>esthétiquement</u> parfaits.*

a. À l'école, les enfants apprennent <u>avec facilité</u> les gestes contre le gaspillage.

b. Des événements pour sensibiliser les gens au gaspillage ont lieu <u>de manière fréquente</u>.

c. Nous devons changer <u>de manière profonde</u> nos habitudes de consommation.

d. Des producteurs ont distribué des légumes <u>gratuits</u> aux passants.

e. <u>En général</u>, on regarde les dates de péremption des produits quand on fait nos courses.

f. Le gouvernement fait un effort <u>réel</u> pour limiter la production des déchets alimentaires.

g. Les mesures prises par la municipalité contre le gâchis alimentaire sont intéressantes <u>sur le plan financier</u>.

Les adverbes de quantité / d'intensité pour nuancer son avis

7. Repérez les adverbes dans les phrases suivantes et dites si ce sont des adverbes de quantité ou d'intensité. Puis reformulez les phrases en utilisant d'autres adverbes.

a. On jette approximativement 7 kilos par an de déchets alimentaires encore emballés.

b. Énormément d'aliments destinés à la consommation sont gaspillés.

c. Je pense qu'on n'a pas besoin d'acheter tant de choses pour satisfaire nos besoins.

d. On mène peu d'actions de sensibilisation au gâchis alimentaire.

e. Dans cette cantine, les restes ont pu être considérablement réduits.

f. Nous ne faisons pas assez attention à ce que nous jetons dans nos poubelles.

g. Tellement de gens meurent de faim dans le monde !

Débattre d'un sujet polémique

8. Associez les phrases qui ont le même sens.

a. Je voudrais insister sur…

b. Je suis parfaitement d'accord avec…

c. Point à la ligne.

d. J'aimerais ajouter que…

e. C'est complètement absurde.

1. C'est comme ça et pas autrement.
2. C'est n'importe quoi.
3. Je partage le même avis que…
4. Il faut bien comprendre que…
5. Si je peux me permettre…

Parler du gaspillage alimentaire

9. Complétez l'article avec les mots proposés.

chaîne alimentaire • consommateurs • dates de péremption • distributeurs • encourager • emballage • gâchis • gaspillage • lutter • nourriture • producteurs • promotions • sensibiliser • vendre

*L*e … ou … alimentaire désigne le fait de jeter à la poubelle de la … destinée à la consommation humaine et parfaitement bonne. Plus du tiers des aliments produits dans le monde est gaspillé. Dans les grandes surfaces, les … « deux pour le prix d'un » incitent les … à acheter plus qu'ils ne devraient. Résultat : des produits encore sous … sont jetés. Quant aux …, elles sont souvent inutilement strictes et on ne fait pas toujours de différence entre « consommer avant ou jusqu'au » et « consommer de préférence avant ».
Face à cette situation, les campagnes pour … les gens se multiplient. Les pouvoirs publics se mobilisent pour … contre le gaspillage et tous les acteurs de la … sont concernés. Ainsi, les … et les … peuvent … la consommation de fruits et légumes « moches » et les … à un prix réduit.

Sons et intonation ► p. 71

Les sons [y] et [u]

10. Faites des équipes de deux et jouez au « Petit Bac des sons ». Écrivez un mot dans chaque colonne et comptez vos points après la mise en commun.

	On entend le son [y] dans…	On entend le son [u] dans…
Pays	…	…
Ville française	…	…
Prénom français masculin	…	…
Prénom français féminin	…	…
Nourriture	…	…
Objet	…	…
Sport ou loisir	…	…

Leçon 3

❯ FOCUS LANGUE ► p. 76-77

Quelques verbes prépositionnels pour exprimer le but d'une action

11. Associez.

a. L'économie sociale et solidaire regroupe des entreprises privées qui cherchent…

b. Le commerce équitable vise…

c. Devant le succès de l'économie sociale et solidaire, le gouvernement essaie…

1. … à assurer une juste rémunération à des producteurs de pays pauvres.

2. … de soutenir le développement des entreprises dans ce domaine.

3. … à concilier activité économique et équité sociale.

L'infinitif et le subjonctif pour exprimer le but d'une action

12. Faites des phrases pour exprimer le but.

Exemples : Nous proposons des produits locaux.
Nous réduisons l'empreinte écologique.
→ *Nous proposons des produits locaux pour réduire l'empreinte écologique.*
Nous proposons des produits locaux. Les producteurs de la région se développent.
→ *Nous proposons des produits locaux pour que les producteurs de la région se développent.*

a. La plateforme Babyloan a été créée. Les micro-entrepreneurs reçoivent de l'aide.

b. Il a rejoint une coopérative agricole. Il vend facilement ses produits.

c. J'achète des produits du commerce équitable. Je fais une action solidaire.

d. Le gouvernement soutient les entreprises solidaires. Elles créent des emplois.

e. Il demande un prêt solidaire. Son entreprise grandit.

f. Nous finançons ce projet écologique innovant. Le projet peut se réaliser.

g. Je collecte de l'argent. Je crée des fermes agro-écologiques et autonomes.

Inciter à agir

13. Lisez cette page du site « Financez nos projets ». Par quels moyens est-ce que le lecteur est incité à agir ?

www.financeznosprojets.com

Notre projet ❯ LE BUS ÉCOLOGIQUE ET PÉDAGOGIQUE
Notre objectif ❯ 10 000 €

Présentation du projet
Aujourd'hui, la planète va mal. Il faut donc agir vite. Notre bus ira dans toutes les écoles de France pour informer les enfants et les adolescents et leur apprendre les bons gestes écologiques.

Pourquoi participer ?
• Vous aidez à sauver la planète.
• Vous nous permettez de former les jeunes générations.
• Vous faites un double geste écologique : notre bus sera électrique.

Grâce à votre participation, nous pourrons :
• acheter et aménager le bus
• rassembler tout le matériel nécessaire
• mettre en place des ateliers de réparation d'objets et de vélos

 Si vous donnez plus de 50 €, nous nous engageons à venir dans votre ville avec le bus !

Parler du microcrédit social et solidaire

14. Complétez le texte avec les mots proposés.

micro-entrepreneur • microcrédit • finance solidaire • prêt • épargne

Vous avez une petite … ? Ne laissez plus dormir votre argent à la banque ! Optez pour la … en aidant des entreprises à se développer au bénéfice de la société ou de l'environnement. Les …, qui sont privés des … bancaires, ont besoin de votre soutien : leur projet dépend du … que vous leur accorderez.

Parler du crédit et de l'épargne

15. Relevez les erreurs et corrigez-les.

a. La banque bénéficie d'un prêt intéressant.

b. Je dois épargner le prêt que j'ai fait à la banque.

c. Grâce à mon remboursement, je peux acheter un appartement.

Leçon 4

FOCUS LANGUE ▸ p. 77

S'exprimer en français familier

16. Complétez les paroles suivantes avec les mots proposés.

un paquet • punaise • sacré • a vite fait

a. … ! Comme tu as changé !
Ça fait un … moment qu'on s'est pas vus !

b. Quand il y a de super soldes, on … d'acheter … de choses qui ne sont pas essentielles !

17. Proposez des définitions. Utilisez les mots *truc* ou *machin*.

Exemple :

un carton

→ *C'est un truc qui permet de ranger des objets quand on déménage.*

un catalogue   un jouet

un magnétoscope

Décrire une bande dessinée

18. Associez chaque mot à sa définition.

une ellipse   une bande

une onomatopée   une case

une scène   une planche   une bulle

a. Un mot qui imite un son.

b. Une image délimitée par un cadre.

c. Une page entière de bande dessinée.

d. Un moment non montré entre deux scènes.

e. Un élément graphique qui permet d'exprimer des paroles ou des pensées.

f. Une image délimitée par un cadre sur toute la largeur de la page.

g. Une suite d'images dans un décor identique.

Sons et intonation ▸ p. 76

L'intonation pour persuader

19. a. Lisez ces éco-gestes. Reformulez-les à l'impératif et prononcez-les avec une intonation persuasive.

Exemples :

J'arrête d'acheter des bouteilles en plastique.

→ *Arrête ↗↘ d'acheter des bouteilles en plastique.*

Je ne laisse pas l'eau du robinet couler inutilement.

→ *Ne laisse pas ↗↘ l'eau du robinet couler inutilement.*

1. Je prends des douches rapides.

2. J'utilise les feuilles de papier deux fois.

3. Je ne prends pas la voiture pour des trajets courts.

4. Je mets un pull et je baisse le chauffage.

5. Je donne les objets qui ne me sont plus utiles.

6. Je n'utilise pas de sacs en plastique dans les magasins.

7. Je trie les déchets dans plusieurs poubelles.

8. Je ne laisse pas les appareils électriques en veille.

b. ⌕ ♫097 Écoutez et comparez.

S'EXERCER

DOSSIER 5

Leçon 1

FOCUS LANGUE ▸ p. 88-89

Situer les différentes étapes de son parcours dans le temps

1. Lisez le témoignage d'Agun.

Agun, étudiante thaïlandaise à Grenoble

Adolescente, je … (adorer) la France et je … (rêver) de vivre comme les Français. Alors, à 12 ans, je … (décider) d'étudier le français. Je … (arriver) en France en février 2010, après … (obtenir) ma licence en langue française à l'université de Chiang Maï, en Thaïlande. Je … (parler) donc français à mon arrivée à Grenoble, mais je … (s'inscrire) pour six mois dans une école de langue pour me perfectionner. Ensuite, je … (faire) une licence de lettres modernes à l'université Stendhal. Puis je … (s'orienter) vers l'enseignement du français aux étrangers car, l'année précédente, un professeur me … (conseiller) cette spécialité. Après … (terminer) mon master d'enseignement du FLE* en 2013, je … (pouvoir) rentrer en Thaïlande mais je … (choisir) de rester en France pour poursuivre mes études. C'est pourquoi je … (rédiger) actuellement ma thèse. La vie en France me … (plaire) énormément. Mais heureusement qu'avant mon départ on me … (aider) sur le choix de l'université et du logement ! Après ma thèse, je … (chercher) un poste de professeur en Thaïlande.

* FLE : français langue étrangère.

a. Conjuguez les verbes aux temps qui conviennent (présent, imparfait, passé composé, plus-que-parfait, futur ou infinitif passé).

b. Classez les étapes du parcours d'Agun dans l'ordre chronologique.
1. Obtention d'un master en FLE.
2. Obtention de la licence de langue française.
3. Recherche d'un poste de professeur.
4. Licence de lettres modernes.
5. Arrivée en France.
6. Rédaction de la thèse.
7. Aide au choix de l'université et du logement en France.
8. Cours de français dans une école de langue.

Les articulateurs pour structurer une lettre de motivation

2. Corrigez les erreurs. Précisez ce qu'indique chaque articulateur.

Exemple : J'ai choisi d'étudier en France <u>pour</u> l'enseignement y est de qualité.
→ *J'ai choisi d'étudier en France <u>parce que</u> l'enseignement y est de qualité. (la cause)*

a. Je souhaite devenir professeur de français. <u>En effet</u>, je suis venu en France.

b. J'ai d'abord demandé des renseignements sur les universités ; ensuite, j'ai sélectionné l'université qui m'intéressait ; <u>de plus</u>, je me suis inscrit.

c. Beaucoup d'étudiants doivent avoir un petit job <u>c'est pourquoi</u> financer leurs études.

d. Il a décidé de poursuivre ses études de médecine en France <u>enfin</u> le niveau est excellent.

e. Son expérience en France lui a beaucoup servi. <u>Car</u> on lui a proposé un poste à l'université dès qu'elle est rentrée dans son pays.

f. En France, il a obtenu son diplôme d'ingénieur ; <u>parce qu'</u>il s'est vraiment amélioré en français.

Les termes pour désigner les filières et les diplômes

3. Trouvez le nom qui correspond à chaque définition.

a. C'est l'examen qu'on passe à la fin du lycée.
b. C'est le travail qu'on réalise pendant les années de doctorat.
c. C'est la troisième année d'université.
d. On en obtient un à la fin des études.
e. On en réalise un dans une entreprise pour acquérir de l'expérience pendant ou à la fin de ses études.
f. On le termine normalement après cinq ans d'université.
g. Elles permettent de préparer les concours des grandes écoles.

4. Associez. (Plusieurs réponses possibles.)

a. faire	1. le bac
b. préparer	2. une classe préparatoire
c. rédiger	3. une école / grande école
d. intégrer	4. un doctorat
e. obtenir	5. un stage
f. valider	6. un diplôme
	7. une licence
	8. une thèse

Leçon 2

▶FOCUS LANGUE ▶ p. 88-89

Les structures pour comprendre et donner des conseils

5. Transformez les fortes recommandations suivantes en suggestions.

Exemple : Montrez que vous êtes le meilleur pour le poste.

→ *L'idée, c'est de montrer que vous êtes le meilleur pour le poste.*

a. Il faut un style clair et direct pour rédiger une lettre de motivation.

b. Réalisez votre portfolio professionnel.

c. Distinguez-vous parmi tous les candidats à un poste.

d. Vous devez mettre en avant vos compétences pour convaincre le recruteur.

e. Il faut suivre un atelier pour apprendre à rédiger un CV.

Les différentes parties du portfolio professionnel

6. Complétez la phrase avec les composants du portfolio professionnel dans le bon ordre.

les compétences et leur description • le CV • les lettres de recommandation • la table des matières • les travaux

Dans un portfolio professionnel, on trouve d'abord … puis …, puis … et enfin … et … .

Les termes pour désigner des compétences professionnelles

7. Associez.

a. piloter	1. un budget
b. vendre	2. des compétences
c. négocier	3. des espaces publicitaires
d. évaluer	4. un contrat
e. former	5. des ingénieurs
f. élaborer	6. des groupes de projets

Sons et intonation ▶ p. 89

Passé composé, imparfait ou conditionnel ?

8. 🎧 Ⅱ098 Écoutez les verbes et retrouvez le bon ordre (numérotez de 1 à 16).

… je cherchais	… elle a continué
… elle écouterait	… vous voudriez
… il faisait	… je comprendrais
… elle a écouté	… je chercherais
… il a fait	*1* je comprenais
… il ferait	… vous vouliez
… j'ai cherché	… elle continuait
… elle écoutait	… elle continuerait

9. Par deux. Choisissez un verbe dans la liste suivante et conjuguez-le au temps de votre choix (passé composé, imparfait ou conditionnel présent).

Votre binôme donne le temps puis conjugue le verbe aux deux autres temps.

travailler (il) • rédiger (elle) • conseiller (il) • voyager (je) • communiquer (elle) • participer (je) • trouver (je)

Exemple : *je trouvais → j'ai trouvé – je trouverais*.

Leçon 3

▶FOCUS LANGUE ▶ p. 95

Donner ses impressions

10. Complétez les phrases avec les propositions suivantes.

ne pouvait pas imaginer • avait peur • est content • a plu • ce qu'il a préféré • s'est senti à l'aise

a. Au début de l'année, il … de ne pas comprendre les professeurs.

b. Le stage qu'il a effectué lui … car il a mis en pratique ses connaissances.

c. Les étudiants l'ont très bien accueilli et, du coup, il … assez rapidement.

d. … pendant son année universitaire, ce sont les échanges avec les professeurs.

e. Il … d'avoir travaillé au Pôle international de l'université de Dijon.

f. Il y a deux ans, il … qu'il obtiendrait une bourse pour venir étudier en France.

Faire un bilan personnel et professionnel

11. **Donnez une expression équivalente.**

a. changer de voie professionnelle

b. mobiliser des compétences

c. mettre en valeur une expérience

d. donner la preuve d'une expérience

e. obtenir un entretien

f. faire le point sur ses compétences professionnelles et personnelles

12. **Complétez les phrases avec les mots et expressions suivants. Puis associez les questions et les réponses.**

l'écoute • une réorientation professionnelle • une expérience professionnelle à part entière • en équipe • le montage et la gestion de projets • justifier d'une expérience • l'empathie • un bilan de compétences • savoir-faire • le savoir-être

a. Pensez-vous avoir les qualités humaines nécessaires pour ce poste ?

b. Aimez-vous le travail … ?

c. Éprouvez-vous de … pour les membres de votre équipe ?

d. Avez-vous déjà travaillé dans le domaine commercial ?

e. Quels … avez-vous développés dans votre dernier poste ?

f. Comment êtes-vous passé d'ingénieur informatique à journaliste sportif ? C'est … surprenante !

g. Que vous a apporté le bénévolat ?

h. Quelles qualités recherchez-vous chez des collaborateurs ?

1. Oui. Je peux … de deux ans dans une entreprise d'import-export.

2. Bien sûr, échanger des idées avec les autres est fondamental !

3. Je peux dire que ça a représenté … . J'ai beaucoup appris.

4. Eh bien, j'ai fait … et ça a été une véritable révélation.

5. Je pense. J'essaie toujours de me mettre à la place de l'autre pour mieux le comprendre.

6. Oui, j'ai le sens de … et je suis rigoureux.

7. Pour moi, … et les qualités relationnelles ont autant d'importance que les compétences techniques.

8. Je me suis perfectionné dans … .

Leçon 4

> **FOCUS LANGUE** ▶ p. 94-95

Le pronom *où* (2) pour donner des précisions sur le lieu ou sur le temps

13. **Reformulez pour faire une seule phrase. Utilisez le pronom *où*.**

Exemple : Il est responsable d'un centre d'appel. Trois cents personnes y travaillent.

→ *Il est responsable d'un centre d'appel où trois cents personnes travaillent.*

a. Je travaille dans une mairie. Dans cette mairie, j'ai mon propre bureau.

b. Elle se lève à 9 heures. À cette heure-ci, elle devrait être au bureau.

c. Nous nous sommes installés à Madagascar. Nous avons monté notre entreprise à Madagascar.

d. Un jour, mon responsable m'a proposé un poste à l'étranger. Je n'oublierai jamais ce jour-là.

e. C'est un poste inintéressant. À ce poste, les tâches sont répétitives.

f. Je me souviens de l'année 2014. Cette année-là, j'étais chargée de mission dans un service des ressources humaines.

g. C'est une jeune entreprise. On y parle le malgache mais aussi le français.

h. À un moment de la journée, on prend un café tous ensemble. J'apprécie ce moment.

i. Ils connaissent bien le Maroc. Ils y ont travaillé pendant dix ans.

Le gérondif pour exprimer la simultanéité

14. **Reformulez la deuxième action avec un gérondif.**

Exemple : Je descends les escaliers et je téléphone à une amie.

→ *Je descends les escaliers en téléphonant à une amie.*

a. Je prends un petit déjeuner très sucré et je me dis que ce n'est pas bon pour la santé.

b. Je vais au travail à pied et je réfléchis au programme de la journée.

c. Je ne téléphone pas quand je conduis.

d. Je règle l'alarme de mon réveil quand je me couche.

e. Je consulte mes méls et je bois un café.

f. Je déjeune et je lis un dossier.

g. J'écris des méls et je réponds au téléphone car ce dossier est très urgent.

Différencier le gérondif et le participe présent

15. **Complétez les phrases avec un gérondif ou un participe présent.**

a. J'ai beaucoup appris … (travailler) avec des collègues de nationalités différentes.

b. Paul … (être) bilingue, il peut participer à des réunions en anglais.

c. Les candidats … (avoir) une expérience à l'étranger sont très recherchés.

d. Elle a décroché un entretien … (insister) et … (rappeler) le directeur toutes les semaines.

e. Avec ses collaborateurs, il sait faire preuve d'autorité … (rester) très poli.

f. Les personnes … (ne pas savoir) travailler en équipe ne sont pas appréciées.

g. Les chercheurs d'emploi … (souhaiter) faire un bilan de compétences sont priés de s'inscrire avant le 15 octobre.

h. Nous avons mécontenté le client … (ne pas répondre) rapidement.

i. On peut terminer le projet dans les temps … (se dépêcher).

j. Les candidats … (se présenter) en retard à l'entretien ne seront pas reçus.

Les termes pour désigner les compétences d'un chargé de clientèle

16. **Lisez le mémo et reformulez les compétences d'un chargé de clientèle.**

> ### MÉMO
>
> **Les compétences d'un chargé de clientèle**
> (1) Répondre aux besoins du client
> (2) Donner envie au client de revenir
> (3) Être attentif au client
> (4) Adopter le bon comportement en fonction de la situation
> (5) Donner de l'importance au client
> (6) Donner des informations
> (7) Se renseigner
> (8) Savoir se maîtriser
> (9) Adapter son appel en fonction de son client
> (10) Apporter un « plus »

Sons et intonation ▸ p. 94

La mise en relief de certains mots

17. **a.** **Lisez un des deux monologues à voix basse et choisissez les mots que vous voulez mettre en relief. b. Par deux. Écoutez votre binôme lire son monologue et retrouvez les mots qu'il / elle a mis en relief.**

> **1** Je viens de passer un entretien professionnel. Ça s'est très bien passé. J'ai beaucoup parlé car le recruteur m'a posé mille questions ! Sur tout : sur mon parcours professionnel, mes études, ma vie, vraiment sur tout ! J'espère que ça va marcher et que j'aurai le poste !

> **2** Le prochain stage que je dois faire m'inquiète beaucoup ! Je ne suis pas sûr(e) d'avoir fait le bon choix. Ce qui m'inquiète le plus, c'est que je vais travailler dans un bureau toute la journée. Moi qui aime surtout être à l'extérieur, je ne sais pas comment je vais tenir le coup…

DOSSIER 6

Leçon 1

> FOCUS LANGUE ▸ p. 106-107

L'expression de la concession pour débattre d'un sujet

1. a. Reliez les deux phrases pour exprimer une concession. Utilisez *bien que*, puis *malgré* quand c'est possible.

Exemple : Les médias traditionnels résistent. / Ils sont moins influents qu'avant.
→ *Les médias traditionnels résistent bien qu'ils soient moins influents qu'avant.*
→ *Les médias traditionnels résistent malgré leur perte d'influence.*

1. Les médias sociaux se développent. / Ils sont très critiqués.
2. Les journalistes peuvent déraper. / Des règles strictes régissent leur profession.
3. Les médias sociaux se veulent plus libres que les médias traditionnels. / Ils sont tout aussi dépendants des revenus de la publicité.
4. Certains internautes ont une démarche quasi professionnelle. / Ils ne sont pas journalistes.
5. Les réseaux sociaux sont devenus de vrais outils d'information. / Beaucoup de mensonges y circulent.
6. Des hommes politiques gagnent les élections. / Les médias révèlent leurs mensonges.
7. Sur les sites autorégulés, les citoyens s'expriment librement. / Des journalistes contrôlent ces sites.

b. Réécrivez ces mêmes phrases en utilisant *cependant*, *pourtant* ou *(mais) quand même*.

Exemple : Les médias traditionnels résistent. / Ils sont moins influents qu'avant.
→ *Les médias traditionnels sont moins influents qu'avant, cependant / pourtant ils résistent.*
→ *Les médias traditionnels sont moins influents qu'avant mais ils résistent quand même.*

La voix passive pour insister sur le résultat d'une action / L'accord du participe passé

2. Conjuguez les verbes à la voix passive, au présent ou au passé composé.

a. Quand le magazine est sorti, sa couverture … (critiquer) par l'opinion publique.

b. Plus de 300 000 exemplaires de ce journal … (imprimer) chaque jour.

c. Aux dernières élections, des campagnes féroces … (mener) par les médias à l'encontre des candidats.

d. De nos jours, une information … (diffuser) en quelques minutes dans le monde entier.

e. Les réseaux sociaux … (ne pas réglementer) ; c'est pour cette raison que les fake news peuvent s'y répandre.

3. Transformez les phrases suivantes à la voix passive.

a. On distribue les journaux gratuits dans le métro.

b. Un journaliste de *20 minutes* avait interviewé une de mes amies.

c. On annonce les sorties culturelles dans les journaux gratuits.

d. Les utilisateurs des réseaux sociaux commenteront l'information.

e. Facebook a modifié le rapport des gens à l'information.

Analyser la une d'un magazine

4. Associez chaque mot à sa définition.

une accroche	un éditeur	un message incitatif
la périodicité	une rubrique	une police

a. Groupe ou personne qui publie des quotidiens ou des périodiques.
b. Style de représentation visuelle des lettres.
c. Catégorie d'articles traitant de sujets déterminés.
d. Court texte destiné à éveiller la curiosité et provoquer la lecture.
e. Texte invitant les lecteurs à faire quelque chose.
f. Fréquence de diffusion d'un journal ou d'un magazine.

Leçon 2

> FOCUS LANGUE ▸ p. 106-107

Les indicateurs de temps pour préciser le moment où on parle

5. Transformez les phrases comme indiqué. Attention aux temps et aux indicateurs de temps.

a. Nous sommes partis en Suède l'année dernière pour tourner un documentaire.
→ Nous étions partis…

b. Il veut savoir pour quel journal je travaille en ce moment.
→ Il voulait savoir…

c. On m'a engagé parce que l'enquête que j'ai réalisée il y a trois mois a plu.
→ On m'avait engagé parce que…

d. Aujourd'hui, j'écris des articles pour un journal en ligne.
→ …, j'écrivais des articles pour un journal en ligne.

e. Nous devons rapidement nous mettre d'accord sur la une car le magazine paraît demain.
→ Nous devions rapidement nous mettre d'accord…

Les termes de l'écriture journalistique

6. Lisez l'article. Associez chaque élément ci-dessous au numéro correspondant.

Exemple : un titre → ①

une chute   un titre   une accroche

une légende   un chapeau   une relance

---

① DÉCOUVERTE D'UN CHAMPIGNON GÉANT

② *Partie promener son chien, une jeune femme est tombée sur un champignon de trois kilos !*

③ « Je n'avais jamais vu ça ! » s'est exclamé le pharmacien d'une petite ville de Normandie, quand Marion Durand lui a montré le champignon qu'elle venait de trouver.

④ Bolet des pins géant. © Paula Savelius / Shutterstock

⑤ Mais cet énorme champignon est-il comestible ? « Bien sûr ! » affirme le pharmacien.

⑥ Maintenant, Marion ouvre l'œil quand elle promène son chien. Qui sait ? Un autre « géant » se cache peut-être dans les bois !

Les termes des médias traditionnels / participatifs

7. Complétez l'article avec les mots proposés. Faites les modifications nécessaires.

site autorégulé • commentaires • journaliste de métier • débattre • diffuser • site autoproduit • contenu de qualité • journalisme citoyen • interagir

> ## LES MÉDIAS PARTICIPATIFS SONT-ILS UNE MENACE POUR LES MÉDIAS TRADITIONNELS ?
>
> On a coutume d'opposer médias participatifs et médias traditionnels. Tous deux … des contenus mais de façon différente sur le fond et sur la forme. Les médias traditionnels emploient des … qui apportent un soin particulier à la rédaction de leurs articles. Les lecteurs peuvent y lire du … . Dans les médias participatifs, la parole est donnée aux citoyens. On parle d'ailleurs de … . Comme leur nom l'indique, ces médias reposent sur la participation des lecteurs. Mais il faut distinguer les …, où le contenu est publié par les citoyens, des …, où les lecteurs peuvent … sur un sujet et … grâce aux … sur les articles. En fin de compte, médias participatifs et médias traditionnels sont plus complémentaires qu'opposés.

Sons et intonation ▸ p. 107

Les sons /O/ et /Œ/

8. 🎧 ◄)099 Vous entendez les sons dans quel ordre ? Écoutez et classez les groupes de mots dans le tableau.

Ordre /O/ – /O/	Exemple : *les réseaux sociaux* …
Ordre /O/ – /Œ/	Exemple : *une info majeure* …
Ordre /Œ/ – /O/	Exemple : *plusieurs francophones* …
Ordre /Œ/ – /Œ/	Exemple : *leurs électeurs* …

Leçon 3

▸FOCUS LANGUE ▸ p. 112-113

Quelques verbes prépositionnels pour parler de l'information et de la désinformation

9. Complétez le commentaire de Manu (p. 178) avec les prépositions *à*, *de/d'*, *contre* et *par*.

VOS RÉACTIONS (1)   Réagir

Manu   06/12/2018 – 9h07

On ne peut pas parler … information sans parler … désinformation ! Au début, les fausses informations m'amusaient. Je pensais même qu'elles contribuaient … éduquer les gens face aux médias en leur rappelant qu'il fallait toujours faire preuve … esprit critique. Mais malheureusement, il n'y a plus de limites ! Ces fake news ont fini … m'énerver. Aujourd'hui, je doute … tout ou presque : toutes ces photos qu'on sort de leur contexte pour diffuser des mensonges nourrit un sentiment de méfiance envers Internet. Selon moi, la toile ressemble … un supermarché géant où on trouve tout et n'importe quoi ! Il faut donc lutter … la désinformation !

Les termes de l'information et la désinformation

10. Choisissez la bonne option.

a. Pour *ralentir / garantir* la diffusion des fausses nouvelles, un outil de signalement a été mis au point.

b. *L'obligation de déontologie / L'opération de désinformation* conduit un journaliste à garantir les informations.

c. Pour informer le public, il faut *s'afficher sur les réseaux sociaux / vérifier les informations*.

d. Quand une photo sortie de son contexte illustre une information, il y a souvent de *vraies infos / des contradictions* faciles à repérer.

Leçon 4

🔖 FOCUS LANGUE ▶ p. 112-113

Les procédés de mise en évidence pour capter l'attention : l'emphase

11. Transformez les phrases selon la structure indiquée.

a. Laurent Gilbert est notre envoyé spécial. Il est en communication avec nous depuis New York. (*Phrase sans verbe conjugué*)

b. Je rêve depuis longtemps de faire un documentaire sur la guerre. (*Reprise d'un élément de sens par un pronom*)

c. Dans mon métier, je recherche l'aventure. (*Répétition d'un élément de sens*)

d. Mon principal trait de caractère est la détermination. (*Emploi d'une tournure de présentation*)

e. C'est le matin, nous sommes en salle de rédaction et le rédacteur en chef s'adresse à son équipe. (*Phrase sans verbe conjugué*)

f. Les étudiants en journalisme connaissent les difficultés du métier. (*Reprise d'un élément de sens par un pronom*)

g. Quand on est journaliste, il faut toujours vérifier ses informations. (*Emploi d'une tournure de présentation*)

Insister sur des faits significatifs et interpeller l'interlocuteur

12. Choisissez la phrase qui correspond à chaque intention de communication.

a. Questionner l'interlocuteur pour attirer son attention.
   1. Tu te rends compte ?
   2. Tu veux que je répète ma question ?

b. Accentuer son propos.
   1. Ça fait un an.
   2. Ça fait un an tout juste.

c. Renforcer une réponse.
   1. Mais c'est précisément ça le problème !
   2. Je ne suis pas partie pour cette raison !

d. Indiquer l'obligation, la nécessité.
   1. C'est vrai que rien ne remplace le terrain.
   2. Il faut vraiment enquêter auprès des gens.

e. Exprimer la condition.
   1. Il est sûr de ses informations car il vérifie ses sources.
   2. Pour être sûr de tes informations, tu dois vérifier tes sources.

Sons et intonation ▶ p. 112

Troncation et niveau de langue

13. **a.** Retrouvez les mots tronqués.

la communication • une information • un ordinateur • un appartement • la gymnastique • un cinéma • un apéritif • l'actualité • la décoration • la faculté • une application • la philosophie • un(e) professeur(e) • une manifestation • un dictionnaire • la télévision • l'après-midi • une colocation • un hélicoptère • un(e) kinésithérapeute • écologique • biologique • sympathique • intellectuel • bon appétit • comme d'habitude • Sébastien • Nicolas • Frédérique • Nathalie

b. Choisissez deux mots tronqués et utilisez-les dans une même phrase.

DOSSIER **7**

Leçon 1

> **FOCUS LANGUE** ▶ **p. 124-125**

Les pronoms relatifs composés pour éviter les répétitions

1. Associez. (Plusieurs réponses possibles.)

a. C'est une invention…

b. Nous avons mis au point une machine…

c. C'est un sujet scientifique complexe…

d. Il y a de grands défis à relever…

e. Il est essentiel de soutenir la recherche scientifique…

f. C'est un phénomène naturel…

g. Nous connaissons l'existence d'organismes vivants…

1. sur lequel j'ai écrit un livre de vulgarisation.

2. sans laquelle aucun progrès n'est possible.

3. pour laquelle il a fallu cinq années de recherches.

4. devant lequel nous sommes en admiration.

5. grâce à laquelle on va pouvoir éclairer les villes.

6. chez lesquels des gènes produisent de la lumière.

7. parmi lesquels la réduction de la consommation énergétique.

2. Faites une seule phrase en utilisant un pronom relatif composé, comme dans l'exemple.

Exemple : C'est un magazine scientifique. Je suis abonné à ce magazine.

→ *C'est un magazine scientifique <u>auquel</u> je suis abonné.*

a. C'est une entreprise internationale. De nombreux scientifiques travaillent dans cette entreprise.

b. Nous avons initié un projet. Nous allons consacrer au moins deux ans à ce projet.

c. Les chercheurs ont découvert une bactérie. Avec cette bactérie, on produira un jour de l'électricité.

d. J'ai inventé une machine à café connectée. Je transmets des commandes à distance à cette machine à café.

e. Elle exerce le métier d'entrepreneuse. Elle n'était pas formée pour ce métier au départ.

f. La bioluminescence est une réaction chimique. Grâce à cette réaction chimique, certains organismes vivants produisent de la lumière.

g. La biologie de synthèse est une discipline scientifique récente. Sans cette discipline, on ne pourrait pas coder l'ADN.

h. Une équipe de chercheurs a mis au point un procédé. Par ce procédé, on peut transférer à des végétaux des gènes qui proviennent de bactéries.

i. C'est un casque de moto. On a connecté un feu de freinage à ce casque de moto.

Quelques structures pour expliquer l'utilité et le fonctionnement d'une innovation

3. Complétez les présentations des lauréats des Prix Jeunesse 3535 avec les éléments proposés.

a. permet de • appuyer sur • conçue pour • doté d' • connectée à • qui fonctionne • qui se déclenche • installée sur

TECHNOLOGIE

Paul Boris Kokreu (CÔTE D'IVOIRE), 30 ans
« Une Sirène scolaire … à distance »

La Sirène scolaire a été … les écoles. Son fonctionnement est très simple : elle est … Internet et une application … le smartphone … la déclencher à distance. Les personnes chargées de la faire sonner n'ont plus qu'à … un bouton de l'interface de leur smartphone. C'est un gadget peu gourmand en énergie électrique … une batterie intégrée … à l'énergie solaire.

b. permet d' • vise à • à laquelle on accède • destinés aux • connecté à

TECHNOLOGIE

Edouard Claude Oussou (GABON), 35 ans
« Garantir la réussite scolaire pour tous »

Scientia est une plateforme simple d'utilisation … depuis un ordinateur, une tablette ou un smartphone … Internet. Elle … accéder à des services numériques en ligne, … communautés éducatives des écoles, collèges et lycées, mais aussi aux élèves et à leurs familles. Scientia … simplifier la gestion et le suivi d'un établissement scolaire.

c. ont accès à • installés sur • spécialisée dans

AGRICULTURE ET AGRI-BUSINESS

Dicko Sy (Sénégal), 26 ans
« Diffuser les meilleures techniques agricoles »

Dicko Sy a créé une entreprise agronomique qui est … la production végétale. Ainsi, les cultivateurs … des semences agricoles de qualité. De plus, grâce aux réseaux de capteurs … des exploitations, on peut contrôler la température, l'humidité et les moisissures des stocks.

Introduire un sujet dans une émission / un reportage (1)

4. Repérez les trois parties de ces deux introductions de reportage. Puis mettez-les dans le bon ordre.

a Séparée des voitures par une barrière, elle est actuellement testée à Vincennes, dans le Val-de-Marne. Pas de volant ni de conducteur, mais un accompagnateur est présent à l'intérieur. En cas d'arrêt d'urgence, c'est lui qui redémarre la navette. Ces navettes autonomes sont-elles vraiment un progrès ? Écoutons l'adjoint au maire de Vincennes ! La petite navette sans chauffeur va-t-elle remplacer les bus de ville ?

b Rencontre avec son étonnant fondateur, l'Indien Navin Jain. Première entreprise privée autorisée à se lancer à la conquête de l'espace, « Moon Express » veut changer l'histoire de l'humanité. La start-up, qui souhaite exploiter les ressources du sol lunaire, va bientôt lancer sa première mission sur la Lune. Avec « Moon Express », l'homme va-t-il retourner sur la Lune ?

Leçon 2

🔗 **FOCUS LANGUE** ▸ p. 124-125

Quelques activités pour faire du sport et se relaxer

5. Complétez les phrases avec des activités sportives et pratiques de relaxation. Puis associez les phrases aux photos.

a. La pratique d'un …, comme le judo, favorise le contrôle de soi et le respect d'autrui.

b. Avant de courir, je fais toujours quelques … pour protéger mes articulations.

c. Si vous voulez travaillez vos abdominaux, vous pouvez faire un exercice de … .

d. Quand elle était enceinte, elle a fait de la … pour se préparer à l'accouchement.

e. Il se méfie de l'… : il ne veut pas perdre le contrôle de sa pensée !

f. Depuis qu'elle fait du …, elle est beaucoup plus sereine et souple !

Introduire un sujet dans une émission / un reportage (2)

6. Remettez dans l'ordre les passages de cette introduction d'un reportage sur les drones.

a Figurez-vous qu'ils peuvent voler jusqu'à plusieurs centaines de mètres d'altitude et qu'ils peuvent parcourir plusieurs kilomètres. Parfois équipés d'une caméra, ils permettent alors de filmer des plans aériens inaccessibles aux caméras classiques. Leur utilisation est cependant encadrée par la loi.

b Eh bien, ces modèles réduits volants, composés d'un cockpit semblable à celui d'un hélicoptère et d'au moins quatre hélices, sont dirigés grâce à une télécommande ou bien à l'aide d'un smartphone ou d'une tablette.

c D'ailleurs, voici quelques explications à ce sujet.

d Avez-vous entendu parler de ces petits engins volants qu'on appelle les drones ?

Sons et intonation ▸ p. 124

Les sons [r] et [l]

7. a. 🎧 ▸100 Écoutez et lisez cette liste de mots de la famille du mot *clair*.

c**l**ai**r** → c**l**ai**r**ement • éc**l**ai**r** • éc**l**ai**r**er • éc**l**ai**r**age • éc**l**ai**r**cie • éc**l**ai**r**ci**r** • éc**l**ai**r**cissement • c**l**a**r**té • c**l**a**r**ifier • c**l**a**r**ification

b. Par deux. Prononcez les phrases suivantes à tour de rôle ; votre binôme complète à l'aide des mots de la liste **a** (plusieurs réponses possibles).

Exemple : *Je crois que c'est très clair*.

1. Cette version instrumentale est … meilleure !
2. Je voudrais que vous me fournissiez un … .
3. Il faudrait … votre situation professionnelle.
4. Je crains qu'on n'ait pas assez d'… pour travailler.
5. Malgré tes efforts de …, je ne comprends toujours pas.
6. L'orage gronde et de larges … sillonnent le ciel.
7. Il pleuvait mais nous avons pu sortir lors d'une … .
8. Nous avons ajouté des spots pour … la scène.

Leçon 3

> FOCUS LANGUE ▸ p. 130-131

Établir une progression chronologique dans une argumentation

8. Reformulez les phrases en utilisant *cela fait … que*.

Exemple : Nous travaillons dans l'entreprise familiale depuis cinq ans. → *Cela fait cinq ans que nous travaillons dans l'entreprise familiale*.

a. Il souhaite développer son projet depuis quelques mois.
b. Ils accompagnent de jeunes chefs d'entreprise depuis des années.
c. Vous recherchez des financements depuis longtemps ?
d. Tu diriges une start-up depuis tout juste deux ans.
e. Je bénéficie d'un accompagnement personnalisé pour créer mon entreprise depuis environ un an.

9. Reformulez les phrases en utilisant *ne … plus*.

Exemple : Avant, j'avais l'enthousiasme nécessaire à un jeune chef d'entreprise. → *Aujourd'hui, je n'ai plus l'enthousiasme nécessaire à un jeune chef d'entreprise.*

a. Avant, nous conseillions les entrepreneurs dans leurs choix de stratégie.
b. Avant, on faisait ses premiers pas dans l'entreprise familiale.
c. Avant, les gens comptaient sur un petit réseau professionnel.
d. Avant, les banques soutenaient les petites entreprises.

10. Exprimez une action en cours ou une action qui commence, comme dans les exemples.

Exemples : Le contexte évolue. (action en cours)
→ *Le contexte est en train d'évoluer.*
Le contexte évolue. (action qui commence)
→ *Le contexte commence à / se met à évoluer.*

a. Nous réfléchissons à une solution de financement. (action en cours)
b. Les gens s'intéressent à notre projet. (action qui commence)
c. Vous essayez de résoudre un problème technique. (action en cours)

d. Il lance son produit sur le marché. (action en cours)
e. Les Français créent leurs propres entreprises. (action qui commence)

Parler de l'économie de l'innovation

11. Complétez les phrases avec les mots proposés.

création • incubation • incubateurs • spécialisé • processus • accélérer • démarrer • porteurs • accompagnement

a. Pour … mon entreprise, je devais me constituer un réseau professionnel.
b. Les jeunes entrepreneurs ont besoin d'un … dans les premières étapes de la vie de leur entreprise.
c. Les … interviennent essentiellement dans le cadre de projets liés à une innovation technologique.
d. Il a eu la chance de bénéficier d'une aide financière pour la … de sa société.
e. Paris Biotech Santé est … dans le secteur de la santé.
f. La période d'… pendant laquelle on peut se faire aider pour monter son entreprise est de vingt-quatre mois maximum.
g. Certaines qualités sont indispensables aux … de projets pour convaincre les investisseurs.
h. De nombreux entrepreneurs tentent d'intégrer un accélérateur de start-up mais le … de sélection est très strict et peu d'entre eux réussissent.
i. Son projet était bloqué mais par chance il a rencontré quelqu'un qui a cru en lui et qui lui a permis d'… le lancement de son affaire.

Expliquer quelque chose à quelqu'un

12. Complétez les dialogues avec les expressions suivantes.

je t'en ai parlé • en fait • souviens-toi • eh bien c'est • pardon

a. – Tiens, la ville a inauguré un nouvel incubateur.
  – … ? Un quoi ?
  – Un incubateur : c'est un espace où ceux qui ont un projet peuvent travailler.
b. – On m'a parlé de gobee.bike. C'est un nouveau type de vélo ?
  – Non, … c'est un service de location de vélos.
c. – J'aimerais beaucoup créer ma start-up.
  – Ah bon ? Je ne savais pas.
  – Mais si, … il y a six mois !
d. – J'ignorais qu'il voulait devenir entrepreneur.
  – Mais si, …, il nous avait parlé de son projet pendant tout un repas.
e. – Tu peux me dire ce qu'est Station F ?
  – … un campus de start-up.

Identifier les caractéristiques du texte d'opinion

13. Lisez le texte. Associez chaque élément ci-dessous au numéro correspondant.

explication et conclusion • publication dans un média • problème et solution • opinion • implication du lecteur • présence de l'auteur • trois arguments principaux

Donner envie aux femmes d'**oser créer et entreprendre**

① ② ③ Quand on est une femme et qu'on veut devenir chef d'entreprise, certaines qualités sont nécessaires. Il faut d'abord avoir une vision claire des enjeux et de sa stratégie, ainsi qu'une bonne capacité à stimuler la créativité de ses collaborateurs. Après, **④** je pense que le parcours individuel de **⑤** chacune d'entre nous fait ce que l'on est. Les difficultés rencontrées forgent **⑤** notre caractère. **⑤** Personnellement, je m'engage beaucoup sur la vision de l'échec du chef d'entreprise. En France, **⑥** nous avons un regard très négatif sur l'échec. Or la vie d'une entreprise n'est pas un long fleuve tranquille et on apprend bien plus de ses échecs que de ses réussites. Enfin, **④** il est important de se remettre en question régulièrement.

Le problème que je souhaite **⑥** vous soumettre ici, c'est que les femmes n'osent ni créer ni reprendre une entreprise et qu'elles sont souvent isolées. Il faut les encourager et faire en sorte qu'elles se rencontrent.

C'est là que le réseau Femmes Chefs d'Entreprises, que je préside depuis 2016, joue un rôle important pour faciliter les rencontres. Il y a 11 ans, je me sentais isolée et je traversais des difficultés structurelles dans l'entreprise. Au sein de FCE, j'ai trouvé beaucoup de partage et de bienveillance. Et puis, il y a les Trophées des « Femmes de l'économie », qui valorisent le parcours d'une femme chef d'entreprise. C'est un beau message à transmettre à d'autres femmes pour leur donner envie de se mettre à leur tour en avant et oser partager leur propre histoire.

PAR ANNE-SOPHIE PANSERI, présidente de Femmes Chefs d'Entreprises France et marraine de la 7ᵉ édition des Trophées « Les Femmes de l'économie » Auvergne-Rhône-Alpes & Genevois

⑦ D'après *Forbes 001*, n° 1, 2017.

Leçon 4

> **FOCUS LANGUE** ▸ p. 130-131

L'expression du doute et de la certitude

14. Exprimez une certitude puis un doute pour chacune des affirmations suivantes. Utilisez les expressions de l'activité 2 p. 130.

Exemple : La vie sera plus facile dans trente ans.
→ *Je suis persuadé(e) que la vie sera plus facile dans trente ans.*

→ *Je ne suis pas sûr(e) que la vie soit plus facile dans trente ans.*

a. Les robots peuvent remplacer les hommes.
b. On guérira toutes les maladies un jour.
c. L'intelligence artificielle est l'avenir de l'homme.
d. Les applications pour smartphone sont des outils indispensables.
e. Les gens rêvent de voitures qui volent.
f. Les objets connectés sont une menace pour la vie privée.
g. Les innovations technologiques permettent d'améliorer la vie des hommes.
h. Il s'agit d'une innovation qui va changer le monde.

Exprimer l'inquiétude

15. Complétez les phrases avec les expressions suivantes.

un véritable sujet d'inquiétude • sans danger • relativement préoccupant • il y a de quoi s'inquiéter

a. Savoir que les objets connectés peuvent transmettre aux fabricants un certain nombre d'informations personnelles est …, mais il ne faut quand même pas voir le mal partout !
b. Le piratage des sites Internet est … pour le gouvernement et les entreprises, qui mettent tout en œuvre pour lutter contre ce problème.
c. Quand on implante des puces sous la peau sans en connaître toutes les conséquences pour la santé, … ! Vous ne trouvez pas ?
d. Certaines personnes disent que les ondes wifi n'ont pas d'effets sur la santé. Mais moi, je ne suis pas persuadé que ce soit … .

Sons et intonation ▸ p. 130

La prononciation ou non du « e »

16. Par deux. Lisez une phrase à tour de rôle et choisissez les « e » que vous voulez prononcer parmi ceux qui peuvent tomber. Votre binôme souligne les « e » prononcés et barre les « e » non prononcés.

a. Demain, tout sera plus facile et, dans le futur, on voyagera plus rapidement.
b. On continuera à se parler même quand on sera séparés physiquement.
c. Je serais très content(e) si je pouvais venir mais je ne suis pas certain(e) de pouvoir le faire.
d. Je ne crois pas que ce soit véritablement utile de me le proposer toutes les semaines.

S'EXERCER

DOSSIER 8
Leçon 1

▶ FOCUS LANGUE ▶ p. 142-143

Exprimer la manière et la ressemblance

1. Reformulez les phrases pour exprimer la manière, comme dans l'exemple.

Exemple : Le site est conçu comme un lieu de vie.
→ *Le site est conçu à la manière d'un lieu de vie.*

a. L'église a été réaménagée comme une bibliothèque.

b. On a réalisé le jardin comme un tableau impressionniste.

c. L'artiste crée ses œuvres comme un jeu de construction géant.

d. Les colonnes de Buren, noires et blanches, sont disposées comme un damier de jeu de dames.

e. En 1985, à Paris, le pont Neuf a été emballé comme un paquet cadeau.

Colonnes de Buren, cour d'honneur du Palais-Royal, Paris.

2. Reliez les deux phrases pour exprimer la manière, comme dans l'exemple.

Exemple : L'architecte a installé des panneaux.
Les œuvres sont protégées du soleil.
→ *L'architecte a installé des panneaux de manière à ce que les œuvres soient protégées du soleil.*

a. Le monument est orienté. Il reçoit un maximum de soleil.

b. On a opté pour un mur végétal. Le bâtiment conserve une température agréable.

c. Les œuvres sont exposées. Elles peuvent dialoguer entre elles.

d. On propose des parcours thématiques. Les visiteurs choisissent en fonction de leurs goûts ou de leurs envies.

e. Des sculptures monumentales ont été installées dans des endroits stratégiques de la ville.
Elles sont vues par le plus de personnes possible.

3. Observez ces réalisations architecturales. Reformulez les phrases pour exprimer des ressemblances, comme dans l'exemple.

Le musée du quai Branly, Paris.

Exemple : La construction est un assemblage de boîtes colorées. On la voit depuis la Seine, elle est posée sur les arbres du jardin.
→ *La construction __ressemble à__ un assemblage de boîtes colorées. On la voit depuis la Seine __comme si__ elle était posée sur les arbres du jardin.*

La Seine musicale, Boulogne-Billancourt.

a. Le bâtiment est un bateau avec une voile faite de panneaux solaires. Il est posé sur la Seine, il flotte.

Le Centre Georges-Pompidou, Paris.

b. Le musée est une usine avec ses tubes métalliques. L'escalator monte le long de la façade, c'est un serpent.

La bibliothèque François-Mitterrand, Paris.

c. Les quatre tours de la bibliothèque sont des livres ouverts. La végétation pousse au milieu, on est en pleine forêt.

Le superlatif pour exprimer l'enthousiasme

4. Associez. (Plusieurs réponses possibles.)

a. C'est l'artiste le plus génial…

b. Il a peint la fresque la plus grande…

c. Ce sont les galeries d'art les plus prestigieuses…

d. La FIAC, qui a lieu en octobre, est l'un des événements les plus importants…

e. Ce tableau a été vendu pour la somme la plus élevée…

f. Le Centre Pompidou, à Paris, dispose de la collection d'art contemporain la plus importante…

g. Jean-Michel Basquiat est l'un des artistes peintres les plus influents…

1. du monde.
2. de sa génération.
3. jamais atteinte.
4. que je connaisse.
5. de France.
6. jamais réalisée en France.
7. de l'année.

5. Reformulez les phrases avec un superlatif.

Exemple : C'est un musée très visité dans la ville.

→ *C'est le musée le plus visité de la ville.*

a. C'était un peintre très critiqué à son époque.

b. C'est une artiste très célèbre au Japon.

c. On ne connaît pas de tableaux plus anciens.

d. C'est une sculpture très admirée dans le musée.

e. Je ne connais pas d'œuvre plus étrange.

f. On n'a jamais réalisé de création artistique aussi gigantesque.

g. C'est un architecte très populaire dans son pays.

h. On ne peut pas imaginer une œuvre plus audacieuse.

i. Dans le milieu de l'art contemporain, c'est un critique d'art très influent.

Exprimer un jugement positif

6. Complétez les phrases avec les mots et expressions proposés.

bluffante • une vraie prouesse technique • à tomber à genoux

a. Certains ponts sont de véritables œuvres d'art dont la réalisation représente … .

b. C'est fou qu'on puisse réaliser une sculpture si … avec de simples containers !

c. Le bâtiment n'est pas très beau, par contre le jeu de l'eau et de la lumière sur la façade du monument est … !

Leçon 2

> FOCUS LANGUE ▶ p. 142-143

Les temps de l'infinitif pour comprendre une chronologie

7. Transformez les phrases suivantes, comme dans l'exemple.

Exemple : Il a fait l'école du cirque puis il a été engagé dans une troupe.

→ *Après avoir fait* l'école du cirque, il a été engagé dans une troupe.

→ *Il a fait l'école du cirque avant d'être engagé dans une troupe.*

a. Le comédien a rencontré le metteur en scène puis il a accepté le rôle.

b. Ils ont lu le roman puis ils sont allés voir l'adaptation théâtrale.

c. J'ai assisté au concert puis j'ai rencontré un des musiciens.

d. Les artistes ont répété pendant des semaines puis ils se sont produits en public.

e. Nous avons étudié au conservatoire puis nous avons rejoint l'orchestre de la ville.

f. La troupe a monté un spectacle puis elle est partie en tournée dans le monde entier.

g. Je me suis renseigné sur les spectacles programmés puis j'en ai choisi un.

h. Ils ont effectué une recherche historique puis ils ont créé les costumes.

i. Ils se sont présentés au casting puis ils ont été retenus pour la comédie musicale.

j. Elle a créé de nombreuses chorégraphies puis elle a reçu une récompense pour l'ensemble de son œuvre.

Parler des spectacles vivants

8. Associez chaque mot à sa définition.

adaptation   chorégraphie   cirque   compagnie

mise en scène   orchestre   résidence   spectacle vivant

a. Troupe d'artistes itinérante qui se produit sur une scène circulaire.

b. Art de diriger les comédiens sur scène.

c. Art de composer des danses.

d. Lieu où est hébergée une troupe d'artistes.

e. Groupe de personnes qui créent, exécutent et produisent un spectacle.

f. Groupe de musiciens.

g. Représentation artistique donnée en public et en direct.

h. Œuvre artistique réalisée à partir d'une autre œuvre.

9. Complétez le texte avec les éléments proposés. Faites les modifications nécessaires.

orchestre symphonique • tiré de • casting • d'époque • comédie musicale • rôle • chanteur lyrique • sur mesure

ARTS & SPECTACLES

Les Misérables sont de retour !

La … *Les Misérables* est de retour en France mais, cette fois, il s'agit plutôt d'un concert : les paroles … l'œuvre de Victor Hugo et la musique sont les mêmes mais le reste change. Trente … remplacent les chanteurs de variété et partagent la scène avec les musiciens d'un … . Pas de décor, pas de chorégraphie, mais un formidable travail sur la lumière et des costumes … qui font revivre le xIXᵉ siècle. Les chanteurs se sont glissés avec plaisir dans ces habits réalisés … .
Sur les mille candidatures reçues, trois cents ont été retenues pour seulement trente places au final. Parmi les artistes qui ont passé le …, on retrouve le cocréateur du groupe de rock français Ange, Christian Décamps, qui joue le … de Victor Hugo. ∎

Sons et intonation ▸ p. 143

L'expression de l'enthousiasme

10. 🎧 ▸ 101 Par deux. À tour de rôle, choisissez un spectacle dans la liste A ; exprimez un jugement positif avec un ton neutre ou enthousiaste à l'aide des éléments de la liste B, comme dans l'exemple. Votre binôme devine le ton que vous avez choisi.

A

un spectacle de cirque
une comédie musicale
une pièce de théâtre
un concert de jazz
un spectacle de danse classique
un spectacle de marionnettes
un chœur accompagné d'un orchestre
un concert de pop rock

B

splendide • magnifique • merveilleux • incroyable • magique • féérique • extraordinaire • formidable

Exemple : *Je viens de voir un spectacle de danse classique. C'était **ab**solument **in**croyable. C'est le spectacle le plus **mer**veilleux que j'aie jamais vu.*
→ *Ton enthousiaste.*

Leçon 3

⏵**FOCUS LANGUE** ▸ p. 148-149

La double pronominalisation pour ne pas répéter

11. Répondez aux questions. Utilisez des pronoms personnels compléments.

a. Vous avez proposé à vos amis d'aller au cinéma ?
→ Oui, nous…
b. Il a parlé du festival de films français à son ami ?
→ Non, il…
c. Vous nous recommandez ce film ? → Oui, nous…
d. Tu peux me raconter l'histoire ? → Non, je…
e. Ils vous ont donné leur avis sur la programmation ?
→ Oui, ils…
f. Il a dédié sa Victoire de la musique à ses enfants ?
→ Oui, il…
g. Ils t'ont envoyé une invitation pour la cérémonie des Victoires ? → Non, ils…
h. Elle va expliquer le film à son ami ? → Oui, elle…
i. Tu vas nous acheter des billets pour la soirée d'inauguration ? → Oui, je…
j. On a attribué la Victoire de l'artiste féminine à Jain ?
→ Oui, on…

Les termes pour récompenser et féliciter

12. Complétez les phrases avec les mots proposés.

palmarès • dédié • entrée remarquée • sacré • remporté • révélation • récompensé

a. Les journaux ont publié ce matin le … des Victoires de la musique qui ont eu lieu hier soir.
b. Mon chanteur préféré n'a pas été … . Je suis déçu parce que, selon moi, il méritait d'être … « meilleur artiste ».
c. Le public peut voter pour un nouvel artiste dans la catégorie « … de l'année ».
d. C'est un jeune Anglais qui a fait une … sur la scène musicale française.
e. Qui a … la récompense du meilleur album de l'année ?
f. La jeune chanteuse a … sa Victoire à ses parents.

Les jugements positifs et négatifs pour commenter

13. Complétez les échanges sur le forum (p. 186) avec les expressions suivantes.

vaut mieux que ça • je n'en ai entendu que du bien • ça ne me dit rien • touchant • à ne pas rater • décevant • a l'air sublime • acteur de talent • de vraies réussites • tout n'est pas réussi

Sorties ciné

Eloïse

Salut ! Je voudrais aller au ciné ce week-end mais j'hésite sur le choix du film. On m'a conseillé *Au revoir là-haut*, mais … . Il y a aussi *Plonger*, sur une femme qui quitte son mari, mais les critiques ne sont pas très bonnes, il paraît que c'est … . Vous en pensez quoi ?

Alex

Salut Eloïse,
Alors moi, je n'ai pas vu *Au-revoir là-haut* mais … . En plus, j'ai regardé la bande-annonce et le film … ! Concernant *Plonger*, je l'ai vu hier et les critiques sont dures je trouve : le film … . C'est vrai que certains passages sont un peu longs mais Gilles Lellouche est quand même un … .

Anaïs

Bonjour,
Au revoir là-haut est un film …, courez le voir ! Il y a … dans la reconstitution historique et l'adaptation du roman est géniale ! J'ai bien aimé aussi *Plonger* : même si …, j'ai été émue. Voir le mari tout faire pour retrouver sa femme, c'est … .

Leçon 4

FOCUS LANGUE ▸ p. 148-149

L'interrogation pour organiser sa réflexion

14. Posez des questions comme dans l'exemple.

Exemple : Maxime ne lit jamais. Pourquoi ?
→ *Pourquoi Maxime ne lit-il jamais ?*

a. Ta tante a ouvert une librairie francophone. Où ?
b. Anna n'a pas réceptionné les commandes. Pourquoi ?
c. Les clients demandent des conseils. À qui ?
d. Louis va ranger les livres. Comment ?
e. Ces étagères vont servir. À quoi ?
f. On aime passer du temps dans une librairie. Pourquoi ?
g. Margot a rencontré son auteur préféré. Où ?
h. L'auteur dédicacera son livre. Quand ?
i. Les étudiants n'ont pas lu *Comme un roman*. Pourquoi ?

15. Complétez les dialogues avec un mot interrogatif.

a. – J'adore lire.
   – Lire … ?
   – Des romans policiers.
b. – Que faire de tous ces livres ? Il faudrait les donner.
   – Les donner … ?
   – À des associations.
c. – Cet auteur a beaucoup de succès. On pourrait le rencontrer.
   – Le rencontrer … ?
   – Au Salon du Livre.

d. – Pour faire venir les gens à la conférence, nous devons plus communiquer.
   – Communiquer … ?
   – En mettant des affiches un peu partout.

Parler du livre et de la librairie

16. Complétez les phrases avec les mots suivants.

quatrième de couverture • collection • sélection • expert du livre • milieu • librairies • lieu de vie • ambiance

a. Je voulais créer un véritable … où les clients viendraient passer un moment agréable.
b. Je propose une … de vingt livres pour les fêtes de fin d'année.
c. Cette maison d'édition a créé une … fantastique pour faire aimer l'histoire aux enfants.
d. Parfois, la … d'un livre est trop brève pour se faire une idée du livre. C'est là que j'ai besoin d'un conseil avisé.
e. Il faut continuer à fréquenter les … de quartier pour qu'elles ne disparaissent pas au profit de la grande distribution.
f. Libraire est un métier exigeant. Il faut tout connaître du … : les auteurs, les maisons d'édition, les prix. Un libraire, c'est un … .
g. J'aime beaucoup l'… de cette librairie. On y est toujours bien accueilli.

Sons et intonation ▸ p. 148

La liaison obligatoire et la liaison facultative

17. a. Lisez les phrases suivantes et dites si la liaison est obligatoire ou facultative.

Exemples : J'arrive dans une heure. → *Liaison facultative.*
Les experts sont d'accord. → *Liaison obligatoire*

1. C'est une ville magnifique.
2. On a beaucoup travaillé.
3. C'est le plus important.
4. Vous vous êtes installés.
5. On s'est bien habitués.
6. Je vis dans un superbe appartement.
7. Je n'ai pas encore terminé.
8. C'est dans leurs habitudes.
9. Il est enfin arrivé.
10. Elle a beaucoup aimé.
11. Ici, c'est chez eux.
12. Je m'en suis aperçu.
13. Nos invités sont tous ici.

b. Prononcez les phrases à liaison facultative <u>avec</u> puis <u>sans</u> la liaison.

Présentation de l'épreuve

Compréhension de l'oral

L'épreuve de compréhension de l'oral dure 25 minutes environ.
Elle est composée de trois exercices différents :
- **exercice 1** : comprendre une conversation entre locuteurs natifs sur des sujets familiers (vie quotidienne, loisirs…) ;
- **exercice 2** : comprendre une émission de radio sur un sujet d'intérêt général (un seul interlocuteur) ;
- **exercice 3** : comprendre une interview à la radio (plusieurs interlocuteurs).

Chaque exercice propose des questionnaires de compréhension.
Deux écoutes du document enregistré sont prévues.

Compréhension des écrits

L'épreuve de compréhension des écrits dure 35 minutes.
Elle est composée de deux exercices différents :
- **exercice 1** : comprendre et sélectionner des informations essentielles dans plusieurs petits textes selon des critères précis pour parvenir à un choix ;
- **exercice 2** : lire un texte informatif comprenant des opinions et répondre à un questionnaire de compréhension.

Production écrite

L'épreuve de production écrite consiste en un seul exercice de 45 minutes.
Il s'agit d'exprimer dans un texte (essai, article, lettre formelle…) **une attitude personnelle sur un thème général donné**.
Le texte doit être construit, cohérent et de 160 mots minimum.

Production orale

L'ensemble de l'épreuve dure 10 à 15 minutes.
Elle se déroule en trois parties qui s'enchaînent :
- **entretien dirigé sans préparation (2 à 3 minutes)** : se présenter et parler de soi (activités, centres d'intérêt…) ; il s'agit d'un entretien avec l'examinateur(trice), qui pose des questions ;
- **exercice en interaction sans préparation (3 à 4 minutes)** : jouer le rôle indiqué sur le sujet choisi (parmi deux sujets tirés au sort) ; il faut généralement résoudre un problème ou faire changer d'avis son interlocuteur(trice), joué(e) par l'examinateur(trice) ;
- **expression d'un point de vue à partir d'un document déclencheur (5 à 7 minutes)** : s'exprimer sur un sujet choisi (parmi deux sujets tirés au sort) ; il faut dégager le thème soulevé par le sujet puis présenter son opinion sous la forme d'un petit exposé de 3 minutes environ. L'examinateur(trice) pose ensuite quelques questions. 10 minutes de préparation sont prévues, avant le déroulement de l'ensemble de l'épreuve.

DELF B1

Compréhension de l'oral   25 points

Vous allez entendre trois documents sonores, correspondant à trois exercices.

Pour les premier et deuxième documents, vous aurez :

– 30 secondes pour lire les questions ;

– une première écoute, puis 30 secondes de pause pour commencer à répondre aux questions ;

– une seconde écoute, puis 1 minute de pause pour compléter vos réponses.

Exercice 1   6 points

🎧▶102 **Lisez les questions. Écoutez le document puis répondez.**

(Vous entendez cette conversation dans la rue.)

1. Claire et Tom organisent une fête pour célébrer quel événement ?   1 point
   a. La fin des cours.
   b. L'anniversaire de Jules.
   c. La fête de la Francophonie.
2. Quels types d'animations Claire voudrait-elle pouvoir mettre en place pour la fête ?   1 point
   (Plusieurs réponses possibles, deux réponses attendues.)
3. Tom souhaiterait que la fête soit l'occasion pour les participants…   1 point
   a. de rencontrer de nouveaux enseignants.
   b. de découvrir des films de différents pays.
   c. de goûter des spécialités gastronomiques.
4. Qui Claire aimerait-elle inviter à la fête ?   1 point
   a. Son oncle.
   b. Son ami malien.
   c. Son professeur de littérature francophone.
5. Tom pense que la fête doit avoir lieu dans l'école de langue car…   1 point
   a. c'est près de chez lui.
   b. c'est plus pratique pour les participants.
   c. c'est assez grand pour accueillir tout le monde.
6. Que conseille Claire à Tom pour savoir s'il est possible d'organiser la fête à l'école ?   1 point

Exercice 2   8 points

🎧▶103 **Lisez les questions. Écoutez le document puis répondez.**

(Vous écoutez cette émission sur Internet.)

1. D'après le journaliste, quelle place a la France dans le classement international des pays qui accueillent des étudiants étrangers ?   1,5 point
2. Pour quelle raison principale Vladimir souhaitait-il faire ses études à Paris ?   1 point
   a. Il avait des amis qui étudiaient déjà à Paris.
   b. Il n'y avait pas le type d'études qu'il souhaitait en Russie.
   c. Il voulait étudier là où des célébrités avaient fait leurs études.

3. Pour Vladimir, quelle différence y a-t-il entre étudier en France et étudier aux États-Unis ? 2 points
4. Quel exemple de petit plaisir quotidien le journaliste donne-t-il quand il parle de l'étudiant norvégien ? 1,5 point
5. Einar a mis du temps à s'adapter en France à cause... 1 point
    a. de la mentalité des étudiants français.
    b. du fonctionnement des cours à l'université.
    c. de la différence de température avec la Norvège.
6. D'après Francesca, en France... 1 point
    a. les stages durent moins longtemps qu'en Italie.
    b. le système médical a aussi bonne réputation qu'en Italie.
    c. durant les études, on pratique plus la médecine qu'en Italie.

Exercice 3   11 points

Vous avez 1 minute pour lire les questions ci-dessous. Puis vous entendrez une première fois un document sonore. Ensuite, vous aurez 3 minutes pour répondre aux questions. Vous écouterez une seconde fois l'enregistrement. Après la seconde écoute, vous aurez encore 2 minutes pour compléter vos réponses.

🎧 ▶104 **Lisez les questions. Écoutez le document puis répondez.**

(Vous écoutez cette émission à la radio.)

1. Hyppolite... 1 point
    a. aimerait trouver un travail au Québec.
    b. ne connaît pas les conditions de travail au Québec.
    c. pense qu'il y a beaucoup de possibilités de travail au Québec.
2. D'après Hyppolite... 1 point
    a. vivre en France est plus simple que vivre au Québec.
    b. la vie au Québec et en France est à peu près la même.
    c. il est moins agréable de vivre en France qu'au Québec.
3. Pour Hyppolite, qu'est-ce qui est le plus important dans la recherche d'un travail au Québec ? 1 point
    a. L'âge.
    b. L'expérience.
    c. La motivation.
4. D'après Hyppolite, quelle est la principale difficulté d'adaptation pour un Français au Québec ? 2 points
5. Hyppolite... 1 point
    a. a pris des cours de québécois.
    b. parle couramment le québécois.
    c. comprend difficilement l'accent québécois.
6. Que doit faire Hyppolite chaque matin, en hiver ? 2 points
7. D'après Hyppolite... 1 point
    a. il est plus simple de s'installer au Québec quand on est français.
    b. il est préférable d'avoir des contacts au Québec pour aller y vivre.
    c. il est indispensable d'avoir assez d'argent pour s'installer au Québec.
8. Citez deux conseils qu'Hyppolite donne aux Français qui veulent immigrer au Québec. 2 points
    (Plusieurs réponses possibles, deux réponses attendues.)

📖 Compréhension des écrits   25 points

Pour répondre aux questions, choisissez la bonne réponse ou donnez l'information demandée.

Exercice 1   10 points

Vous êtes en France et vous voulez aller au cinéma. Vous recherchez :

– un film dramatique ;
– un film d'une durée d'une heure et demie minimum et de deux heures maximum ;
– une séance à 17 h 30 ou 18 h et le mercredi ou le samedi.

Vous cherchez sur le site Internet d'un cinéma près de chez vous quel film pourrait correspondre à vos exigences.

● ● ● ◄ ► C [www.cinema-les-lumieres.fr]

cinéma LES LUMIÈRES

Au revoir là-haut (2017)

Film dramatique français d'**Albert Dupontel**.
Durée : 1 h 57.
Séances à 19 h 15 et 21 h 45 les mercredis, vendredis, samedis et dimanches.

🎬 Le nouveau film d'Albert Dupontel est ce qu'on peut appeler un film événement : adaptation du roman de Pierre Lemaître, récompensé par nombre de prix dont le Goncourt en 2013, la distribution est exceptionnelle même pour les seconds rôles, avec les excellents Niels Arestrup, Émilie Dequenne et Mélanie Thierry. Albert Dupontel nous livre son film le plus ambitieux, qui se révèle être une belle réussite.

Carré 35 (2017)

🎬 Après *Le Passager* en 2005, son beau premier long métrage, Éric Caravaca revient aujourd'hui à la réalisation par l'intermédiaire du documentaire. Celui-ci a pour point de départ la mise à jour d'un secret de famille.

Documentaire d'1 h 07, *Carré 35* est une véritable bombe émotionnelle. Le film laisse ses spectateurs bouleversés et apaisés à la fois. Bravo !

Séances les dimanches, lundis et mardis à 16 h et 17 h 45.

1. Est-ce que le critère correspond à vos exigences ? Choisissez la bonne réponse pour chaque film et pour chaque critère proposé.

	Au revoir là-haut		Carré 35		L'École buissonnière		L'Ascension	
	OUI	NON	OUI	NON	OUI	NON	OUI	NON
Genre								
Durée								
Horaires								
Jours								
Critiques positives								

2. Quel film correspond à tous vos critères de choix ?

L'École buissonnière (2017)

De **Nicolas Vanier**, avec François Cluzet, Jean Scandel, Éric Elmosnino, François Berléand, Valérie Karsenti.
Drame français d'1 h 56. Séances à 17 h 45 du jeudi au dimanche.

Vous devriez tomber sous le charme de *L'École buissonnière*. Pour ce film, Nicolas Vanier tenait à présenter la région qu'il affectionne depuis l'enfance, la Sologne, tout en livrant un message écologique à sa façon. Le scénario met en avant les valeurs perdues et honore ces hommes qui respectaient la nature. C'est un film très réussi avec une belle histoire. Les acteurs sont tous excellents. Un très beau film !

L'Ascension (2017)

Adapté d'une histoire vraie, racontée par Nadir Dendoune dans un récit autobiographique, *L'Ascension* est à la fois une comédie pure, un récit d'aventure et un film romantique.

Ce film nous fait rencontrer Samy, qui a une volonté de fer et prouve son amour à sa compagne en montant tout en haut de l'Everest.

Voici un film apprécié pour sa bienveillance et son ton plein de bonne humeur.

Durée : 1 h 43.
Séances à 19 h et 21 h 30 – vendredi, samedi et dimanche.

Exercice 2   15 points

Vous lisez cet article dans un journal francophone.

Quand les cabines téléphoniques favorisent le livre-échange

En France, dans les anciennes cabines téléphoniques, on ne téléphone plus, on s'échange des livres. Certains appellent cela le « livre-échange », d'autres parlent de « livre-service ». Quel que soit le terme, la tendance s'inspire du *bookcrossing*, un concept dont l'objectif est de faire circuler des livres en les « libérant » dans la nature (sur un banc, dans un parc…), de manière à ce que des personnes puissent les trouver, les lire et, à nouveau, les « libérer ». Ce phénomène apparu en 2001 aux États-Unis a rapidement dépassé les frontières et c'est en 2003 qu'il a fait son apparition en France. En France, ce type d'échange ne se pratique pas dans la nature mais dans… des cabines téléphoniques ! Le principe est simple, il n'y a aucune obligation de s'inscrire, de s'abonner ou encore de respecter des horaires, les ouvrages en tous genres (romans, bandes dessinées, revues…) sont en accès libre. Le futur lecteur n'a plus qu'à ouvrir la porte de la cabine située dans la rue, prendre le livre pour le lire puis soit le ramener, soit l'échanger contre un de ses propres ouvrages.

Moins de 5 000 cabines en France

En 1997, on dénombrait 300 000 cabines téléphoniques en France. Aujourd'hui, il n'y en a plus que 5 450, dont 4 193 vont disparaître très prochainement. Cette disparition progressive est la conséquence évidente du succès du téléphone portable. Avec lui, plus besoin de cabine pour appeler quelqu'un. Les 1 257 cabines « sauvées » ont été réutilisées pour des projets culturels qui leur donnent une seconde vie. À Saint-Aignan (Loir-et-Cher), une cabine a été repeinte en rouge et porte l'inscription « Livres vagabonds » au lieu du traditionnel « Téléphone ». D'autres, comme à Saint-Benoît-des-Ondes (Ille-et-Vilaine) ou Conliège (Jura), sont simplement équipées de planches ou de casiers pour disposer les livres.

Quatre cabines recyclées à Rueil

« C'est une initiative durable et solidaire », se félicite la directrice de la bibliothèque municipale du Petit-Quevilly (Seine-Maritime), où on peut aussi emprunter des livres numériques. C'est elle qui gère la cabine à livres que la commune normande a récemment inaugurée. « Et c'est une réussite ! Nous vérifions de temps en temps les livres déposés et nous faisons un peu d'approvisionnement, mais en règle générale, elle vit parfaitement en autonomie. » Malheureusement, les cabines sont parfois dégradées par des individus. La semaine dernière, celle de Bavay (Nord) a été presque totalement cassée. Sur Twitter, l'adjoint au maire Guillaume Lesourd a sévèrement condamné ces dégradations. La directrice de la bibliothèque en a profité pour rappeler que les utilisateurs doivent déposer des livres en bon état et qu'il ne doit pas s'agir de magazines, d'encyclopédies ou de dictionnaires. Les cabines ne sont pas des lieux où se débarrasser de vieux livres abîmés. Pour cela, il est possible de s'adresser à des associations comme Les Papiers de l'espoir, qui collectent les livres hors d'usage ou trop abîmés.

Dans le cadre du projet appelé « Livres en liberté », la mairie de Rueil a déjà recyclé quatre de ses cabines téléphoniques. Léo, 46 ans, est un habitué. Après une dizaine de minutes dans la cabine, il repart avec deux livres en souriant : entre les pages de l'un d'eux, il a trouvé une carte postale représentant le Danube. « Parfois, on trouve ce genre de cadeaux ou des petits mots des lecteurs, c'est marrant ». ■

1. L'article traite…   1 point
   a. de nouveaux lieux culturels.
   b. d'un nouveau concept artistique.
   c. de nouvelles formes de télécommunication.

2. D'après l'article, en quoi la pratique du *bookcrossing* est-elle différente de celle
   du « livre-service » pratiqué en France ?   2 points

3. Pour profiter du système de livre-service décrit dans l'article…   1 point
   a. il est indispensable d'effectuer une inscription.
   b. il est nécessaire de restituer ou de remplacer le livre emprunté.
   c. il est recommandé de connaître les horaires de mise en service.

4. Vrai ou faux ? Justifiez vos réponses.   3 points
   a. Aujourd'hui, en France, les cabines téléphoniques non détruites ne servent plus à rien.
   b. En France, les cabines téléphoniques existantes ne sont pas modifiées.

5. La directrice de la bibliothèque municipale…   1 point
   a. vérifie le bon fonctionnement de la cabine téléphonique du village.
   b. privilégie sa bibliothèque plutôt que la cabine téléphonique du village.
   c. est défavorable à l'utilisation actuelle de la cabine téléphonique du village.

6. Vrai ou faux ? Justifiez votre réponse.   1,5 point
   D'après la directrice de la bibliothèque municipale, la cabine téléphonique fonctionne
   très bien toute seule.

7. À cause de quel événement l'adjoint au maire de Bavay est-il intervenu sur un réseau social ?   2 points

8. Grâce au livre-service, on peut…   1 point
   a. échanger des livres neufs.
   b. consulter des dictionnaires.
   c. trouver de vieux livres à recycler.

9. Vrai ou faux ? Justifiez votre réponse.   1,5 point
   C'est la première fois que Léo utilise la cabine téléphonique.

10. Qu'est-ce qui amuse Léo ?   1 point
    a. L'originalité du projet « Livres en liberté ».
    b. Certaines rencontres avec d'autres lecteurs.
    c. Les surprises qu'il peut avoir en ouvrant un livre.

DELF B1

Production écrite   25 points

Vous lisez l'annonce suivante dans un magazine français.

> ### VOTRE PLUS BEL ÉVÉNEMENT !
>
> Quel a été le plus bel événement de votre vie ?
> C'était quand ? De quoi s'agissait-il ?
> Pourquoi était-ce un bel événement d'après vous ?
>
> Envoyez votre texte à
> **belevenement@maginfo.fr**

Vous décidez de répondre à cette annonce. Vous adressez un courrier à la rédaction du magazine, dans lequel vous racontez le plus bel événement de votre vie et expliquez pourquoi c'était un bel événement.
(160 mots minimum)

Production orale   25 points

Exercice 1 Entretien dirigé (2 à 3 minutes)

Vous parlez de vous, de vos activités, de vos centres d'intérêt.
Vous parlez de votre passé, de votre présent et de vos projets.
L'examinateur / L'examinatrice amorcera le dialogue par une question.

Exercice 2 Exercice en interaction (3 à 4 minutes)

Lisez le sujet ci-dessous. Vous jouez le rôle qui vous est indiqué.

> Vous travaillez dans une entreprise française depuis quelques semaines et vous avez remarqué que l'ambiance n'est pas très bonne. Vous décidez d'en parler à votre responsable et de lui proposer des activités à mettre en place pour favoriser la bonne entente entre les employés. Il / Elle refuse. Vous essayez de le / la faire changer d'avis.
> *L'examinateur / L'examinatrice joue le rôle du / de la responsable.*

Exercice 3 Expression d'un point de vue (5 à 7 minutes)

Vous dégagez le thème soulevé par le document et vous présentez votre opinion sous la forme d'un exposé personnel de 3 minutes environ.
L'examinateur / L'examinatrice pourra vous poser quelques questions.

> ### PROJET « ÉCO-MÔMES* »
>
> Suite au succès du projet « Familles à énergie positive », vingt-six centres de loisirs de plusieurs banlieues parisiennes ont été sélectionnés pour participer à la première édition des « Éco-mômes ». Pendant toute l'année scolaire, les enfants vont participer à des projets de sensibilisation écologiques et créatifs, en réalisant une exposition sur les économies d'eau, en fabriquant un composteur de jardin, en apprenant à cuisiner sans trop jeter... et en faisant la chasse au gaspillage d'eau et d'énergie dans les centres de loisirs ! Le but final de cette action est d'apporter aux enfants les connaissances et l'autonomie nécessaires pour qu'ils deviennent, une fois adultes, des « écocitoyens » responsables.

* les mômes : les enfants.

PRÉCIS

PRÉCIS
de phonétique

Tableaux des sons 🎧►105

Les voyelles et semi-voyelles

Voyelles orales	
[i]	six
[e]	thé
[ɛ]	elle
[a]	Paris
[y]	lune
[ø]	deux
[ə]	le
[œ]	heure
/OE/*	heureuse
[u]	vous
[o]	stylo
[ɔ]	sport
/O/**	téléphoner

Voyelles nasales	
[ɛ̃]	cinq
[ɑ̃]	cent
[ɔ̃]	onze

Semi-voyelles	
[j]	fille
[w]	moi
[ɥ]	lui

* Archiphonème recouvrant trois prononciations possibles selon les locuteurs : [ø], [ə] ou [œ].
** Archiphonème recouvrant deux prononciations possibles selon les locuteurs : [o] ou [ɔ].

Les consonnes

Consonnes sonores (les cordes vocales vibrent)		Consonnes sourdes (les cordes vocales ne vibrent pas)	
[b]	bon	[p]	papa
[d]	dé	[t]	thé
[g]	gare	[k]	café
[v]	valise	[f]	faim
[z]	maison	[s]	six
[ʒ]	je	[ʃ]	chat

Consonnes nasales (l'air passe par le nez)		Consonnes vibrantes (la pointe de la langue se colle en haut ou en bas)	
[m]	mur	[l]	lit
[n]	nez	[ʀ]	rue
[ɲ]	ligne		
[ŋ]	parking		

Schéma articulatoire des voyelles

Pour la prononciation des voyelles du français, on distingue quatre critères d'articulation :
– **l'ouverture de la bouche** : plus ou moins fermée et plus ou moins ouverte ;
– **l'arrondissement des lèvres ou la position étirée** (bouche souriante ou arrondie) ;
– **la position de la langue** à l'intérieur de la bouche : langue en avant ou en arrière ;
– **le passage de l'air par la bouche** (voyelles orales) ou le passage de l'air par la bouche et **par le nez** (voyelles nasales).

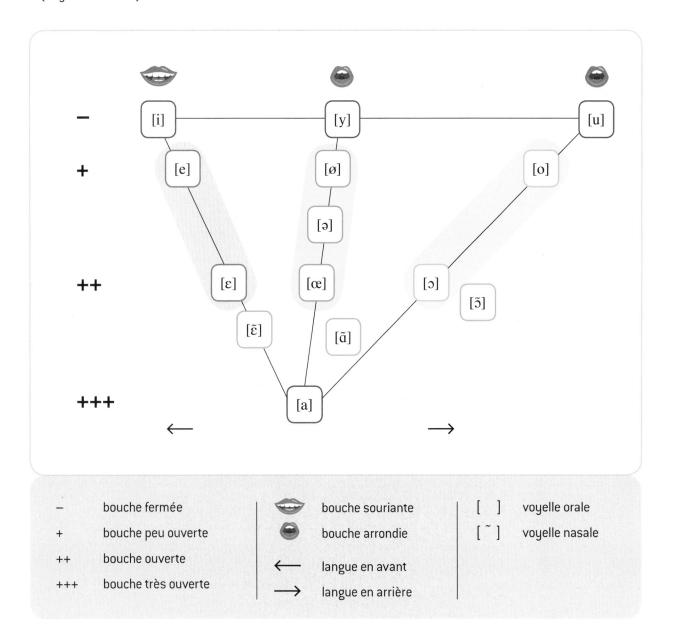

Phonie-graphie des voyelles

[i]	i – î – ï – y	Sylvie habite sur une île.
[y]	u – û – eu*	Tu as eu du succès bien sûr !
[u]	ou – oo* – où*	Où voulez-vous faire du foot ?
[a]	a – à – â – e* – oi	Ma femme et moi allons souvent au théâtre et à l'opéra.
[e]	é – er – ez – ai*	J'ai passé l'été dernier chez moi.
[ɛ]	è – ê – ai – ei – e	J'aime voir la neige en hiver de ma fenêtre.
[ø]	eu – œu	Deux vœux sérieux.
[ə]	e – on* – ai* – u*	Ce monsieur en chemise faisait le buzz.
[œ]	eu – œu – œ	L'œil de ma jeune sœur pleure.
/OE/	eu**	Heureusement ou malheureusement ?
[o]	o – ô – au – eau	C'est un drôle de chapeau jaune.
[ɔ]	o – au* – u*	Paul fait le maximum de sport mais n'aime pas le golf.
/O/	o**	Une jolie photographie de la francophonie.
[ɛ̃]	in – im – ain – aim* – yn – ym – un – ein – en* – (i)en – (y)en – (é)en	Mon copain Benjamin est brun et sympa. Il peint aussi bien que mon cousin lycéen.
[ã]	an – am – en – em	Ensemble dans la chambre.
[ɔ̃]	on – om	Nous comptons sur son nom.

* Graphie peu fréquente liée à ce son.

** Lettres *eu* et *o* placées à la fin d'une syllabe et au milieu d'un mot : deux ou trois prononciations possibles selon les locuteurs (voir le tableau des voyelles p. 196).

Intonation, rythme et particularités de la chaîne parlée

Liaisons et enchaînements

Quand un mot se termine par une consonne finale (prononcée ou muette) et que le mot suivant commence par une voyelle, on ne fait pas de pause entre les deux mots graphiques. La consonne est reliée (liaison) ou enchaînée (enchaînement) au mot suivant.

L'enchaînement consonantique est <u>systématique</u> et se fait <u>avec toutes les consonnes du français</u>.
• u<u>n</u>e école → [y ne kɔl]

La liaison est <u>obligatoire</u>, <u>facultative</u> ou <u>impossible</u>.
• u<u>n</u> étudiant   → [ɛ̃ ne ty djɑ̃]   → liaison obligatoire
• c'es<u>t un</u> Français   → [sɛ tɛ̃ frɑ̃ sɛ]   → liaison facultative
• un **hé**ros français → [ɛ̃ e ro frɑ̃ sɛ]   → liaison impossible

Attention !
Si on ne fait pas la liaison, il n'y a pas de pause entre les deux mots et les voyelles s'enchaînent sans rupture dans la voix.
• c'est **un** Français → [sɛɛ̃ frɑ̃ sɛ]
• un **hé**ros français → [ɛ̃e ro frɑ̃ sɛ]

Les marques du français familier à l'oral

À l'oral, il est fréquent de ne pas prononcer toutes les lettres. Si le contexte est informel, plusieurs lettres ou mots peuvent ne pas être prononcés.

La chute de la lettre _e_
• Vous d~~e~~vez l~~e~~ faire.   → [vu dvel fɛr]

La disparition du _ne_ de la négation
• Ça ~~ne~~ vous dit rien ?   → [sa vu di rjɛ̃]

La disparition de la consonne _r_ quand le mot se termine par un groupe consonantique
• not~~re~~ quartier   → [nɔt kar tje]

La disparition de certains mots
• ~~Il~~ y a un musée à voir. → [ja ɛ̃ my ze a vwar]

La disparition de la lettre _u_ du mot _tu_ devant une voyelle
• T~~u~~ as un vélo ?   → [ta ɛ̃ ve lo]

Mise en relief, accentuation et intonation expressive

Pour mettre en relief un mot en français, on va généralement **appuyer la première syllabe**.
On peut aussi porter **l'accentuation sur la dernière syllabe** (jamais sur les syllabes du milieu).
• C'est **ma**gnifique !   • C'est magni**fique** !

Rythme et courbe mélodique

En français, l'intonation est montante à l'intérieur de la phrase, pour signifier que la phrase n'est pas finie. On fait une courte pause entre deux groupes rythmiques. On monte la voix à la fin du groupe rythmique et on descend en fin de phrase.

- Je m'appelle Lucie, j'ai 25 ans, je suis brune et je suis mariée avec un Québécois.

  _____ __ ↗ […] ____ ↗ […] _____ ↗ […] _____ ↘ […]

  ↗ la voix monte   […] il y a une pause   ↘ la voix descend

Troncation et niveau de langue

Dans la langue familière, en particulier à l'oral, il est fréquent que certains mots soient tronqués. En général, on ne prononce que le début du mot (une, deux ou trois syllabes). Parfois, la dernière voyelle devient la lettre o.

Quelques exemples :
- faculté → fac
- professeur → prof
- cinéma → ciné
- restaurant → resto
- apéritif → apéro
- intellectuel → intello

La prononciation du « e »

Le « e » doit être prononcé [ə] :
- quand il est précédé d'au moins deux consonnes différentes ;
  - cette semaine
- quand on veut donner un effet d'insistance ou d'hésitation ;
  - Je... sais que... c'est possible.
- quand il est placé dans un mot d'une seule syllabe à la fin d'une phrase.
  - Dis-le !

Le « e » n'est généralement pas prononcé et « tombe » :
- quand il est placé à la fin d'un mot ;
  - la belle jupe rouge
- quand il est précédé d'une seule consonne ;
  - la semaine prochaine
- à l'intérieur d'un mot.
  - Samedi, il voyagera.

Attention !

Si le « e » tombe, que la consonne qui le précède est sonore et que la consonne suivante est sourde, **la première consonne se transforme en consonne sourde.**
- médecin → [d] devient [t] → [mɛt̯sɛ̃]
- je peux → [ʒ] devient [ʃ] → [ʃpø]

PRÉCIS
de grammaire

Les pronoms

On utilise les pronoms relatifs pour relier deux phrases entre elles, pour éviter la répétition d'un nom et pour donner des précisions.

1. Les pronoms relatifs simples

▶ D1 p. 22 / D5 p. 94

	Fonction dans la seconde phrase	Exemples
qui	remplace le sujet	*Cela concerne tous les habitants. **Ces habitants** profitent des avantages de la ville.* → *Cela concerne tous les habitants **qui** profitent des avantages de la ville.*
que	remplace le COD	*J'aime les activités culturelles. La ville offre **ces activités culturelles**.* → *J'aime les activités culturelles **que** la ville offre.*
dont	remplace un complément introduit par *de*	*C'est drôle d'arriver dans une maison inconnue. Les habitants **de cette maison** sont partis le matin.* → *C'est drôle d'arriver dans une maison inconnue **dont** les habitants sont partis le matin.*
où	remplace un complément de lieu	*La pièce est spacieuse. Elles pénètrent **dans cette pièce**.* → *La pièce **où** elles pénètrent est spacieuse.*
	remplace un complément de temps	*Je me lève à une certaine heure. **À cette heure-ci** je devrais être installée à mon bureau.* → *Je me lève à l'heure **où** je devrais être installée à mon bureau.*

Attention ! Devant une voyelle ou un *h* muet : *que* devient *qu'* mais *qui* ne change pas.

2. Les pronoms relatifs composés

▶ D7 p. 124

Les pronoms relatifs composés s'accordent en genre et en nombre avec le nom qu'ils remplacent.

	Fonction dans la seconde phrase	Exemples
avec lequel par laquelle pour lesquels sans lesquelles sur lequel dans laquelle (etc.)	remplace le complément d'un verbe suivi des prépositions *avec, par, pour, sans, sur, dans*, etc.	*Voici les collègues. Il a travaillé **avec ces collègues*** → *Voici les collègues **avec lesquels** il a travaillé.* *Voici le parc. Je me promène **dans ce parc**.* → *Voici le parc **dans lequel** je me promène.*
auquel à laquelle grâce auxquels grâce auxquelles (etc.)	remplace le complément d'un verbe suivi des prépositions *à* et *grâce à*	*Ce sont des problèmes. Nous réfléchissons **à ces problèmes**.* → *Ce sont des problèmes **auxquels** nous réfléchissons.* *C'est une technologie. On peut coder l'ADN **grâce à cette technologie**.* → *C'est une technologie **grâce à laquelle** on peut coder l'ADN.*
à cause duquel à côté duquel au dessus de laquelle au-dessous desquels près desquelles (etc.)	remplace le complément d'un verbe suivi des groupes prépositionnels *à cause de, à côté de, au-dessus de, au-dessous de, près de*, etc.	*Il vient de quitter le ministre. Il avait toujours travaillé **auprès de lui**.* → *Il vient de quitter le ministre **auprès duquel** il avait toujours travaillé.*

Attention ! Quand le nom remplacé par le pronom est **une personne**, on peut utiliser *qui* à la place de *lequel,*
laquelle, lesquels et *lesquelles.*

Ce sont les amies **avec lesquelles** *je pars en vacances tous les ans.* = *Ce sont les amies* **avec qui**
je pars en vacances tous les ans.

Ce sont des gens **auxquels** *on peut parler.* = *Ce sont des gens* **à qui** *on peut parler.*

C'est la femme **à côté de laquelle** *il est assis.* = *C'est la femme* **à côté de qui** *il est assis.*

3. La mise en relief

▶ D3 p. 52

On utilise le présentatif *c'est* accompagné d'un pronom relatif sujet ou complément pour mettre en relief
un élément de la phrase.

Constructions possibles	Exemples
C'est… qui *C'est… que* *C'est… dont* *C'est… où* *C'est…* préposition + *lequel / laquelle /* *lesquels / lesquelles / qui*	*C'est* une histoire **qui** m'intéresse. *C'est* le film **que** je préfère. *C'est* un sujet **dont** j'aime parler. *C'est* un pays **où** je veux aller. *C'est* l'amie **avec laquelle / avec qui** je sors.
Ce qui… c'est / ce sont *Ce que… c'est / ce sont* *Ce dont… c'est / ce sont* *Ce +* préposition + *quoi… c'est / ce sont*	**Ce qui** est sympa, **c'est** l'ambiance pendant ses concerts. **Ce qu'**on mange là-bas, **ce sont** des « canailles ». **Ce dont** je suis fan, **c'est** la décoration vintage. **Ce à quoi** je pense, **c'est** la météo.

4. Les pronoms personnels sujets, réfléchis et toniques

Pronoms sujets	Pronoms réfléchis*	Pronoms toniques**
je / j'	me / m'	moi
tu	te / t'	toi
il / elle	se / s'	lui / elle
nous	nous	nous
vous	vous	vous
ils / elles	se / s'	eux / elles

* Les pronoms réfléchis s'utilisent avec les verbes pronominaux.
Il **se** *promène tous les jours. Nous* **nous** *amusons le week-end.*

** Les pronoms toniques s'utilisent :
– après une préposition : *Je parlerai* après **toi**. *Je me souviens* de **lui**.
– dans une phrase comparative : *Il court plus vite* que **moi**.
– pour renforcer le pronom sujet : *Et* **toi**, *tu pars quand en vacances ?*

5. Les pronoms COD et COI

▶ D8 p. 148

Pronoms compléments d'objet direct (COD) : *me (m'), te (t'), le (l'), la (l'), nous, vous, les*
– Ils remplacent un être vivant ou un objet.
– Ils sont compléments d'un verbe à construction directe.
   Voir **quelqu'un** *ou* **quelque chose** → *Elle voit* **les enfants**. → *Elle* **les** *voit.*
   Regarder **quelqu'un** *ou* **quelque chose** → *Je regarde* **le tableau**. → *Je* **le** *regarde.*

Pronoms compléments d'objet indirect (COI) : *me (m'), te (t'), lui, nous, vous, leur*
– Ils remplacent un être vivant.

– Ils sont compléments d'un verbe à construction indirecte suivi de la préposition *à* ou *de*.
  *Parler **à** quelqu'un → Elle parle **aux enfants**. → Elle **leur** parle.*

6. Le pronom *en*

▶ D3 p. 58

On utilise le pronom **en** pour remplacer :
– un lieu de provenance ;
  *On repart **de la cousinade**. → On **en** repart.*
– un complément introduit par *de* ;
  *On ne donne pas la même définition **de la cousinade**. → On n'**en** donne pas la même définition.*
  *On parle **de la fête**. → On **en** parle.*
– un COD exprimant une quantité.
  *J'ai **de l'argent**. → J'**en** ai.*
  *J'achète <u>trois</u> **pommes**. → J'**en** achète <u>trois</u>.*
  *Elle peut effrayer <u>certains</u> **participants**. → Elle peut **en** effrayer <u>certains</u>.*

7. Le pronom *y*

▶ D3 p. 58

On utilise le pronom **y** pour remplacer :
– un complément de lieu ;
  *On ne connaîtra pas grand monde **à la cousinade**. → On n'**y** connaîtra pas grand monde.*
  *On s'installe **dans l'avion** pour faire de longs voyages. → On s'**y** installe.*
– un COI introduit par *à*.
  *Tout le monde pense **à la cousinade**. → Tout le monde **y** pense.*

8. La double pronominalisation

▶ D8 p. 148

Ordre des doubles pronoms		Exemples
me / te / nous / vous	+ le / la / les	*Il m'a conseillé **ce film**. → Il **me** l'a conseillé.* *On **vous** demande **ces papiers**. → On **vous les** demande.*
Attention ! le / la / les	+ lui / leur	*Il **lui** indique **le chemin**. → Il **le lui** indique.*
m' / t' / lui / nous / vous / leur	+ en	*Nous **lui** parlons **de ce projet**. → Nous **lui en** parlons.* *Elle **nous** offre **des places**. → Elle **nous en** offre.*
m' / t' / l' / nous / vous / les	+ y	*Je t'emmène **au cinéma**. → je **t'y** emmène.* *Elle retrouve **ses amis au théâtre**. → Elle **les y** retrouve.*

Attention ! On peut utiliser les pronoms *le, la, les, en* et *y* avec les verbes pronominaux.
  *se laver → Je **me** lave **les mains**. → Je **me les** lave.*
  *se souvenir → Tu **te** souviens **de ce voyage** ? → Tu **t'en** souviens ?*
  *s'intéresser → Elle **s'**intéresse **aux arts**. → Elle **s'y** intéresse.*

9. La place des pronoms

▶ D2 p. 40

– Les pronoms compléments se placent **devant** le verbe ou l'auxiliaire.
  *Elle **lui** téléphone. Il **en** a mangé. Nous **y** sommes allés. Il **me le** demande. On **lui en** a parlé. Il **nous y** a conduits.*
– Quand il y a deux verbes, le ou les pronom(s) complément(s) se place(nt) entre les deux verbes, **devant le verbe à l'infinitif.**
  *Il doit **le** rendre. Je vais **t'y** accompagner. On n'a pas pu **le leur** expliquer.*

L'impératif et les pronoms compléments

– À l'impératif affirmatif, les pronoms personnels compléments se placent **après le verbe**, avec un tiret.
  Présentez-vous au Centre Service Canada. *Donnez-la-lui* dès votre arrivée. *Prenez-en* trois. *Allez-y* !

– À l'impératif négatif, les pronoms personnels compléments se placent **avant le verbe**, sans tiret.
  Ne vous présentez pas au Centre Service Canada. *Ne la lui donnez pas* dès votre arrivée.
  N'en prenez pas. N'y allez pas !

Attention ! Pour les 1ʳᵉ et 2ᵉ personnes du singulier :

– à la forme affirmative : les pronoms sont *moi* et *toi* et l'ordre des doubles pronoms est différent avec *le*, *la* et *les* ;
  Assieds-toi là ! Donnez-moi ça ! Envoyez-le-moi !

– à la forme négative, les pronoms sont *me* et *te*.
  Ne t'assieds pas là ! Ne me le donnez pas !

10. Les pronoms démonstratifs

► D3 p. 58

Les pronoms démonstratifs remplacent des noms désignant une personne ou une chose que l'on voit, que l'on montre ou qui a déjà été mentionnée.

	Masculin	Féminin
Singulier	celui	celle
Pluriel	ceux	celles

Ils sont obligatoirement suivis :

– par la préposition *de* + nom : *Quelle fête préférez-vous ? →* **Celle de** *Noël.*

– ou par un **pronom relatif** : *Quels pays connais-tu bien ? →* **Ceux qui** *sont en Europe.*
  Il y a beaucoup d'associations. → **Celles que** *je connais sont excellentes.*

– ou bien par *-ci* / *-là* : *Je voudrais une robe noire. →* **Celle-ci** *ou* **celle-là** *?*
  Quand les deux pronoms sont utilisés en opposition, *-ci* désigne l'objet le plus proche et *-là*, l'objet le plus éloigné. Quand on utilise un seul pronom, on utilise indifféremment *-ci* ou *-là*.

Les indéfinis

► D3 p. 58 / D4 p. 70

Les adjectifs et les pronoms indéfinis expriment différentes nuances de l'identité et de la quantité.

Expression de…	Adjectifs indéfinis	Pronoms indéfinis
la totalité	tout (le), toute (la), tous (les), toutes (les) *Tous les cousins sont là.*	tout, toute, tous, toutes *Ils sont* **tous** *là.*
l'individualité	chaque *Chaque employé peut venir.* *Chaque personne a participé.*	chacun, chacune *Chacun peut venir.* *Chacune a participé.*
la pluralité	quelques plusieurs certains, certaines *Quelques étudiantes sont là.* *Plusieurs professeurs sont absents.* *Certaines idées sont fausses.*	quelques-uns, quelques-unes plusieurs certains, certaines *Quelques-unes sont là.* *Plusieurs sont absents.* *Certaines sont fausses.*
la quantité nulle	aucun, aucune *Je n'ai aucun avis sur la question.* *Aucun(e) voisin(e) n'est présent(e).*	aucun, aucune *Je n'en ai aucun.* *Aucun(e) n'est présent(e).*

la ressemblance	le même, la même, les mêmes *Nous avons **les mêmes opinions**.*	le même, la même, les mêmes *Nous avons **les mêmes**.*
la différence	un autre, d'autres / l'autre, les autres *Il a **un autre avis** sur la question.* ***D'autres solutions** sont possibles.*	un autre, d'autres / l'autre, les autres *Il **en** a **un autre**.* ***D'autres** sont possibles.*
l'indifférence	n'importe quel / quelle / quels / quelles *J'accepte **n'importe quelle idée**.*	n'importe lequel / laquelle / lesquels / lesquelles *J'accepte **n'importe laquelle**.* n'importe qui / n'importe quoi / n'importe où / n'importe quand *Tu dis **n'importe quoi** à **n'importe qui** !*
l'imprécision		quelque chose, quelqu'un, quelque part *Il y a toujours **quelque chose** à dire.* ***Quelqu'un** est venu te voir.*

Attention ! L'adjectif *tout(e)* peut aussi avoir le sens de *chaque* ou de *n'importe quel(le)*.
*Dans **tout immeuble**, il y a des problèmes. On peut visiter ce pays en **toute saison**.*

Les adjectifs qualificatifs

▶ D1 p. 22

Les adjectifs s'accordent en genre et en nombre avec le nom qu'ils qualifient.
l'eau bleue – de petits bistrots

La place de l'adjectif

1. En général, les adjectifs sont placés **après le nom**.
   *un arrondissement **méconnu** – un marché alimentaire **authentique***
   Les adjectifs de couleur, les adjectifs de forme et les adjectifs de nationalité sont **toujours** placés après le nom.
   *l'eau **bleu turquoise** – une journaliste **américaine** – une table **carrée***

2. Certains adjectifs sont placés **avant le nom** :
   – les nombres (numéraux et ordinaux) ;
     *le **treizième** arrondissement – **deux** bambins*
   – certains adjectifs courts : *beau, joli, bon, mauvais, petit, grand, gros, nouveau, jeune, vieux*.
     *la **nouvelle** piscine – un **grand** campus*

Attention ! – Devant un nom masculin commençant par une voyelle ou un *h* muet, trois adjectifs prennent
une forme particulière : *beau → **bel** → un **bel** immeuble ;*
*nouveau → **nouvel** → un **nouvel** appartement ; vieux → **vieil** → un **vieil** hôtel.*
– En général, *des* devient *de* devant un adjectif.
*Ce sont **des** marques très chères. Ce sont **de** grandes marques.*

Les adverbes

▶ D4 p. 70

L'adverbe apporte une nuance ou une précision. C'est un mot invariable.

1. Les types d'adverbes

Adverbes de manière	Adverbes de quantité et d'intensité	Adverbes de temps et de lieu
– *bien, mal, mieux, vite…* – les adverbes en *-ment* : *gratuitement, facilement…*	*peu / peu de, un peu / un peu de, assez / assez de, tant / tant de, autant / autant de, beaucoup / beaucoup de, trop / trop de, plutôt, presque, très, tout*	– *jamais, rarement, parfois, souvent, toujours, déjà…* – *sur, sous, partout, nulle part…*

2. La formation des adverbes en *-ment*

	Exemples
En général : adjectif au féminin singulier + *-ment*	actuelle**ment** – douce**ment** – efficace**ment**
Si l'adjectif au masculin se termine par une voyelle : adjectif au masculin singulier + *-ment*	absolu**ment** – vrai**ment** – poli**ment** – passionné**ment** **Attention!** gai(e) → **gaiement**
Si l'adjectif au masculin se termine par *-ent* ou *-ant* : *-emment* ou *-amment*	évid**emment** – réc**emment** – suffis**amment** **Attention!** lent(e) → **lentement**
Certains adverbes ont une formation irrégulière :	profond(e) → **profondément** – intense → **intensément** – énorme → **énormément** – précis(e) → **précisément** – bref (brève) → **brièvement** – gentil (gentille) → **gentiment**

3. La place de l'adverbe

Quand l'adverbe qualifie un verbe :
– à un temps simple, il se place <u>après le verbe</u> ;
  Ça m'aide <u>beaucoup</u>. Ils travaillent <u>vite</u>.
– à un temps composé, il se place généralement <u>entre l'auxiliaire et le participe passé</u>, notamment
  quand il s'agit d'un adverbe de quantité, de temps, ou de *souvent*, *toujours*, *bien*, *mal* et *déjà*.
  Ça m'a <u>beaucoup</u> aidé. Elle est <u>rarement</u> venue. Il a <u>bien</u> travaillé.

Quand l'adverbe qualifie un adjectif : il se place <u>devant l'adjectif</u>.
Cette nourriture est <u>assez</u> bonne. C'est <u>presque</u> parfait.

Quand l'adverbe qualifie un autre adverbe : il se place <u>devant l'adverbe</u>.
Ils agissent <u>extrêmement</u> mal. Ils parlent <u>plutôt</u> maladroitement.

Quand un adverbe de quantité qualifie un nom : il est suivi de la préposition *de* et se place <u>devant le nom</u>.
Il y a <u>trop de</u> gaspillage.

La comparaison

1. Les comparatifs

La comparaison peut porter sur une quantité (avec un nom ou un verbe) ou sur une qualité (avec un adjectif ou un adverbe).

	Avec un nom	Avec un verbe	Avec un adjectif	Avec un adverbe
+	*plus de* + nom Il y a **plus de** <u>soleil</u>.	verbe + *plus* J'<u>étudie</u> **plus**.	*plus* + adjectif* C'est **plus** <u>sympa</u>.	*plus* + adverbe** Il va **plus** <u>loin</u>.
=	*autant de* + nom J'ai **autant de** <u>travail</u>.	verbe + *autant* Il <u>travaille</u> **autant**.	*aussi* + adjectif Il est **aussi** <u>timide</u>.	*aussi* + adverbe Je parle **aussi** <u>bien</u>.
−	*moins de* + nom Il y a **moins de** <u>pluie</u>.	verbe + *moins* Je <u>dors</u> **moins**.	*moins* + adjectif C'est **moins** <u>beau</u>.	*moins* + adverbe J'y vais **moins** <u>souvent</u>.

* L'adjectif *bon(ne)* ne s'utilise pas avec le comparatif *plus* : on utilise *meilleur(e)*, qui s'accorde en genre et en nombre avec le nom.
J'ai une **meilleure** idée ! Il a de **meilleurs** résultats que moi.

* Avec l'adjectif *mauvais*, le comparatif peut être *plus mauvais* ou *pire*.
*Cette situation est mauvaise mais elle pourrait être **pire / plus mauvaise**.*
Pire est souvent utilisé pour signifier « encore plus mauvais ».
*Ici, il pleut beaucoup mais, dans ma ville, c'est **pire** !*

** L'adverbe *bien* ne s'utilise pas avec le comparatif *plus* : on utilise *mieux*.
*Elle parle **mieux** polonais que français.*

Si le comparant est précisé, il est précédé de *que*.
*Gabriel court aussi vite **que** Suzanne.*

Attention ! *Il y a **plus de** soleil **que** de pluie.*

2. Les superlatifs
▶ D8 p. 142

	+	−
Avec un nom	*le plus de* + nom *C'est lui qui offre **le plus de** <u>choix</u>.*	*le moins de* + nom *C'est le film qui a **le moins de** <u>succès</u>.*
Avec un verbe	verbe + *le plus* *C'est le modèle qui <u>plaît</u> **le plus**.*	verbe + *le moins* *C'est le film qu'il <u>aime</u> **le moins**.*
Avec un adjectif	*le / la / les plus* + adjectif *Ce sont **les plus** <u>connus</u>.*	*le / la / les moins* + adjectif *C'est **la moins** <u>célèbre</u>.*
Avec un adverbe	*le plus* + adverbe *C'est lui qui va **le plus** <u>vite</u>.*	*le moins* + adverbe *C'est elle qui vient **le moins** <u>souvent</u>.*

Attention ! – Le superlatif de *bon(ne)(s)* est *le / la / les meilleur(e)(s)*.
        *Ce sont **les meilleurs** musiciens.*
      – Le superlatif de *mauvais* est *le plus mauvais* ou *le pire*.
        *C'est lui **le plus mauvais / le pire** musicien.*
      – Le superlatif de *bien* est *le mieux*.
        *C'est lui qui joue **le mieux**.*

3. Le renforcement du superlatif
▶ D8 p. 142

Pour renforcer le superlatif de façon positive ou négative, on peut utiliser les structures suivantes :

– *de* + nom ;
  *C'est le domaine le plus dynamique **du marché**. C'est la plus grande entreprise **de la région**.*
  *Ce sont les pires produits **de l'entreprise**.*

– *que* + subjonctif ;
  *Voici un des artistes les plus chers **que je connaisse**. C'est le plus grand peintre **qui soit**.*

– **le subjonctif passé** avec l'adverbe *jamais*.
  *C'est la plus belle toile **que j'aie jamais vue**.*
  Dans ce cas, on peut ne conserver que le participe passé.
  *C'est la plus belle toile **(que j'aie) jamais vue**. → C'est la plus belle toile **jamais vue**.*

Les temps du passé
▶ D5 p. 88

1. Le passé composé

Formation : auxiliaire *avoir* ou *être* au présent + participe passé.

La majorité des verbes se conjugue avec l'auxiliaire *avoir*.
*Samuel **a mangé** des céréales. Ils **ont joué**. J'**ai habité** en Norvège.*

Se conjuguent avec l'auxiliaire *être* :
- tous les verbes pronominaux ;
    *Il **s'est occupé** de son jardin. Nous **nous sommes promenés**.*
- les 15 verbes suivants et leurs composés : *naître, mourir, devenir, arriver, partir, entrer, sortir, rester, passer, retourner, monter, descendre, tomber, aller, venir.*
    *Manon **est née** en juillet. Nous **sommes allés** au lac.*

Le participe passé		
-é	tous les verbes en *-er* :	
	parler → parlé – aimer → aimé – jouer → joué – regarder → regardé	
-i	la majorité des verbes en *-ir* :	
	finir → fini – sortir → sorti – dormir → dormi – partir → parti – réunir → réuni	
	des verbes en *-re* :	
	rire → ri – suivre → suivi – poursuivre → poursuivi	
-u	*venir, tenir* et leurs composés :	
	venir → venu – revenir → revenu – devenir → devenu	
	tenir → tenu – retenir → retenu – obtenir → obtenu	
	d'autres verbes :	
	lire → lu – voir → vu – boire → bu – devoir → dû – savoir → su – vivre → vécu – plaire → plu	
-is	*prendre → pris – apprendre → appris – comprendre → compris*	
	mettre → mis – s'asseoir → assis	
-t	*faire → fait – écrire → écrit – dire → dit*	
Autres formes irrégulières	*découvrir → découvert – ouvrir → ouvert – offrir → offert*	
	avoir → eu – être → été – mourir → mort – naître → né	

Avec l'auxiliaire *être*, le participe passé s'accorde toujours avec le sujet.
Je me suis assise confortablement. Elles sont venues chez moi.
Avec l'auxiliaire *avoir*, le participe passé ne s'accorde jamais avec le sujet.

Attention ! Le participe passé s'accorde avec le **complément d'objet direct** quand ce dernier est placé avant le verbe.
Ils ont préparé les gâteaux. → Ils les ont préparés.
Ils ont pris la photo. → Ils l'ont prise.

Emplois

On utilise le passé composé pour exprimer :
- une **action ponctuelle** du passé ;
    J'ai rencontré ma femme (en 2016).
- un fait qui a une **durée limitée** dans le passé ;
    J'ai dormi (toute la nuit).
- une **succession d'actions** dans le passé.
    Je suis entré, je me suis assis et j'ai attendu.

2. L'imparfait

Formation : radical du présent avec *nous* + *-ais, -ais, -ait, -ions, -iez, -aient.*
avoir : nous avons → j'avais – aller : nous allions → tu allais

Attention ! *être → j'étais*

Emplois

On utilise l'imparfait pour :

– exprimer une **situation** passée (situation souvent différente de la situation présente) ;
  *À l'époque, j'**habitais** à Londres. J'**étais** jeune. Je n'**avais** pas beaucoup d'amis.*

– parler d'une **habitude** dans le passé ;
  *Je la **rencontrais** souvent dans la rue.*

– décrire **le décor et les circonstances** d'un événement passé.
  *Il **pleuvait** quand nous sommes sortis.*

Dans un récit au passé, le passé composé et l'imparfait se mêlent.
*Il **a habité** à Londres pendant dix ans. Quand il **s'y est installé**, il ne **connaissait** personne et il **se sentait** seul.*
*Peu à peu, il **a rencontré** des personnes qui lui **ont fait** découvrir la ville. C'**était** une période formidable pour lui.*

3. Le plus-que-parfait

Formation : auxiliaire *avoir* ou *être* à l'imparfait + participe passé.

Emploi

On utilise le plus-que-parfait pour exprimer qu'une action (action 1) s'est déroulée <u>avant</u> une autre action au passé (action 2).

*Je <u>suis retourné</u> chez moi parce que j'**avais oublié** mon parapluie.*
      action 2   action 1
*<u>Avant de partir</u>, les étudiants **avaient demandé** des renseignements par e-mail à l'université.*
       action 2   action 1

Attention ! Si une action se passe <u>juste avant</u> l'autre, on utilise le passé composé, notamment avec les conjonctions *dès que, aussitôt que, quand, lorsque, après que* : *Dès qu'il l'a vu, il lui a souri.*

Les modes

1. L'impératif

▶ D2 p. 40 / D3 p. 52

Formation : forme du présent sans le pronom sujet.
Tu viens → Viens !
Pour les verbes en *-er*, on supprime le *-s* à la deuxième personne du singulier, sauf quand le verbe est suivi de *en* ou de *y*.
***Achète** deux billets !* → ***Achètes-en** deux !*
***Va** à l'aéroport !* → ***Vas-y** !*

Attention ! – Trois verbes ont une conjugaison irrégulière : *être → sois, soyons, soyez ;*
           avoir → aie, ayons, ayez ; savoir → sache, sachons, sachez.
         – Le verbe *vouloir* n'a qu'une seule forme : *veuillez.*

Voir aussi l'impératif et les pronoms compléments p. 204.

Emplois

On utilise l'impératif pour :

– donner un **ordre**, une **consigne** ;
  ***Taisez-vous** ! **Écris** lisiblement.*

– donner un **conseil** ;
  ***N'invitez pas** trop de monde. **Essayez** de proposer à vos amis une sortie dans un endroit qui les surprendra.*

– exprimer un **souhait**.
  ***Passe** de bonnes vacances ! **Soyez** heureuse !*

2. L'infinitif

▶ D5 p. 88 / D8 p. 142

Quand on met en relation temporelle deux événements avec les prépositions *avant de* et *après*, on utilise l'infinitif :
- **l'infinitif présent** après *avant de* : <u>*Avant de*</u> **partir** *à l'étranger, j'ai obtenu mon diplôme.*
- **l'infinitif passé** (*avoir* ou *être* + participe passé) après *après* :
  <u>*Après*</u> **avoir obtenu** *mon bac, je suis parti à l'étranger.*

3. Le conditionnel présent

▶ D1 p. 16 et p. 22 / D3 p. 52

Formation : infinitif du verbe + *-ais, -ais, -ait, -ions, -iez, -aient*.

Emplois
On utilise le conditionnel présent pour :
- **conseiller** (avec les verbes *falloir, valoir mieux, conseiller* et *devoir*) ;
  Il **vaudrait mieux** *que vous consultiez le site internet.* *Il* **faudrait que** *vous partiez.* *Il* **faudrait** *partir.*
  Ils **devraient** *étudier le français.*

- **exprimer un souhait** (avec les verbes *souhaiter, aimer, plaire*) ;
  J' **aimerais** *partir enseigner au Québec. Ça me* **plairait** *d'avoir une nouvelle vision de mon métier.*

- **formuler une demande polie** avec le verbe *pouvoir* ;
  Pourriez-*vous me dire si vous acceptez les animaux ?* ***Pourrait***-*on échanger via Skype ?*

- **faire une proposition ou une suggestion** avec le verbe *pouvoir*.
  On **pourrait** *mettre en avant les points positifs.*

Voir aussi l'expression de l'hypothèse p. 212.

4. Le subjonctif

▶ D2 p. 34 / D4 p. 76 / D7 p. 130

Formation

base du présent	+ terminaisons	= subjonctif présent
ils **doiv**en (pour *je, tu, il(s),* et *elle(s)*)	*-e, -es, -e, -ent*	*que je* **doive**, *que tu* **doives**, *qu'il / qu'elle* **doive**, *qu'ils / qu'elles* **doivent**
nous **dev**ons (pour *nous* et *vous*)	*-ions, -iez*	*que nous* **devions**, *que vous* **deviez**

Attention ! Certains verbes sont irréguliers (voir le précis de conjugaison p. 218 à 221).

Emplois
On utilise le subjonctif présent pour exprimer :
- **l'obligation et l'interdiction** avec *il faut que / il ne faut pas que* ;
  Il faut que j' **appelle** *la police. Il ne faut pas que vous* **parliez** *trop fort.*

- **la volonté** avec *souhaiter que, vouloir que, désirer que …* ;
  Je souhaite qu'elle **aille** *mieux.*

- **la nécessité** avec *il est important que, il est indispensable que …* ;
  Il est indispensable que vous **fassiez** *le tour des sites d'annonces.*

- **un conseil** avec *il faudrait que, il est préférable que, il vaut mieux que, il vaudrait mieux que …* ;
  Il est préférable que cela **plaise** *à tous. Il vaut mieux que vous* **soyez** *peu nombreux.*

- **des sentiments** avec *être surpris que, être content que, être déçu que …* ;
  J'ai été surpris que les gens **aient** *autant de temps libre.*

- **un jugement** avec *c'est bizarre que, c'est bien que, c'est intolérable que …* ;
  C'est bizarre qu'ils ne **restent** *pas.*

– **une opinion incertaine** avec *douter que, ne pas croire que, ne pas penser que, ne pas être sûr que, il est possible que…*
*Je doute qu'on se **connaisse**. Je ne pense pas qu'on **parte** en vacances.*

Le subjonctif peut aussi être utilisé après certaines conjonctions : *pour que, de manière à ce que…*
Voir les relations logiques p. 216-217.

Indicatif ou subjonctif ?

Le subjonctif est obligatoire après les cas mentionnés ci-dessus.
Dans les autres cas, quand le verbe exprime une réalité, un constat, une certitude ou qu'il rapporte des paroles, on utilise l'indicatif.
*Je vois que tout **est** parfait. Je suis sûre qu'il **va venir**. Il dit qu'il **a raté** son train.*

Attention ! – Le verbe *espérer* est toujours suivi de l'indicatif.
  J'espère qu'il viendra.
  – Les verbes *penser, croire* et *trouver* sont toujours suivis de l'indicatif à la forme affirmative et généralement suivis du subjonctif à la forme négative, car le doute est souvent implicite.
  Je ne crois pas qu'il sache comment venir ici. (= Je ne suis pas sûr qu'il sache comment venir.)

Infinitif ou subjonctif ?

Le subjonctif ne peut pas être utilisé si le sujet des verbes des deux propositions est le même.
On dit : *je veux que vous veniez*, mais on ne peut pas dire : ~~je veux que je vienne~~. Dans ce cas, on utilise l'infinitif :
je veux venir.

5. Le participe présent et le gérondif

▶ D4 p. 70 / D5 p. 94

Formation

Participe présent	radical de la 1ʳᵉ personne du pluriel du présent + *-ant* *distribuer → nous **distribu**ons → **distribuant***
Gérondif	***en*** + participe présent ***en** allant* – ***en** voyageant*

Attention ! – Verbes irréguliers : *avoir → **ay**ant* ; *être → **ét**ant* ; *savoir → **sach**ant*.
  – Le participe présent et le gérondif sont invariables.

Emplois

On utilise **le participe** présent pour :
– **caractériser un nom** (il remplace une proposition introduite par *qui*) ;
  *Des fruits **présentant** des défauts. (= qui présentent)*
– **exprimer la cause**.
  ***Étant** bilingue, je peux faire des traductions. (= comme je suis bilingue)*

On utilise **le gérondif** pour exprimer :
– **la simultanéité** ;
  *Je dévale les escaliers **en enfilant** mon manteau. (= Je dévale les escaliers et je mets mon manteau en même temps.)*
– **la condition** ;
  ***En essayant**, on y arrive. (= Si on essaye, on y arrive.)*
– **la manière de faire**.
  *Antoine est arrivé **en courant**. (= Il courait quand il est arrivé.)*

Attention ! L'action exprimée par le gérondif et par le participe présent exprimant la cause doit obligatoirement être effectuée par la même personne que celle du verbe principal.

L'expression de la durée

▶ D7 p. 130

	Indique…	Exemples
pendant	la durée d'une action	*Je suis resté à l'étranger **pendant** cinq ans.*
il y a il y a… que ça/cela fait… que	la durée entre une action terminée et le moment où on parle	*Je suis arrivé **il y a** cinq mois.* ***Il y a** cinq mois **que** je suis là / **que** je suis arrivé.* ***Ça/Cela fait** cinq mois **que** j'habite ici / **que** je me suis installé.*
depuis + *nom* depuis que + *indicatif*	que l'action n'est pas terminée au moment où on parle	*Je suis ici **depuis** cinq mois.* *Je n'ai pas vu ma famille **depuis** cinq mois / **depuis que** je suis arrivé.*
pour	le temps que va durer une action au moment où on parle	*J'ai été embauché **pour** trois ans.*
dans	la durée entre le moment où on parle et une action future	*Nous allons partir **dans** quatre mois.*
en	la durée nécessaire d'une action	*Il a fait ce trajet **en** deux heures. (= Il a fallu deux heures pour faire ce trajet.)*

Attention ! – Avec *il y a*, on utilise toujours le passé composé.

– Avec *il y a… que* et *ça/cela fait… que*, on utilise le présent ou le passé composé.

– Avec *depuis*, on utilise le présent ou le passé composé à la forme négative.

Je ne l'ai pas vu depuis cinq mois.

L'expression de l'hypothèse

▶ D1 p. 22 / D8 p. 142

Formation

Hypothèse	Conséquence
Si + verbe au **présent** *Si tu **viens**, …* *Si vous **avez** le temps, …*	verbe au **futur** / **présent** / **impératif** *… je **suis** / **serai** content.* *… **venez** avec nous !*
Si + verbe à l'**imparfait** *Si je **pouvais**, …*	verbe au **conditionnel présent** *… je **viendrais**.*

Emplois

– Pour **donner un conseil** dans une situation éventuelle.

*Si vous **voulez** travailler en France, on vous **conseille** d'apprendre le français.*

*Si vous **voulez** arrêter de fumer, **allez** chez le médecin.*

– Pour formuler **une proposition, une suggestion** avec *si* + imparfait.

*Si on **allait** manger au restaurant ce soir ?*

– Pour faire **des hypothèses** et imaginer **la conséquence** :

• avec *si* + **présent** / **futur** : la conséquence est possible dans le futur ;

*Si on **peut** se réunir ce soir, ce **sera** super !*

• avec *si* + **imparfait** / **conditionnel présent** : une autre réalité présente est imaginée.

*Si je **savais** comment faire, je te le **dirais**. (Malheureusement, je ne le sais pas.)*

*Si tu **pouvais** t'installer définitivement en France, le **ferais**-tu ?*

– La structure ***comme si*** + **imparfait** est utilisée pour indiquer la ressemblance et la comparaison.

*Il me regarde **comme si** j'**étais** stupide !*

La voix passive

▶ D6 p. 106

Formation : auxiliaire *être* au temps voulu + participe passé du verbe.

Présent	*L'immeuble **est** détruit.*
Passé composé, plus-que-parfait	*L'immeuble **a été** détruit. L'immeuble **avait été** détruit.*
Imparfait	*L'immeuble **était** détruit.*
Futur simple, futur proche	*L'immeuble **sera** détruit. L'immeuble **va être** détruit.*
Conditionnel présent	*L'immeuble **serait** détruit.*

Attention ! – Le participe passé s'accorde avec le sujet.

*Les journaux traditionnels **avaient** déjà **été bousculés** par Internet.*

– Seuls les verbes qui ont un COD peuvent se mettre à la forme passive.

On ne peut pas dire : *J'ai été demandé de venir.* On dit : *On m'a demandé de venir.*

La forme active et la forme passive expriment deux points de vue différents sur une action :

– à la voix active, on s'intéresse au sujet qui réalise l'action ;

Le public a salué cette initiative.
   sujet   COD

– à la voix passive, on ne s'intéresse pas au sujet mais on met en valeur l'objet de l'action.

Cette initiative a été saluée par le public.
   sujet   complément d'agent

Pour donner une information sur le sujet (l'agent de l'action), on utilise souvent la préposition *par*, parfois *de*.
Il a été aidé par ses amis. Les rues ont été recouvertes de papier.

Attention ! Si l'auteur de l'action n'est pas connu ou si le contexte est évident, on ne précise pas le complément d'agent.

La maison a été cambriolée.

Le discours indirect

▶ D2 p. 40 / D6 p. 106

On utilise le discours indirect pour rapporter les paroles ou les pensées de quelqu'un, avec un verbe introducteur :
dire, demander, expliquer, répondre, écrire, vouloir, savoir, penser, imaginer, savoir, proposer…

1. Changements syntaxiques

Discours direct		Discours indirect
« *Tu dois commencer à 6 heures.* »	→	*Il dit **que** tu dois commencer à 6 heures.*
« ***Est-ce que** tu peux venir ?* »	→	*Je te demande **si** tu peux venir.*
« ***Qu'est-ce que** vous faites ce soir ?* »	→	*Elle demande **ce que** vous faites ce soir.*
« ***Qu'est-ce qui** se passe ?* »	→	*Il veut savoir **ce qui** se passe.*
« *Viens !* » « *Ne pars pas !* »	→	*Il me demande **de venir**. Il me dit **de ne pas partir**.*

Attention ! Avec les mots interrogatifs *pourquoi, où, quand, comment, combien, combien de temps, avec qui, pour qui…*, il n'y a pas de changement.

« *Pourquoi elles ne sont pas là ?* » → *Il demande pourquoi elles ne sont pas là.*

2. Le discours indirect au passé

Si **le verbe introducteur est au passé**, le temps des verbes change.
C'est ce qu'on appelle la concordance des temps.

Concordance des temps	
Discours direct	**Discours indirect**
Présent	→ **Imparfait**
« Je ne peux pas partir en vacances. »	*J'<u>ai dit</u> que je ne **pouvais** pas partir en vacances.*
Passé composé	→ **Plus-que-parfait**
« Ils ont oublié la carte. »	*On m'<u>a dit</u> qu'ils **avaient oublié** la carte.*
Futur	→ **Conditionnel présent**
« Ils feront la réservation sur place. »	*Je <u>pensais</u> qu'ils **feraient** la réservation sur place.*

Attention ! Avec le futur proche, le verbe *aller* est à l'imparfait.
On va sortir ce soir. → *Il m'a annoncé qu'on **allait sortir** ce soir.*

3. Autres transformations

Les pronoms

Discours direct	Discours indirect
« Tu peux m'aider à porter mes bagages ? »	*Elle me demande si **je** peux **l'**aider à porter **ses** bagages.*

Les indicateurs de temps (lorsque les paroles sont rapportées un certain temps après et que les repères temporels entre le message initial et les paroles rapportées sont différents)

Discours direct	Discours indirect
Voici ce qu'Arthur a écrit le 3 décembre 2016 : *« Je prends l'avion **aujourd'hui**. Il pleut et je suis un peu triste ! **La semaine dernière**, j'ai terminé toutes les démarches administratives et **hier** j'ai envoyé mes bagages. **Demain**, je serai à l'autre bout du monde mais j'espère revenir **l'année prochaine**. »*	*En 2018, le message d'Arthur est retrouvé. Il a écrit que **ce jour-là** il prenait l'avion, qu'il pleuvait et qu'il était un peu triste ; que, **la semaine précédente**, il avait terminé toutes les démarches administratives et que **la veille** il avait envoyé ses bagages ; que **le lendemain**, il serait à l'autre bout du monde mais qu'il espérait revenir **l'année suivante**.*

La phrase négative

1. Place de la négation

▶ D2 p. 40 / D3 p. 58 / D7 p. 130

Les négations *ne … pas*, *ne … plus*, *ne … pas encore*, *ne … jamais*, *ne … rien*, *ne … personne*, *personne … ne*, *rien … ne* ont une place très précise selon le temps du verbe utilisé :

– avec un verbe conjugué à un temps simple, la négation encadre le verbe ;
*Je **ne** <u>comprends</u> **pas** cette explication.*

– avec un verbe conjugué à un temps composé, la négation encadre l'auxiliaire ;
*Je **ne** me <u>suis</u> **jamais** intéressée aux mangas.*

– avec le futur proche ou un verbe + infinitif, la négation encadre le verbe *aller* ou le verbe conjugué ;
*Ils **ne** <u>vont</u> **pas** rester avec nous. On **ne** <u>peut</u> **pas** s'occuper de ce problème.*

– lorsque la négation porte sur l'infinitif, les deux éléments de la négation se placent devant le verbe.
*J'aimerais **ne pas** <u>faire</u> d'erreur.*

2. Emplois

- **Ne… que** est la forme négative utilisée pour la restriction (= « seulement »).
  *La cérémonie **ne** dure **que** deux heures.* (= La cérémonie dure seulement deux heures.)

- **Ne… plus**, **ne… pas encore**, **ne… jamais** sont des négations portant sur le temps.
  *Je **ne** travaille **plus**.* (= Avant je travaillais mais maintenant c'est fini.)
  *Je **ne** suis **jamais** allé à Madrid.* (= pas une seule fois)
  *Je **ne** suis **pas encore** allé à Madrid.* (= Je n'y suis pas allé au moment où je parle mais je compte bien y aller.)
  Ne… pas encore et **ne… jamais** sont les négations de *déjà*.
  – *Tu as **déjà** visité ce pays ?* – *Non, jamais ! / Non, pas encore !*

- **Rien**, **personne**, **aucun** peuvent être sujets ou compléments.
  ***Rien ne** ressemble à nos pratiques.* (sujet) *Je **ne** connais **rien** aux haïkus.* (complément)
  ***Personne** n'a les mêmes pratiques.* (sujet) *Il **ne** connaît **personne**.* (complément)
  ***Aucun** incident n'est survenu.* (sujet) *Je n'ai **aucun** problème. (complément)*

- **Ne… ni… ni…** est utilisé lorsqu'il y a deux négations à la suite dans un contexte identique.
  *Je **ne** suis **ni** malade, **ni** fatigué. **Ni** l'un **ni** l'autre **n**'échappe à la tradition !*

La phrase interrogative

▶ D8 p. 148

1. Question fermée : réponse « oui » ou « non »

Français familier Question intonative	Français standard Question avec *Est-ce que*	Français soutenu Question avec inversion du sujet
Vous venez ?	*Est-ce que vous venez ?*	*Venez-vous ?*
Ils ont aimé le film ?	*Est-ce qu'ils ont aimé le film ?*	*Ont-ils aimé le film ?*
Tu vas souvent au cinéma ?	*Est-ce que tu vas souvent au cinéma ?*	*Vas-tu souvent au cinéma ?*
Elle a déjà acheté les billets ?	*Est-ce qu'elle a déjà acheté les billets ?*	*A-t-elle déjà acheté les billets ?*

2. Question ouverte

	Français familier Question intonative	Français standard Question avec *Est-ce que*	Français soutenu Question avec inversion du sujet
qui, qui est-ce qui / que	*Qui est là ? C'est qui ?* *Vous avez dîné chez qui ?* *Tu cherches qui ?*	*Qui est-ce qui est là ?* *Chez qui est-ce que vous avez dîné ?* *Qui est-ce que tu cherches ?*	*Qui est là ? Qui est-ce ?* *Chez qui avez-vous dîné ?* *Qui cherches-tu ?*
quoi, qu'est-ce que / qui, que	*Tu manges quoi ?* *Il s'est passé quoi ?* *Avec quoi tu écris ?* *Tu écris avec quoi ?*	*Qu'est-ce que tu manges ?* *Qu'est-ce qui s'est passé ?* *Avec quoi est-ce que tu écris ?*	*Que manges-tu ?* *Que s'est-il passé ?* *Avec quoi écris-tu ?*
où, quand, comment, combien, pourquoi	*Où vous habitez ?* *Vous habitez où ?* *Tu t'habilles comment ?* *Comment tu t'habilles ?* *Combien il a payé ?* *Il a payé combien ?* *Pourquoi elle danse si bien ?*	*Où est-ce que vous habitez ?* *Comment est-ce que tu t'habilles ?* *Combien est-ce qu'il a payé ?* *Pourquoi est-ce qu'elle danse si bien ?*	*Où habitez-vous ?* *Comment t'habilles-tu ?* *Combien a-t-il payé ?* *Pourquoi danse-t-elle si bien ?*

Attention ! – Dans la question avec inversion, quand le verbe se termine par une voyelle et que le pronom sujet commence par une voyelle, on ajoute un *t* **pour faciliter la prononciation entre deux voyelles**.
*Pourquoi **danse-t-elle** si bien ?*

– Dans la question intonative, *où, quand, comment, combien* peuvent être placés au début ou à la fin de la phrase. *Pourquoi* est toujours au début de la phrase.

– Aux temps composés, l'inversion du sujet se fait toujours avec l'auxiliaire.
*Combien **a-t-il** payé ?*

Les relations logiques

1. L'expression de la cause

à cause de en raison de grâce à	} + nom	*Il a été exclu **à cause de** <u>son mauvais comportement</u>.* *Nous avons annulé **en raison de** <u>ton absence</u>.* *Je suis arrivée à faire ce travail **grâce à** <u>tes conseils</u>.*
parce que comme car	} + verbe à l'indicatif	*Je dois pratiquer **parce que** je n'<u>ai</u> pas d'expérience.* ***Comme** je n'ai pas d'expérience, je **dois** pratiquer.* *Je dois pratiquer **car** je n'<u>ai</u> pas d'expérience.*

Attention ! – *Comme* est toujours placé au début de la phrase.
– La cause peut aussi être exprimée par un verbe à la voix passive : *être causé par, être provoqué par…*
*Son exclusion **a été provoquée par** son mauvais comportement.*

2. L'expression de la conséquence

▶ D2 p. 34

alors, donc, par conséquent, du coup : annoncent une conséquence	*J'ai pris des vitamines, **alors** / **donc** / **par conséquent** /* ***du coup** ça va mieux.*
c'est la raison pour laquelle, c'est pourquoi, voilà pourquoi, c'est pour ça que : donnent une explication	*L'Islande est un pays cher. **C'est la raison pour laquelle** /* ***Voilà pourquoi** / **C'est pourquoi** / **C'est pour ça que** je ne sors pas beaucoup.*
si / tellement + adjectif / adverbe + *que* et *tellement / tant* + verbe + *que* : ajoutent une nuance d'intensité *tellement de / tant de* + nom + *que* : ajoutent une nuance de quantité	*Je suis **si** / **tellement** faible **que** je peux à peine me lever.* *Il a **tellement** / **tant** travaillé **qu'**il est tombé malade.* *Il y a **tellement d'** / **tant d'**accidents **que** les urgences sont débordées.*

Attention ! La conséquence peut aussi être exprimée par un verbe : *entraîner, provoquer…*
*L'inondation **a provoqué** la panique.*

3. L'expression du but

▶ D3 p. 52 / D4 p. 76

pour + nom ou infinitif		*J'ai choisi la France **pour** <u>la qualité</u> de son enseignement*
afin de *dans le but de*	} + infinitif	*et **pour** / **afin d'** / **dans le but d'**<u>étudier</u> la langue française.*
pour que *afin que*	} + subjonctif	*On pourrait proposer un babyfoot géant **pour que** l'esprit d'équipe <u>soit</u> favorisé.*

Attention ! Le but peut aussi être exprimé par un verbe : *permettre de, viser à.*
*Il s'agit d'un team building qui **vise à** faire connaissance.*

4. L'expression de l'opposition et de la concession

▶ D3 p. 58 / D6 p. 106

On utilise l'expression de l'opposition pour mettre en valeur deux faits contraires et l'expression de la concession pour mettre en valeur une contradiction entre deux faits.

Opposition	*mais, par contre, en revanche, au contraire*	*Les Tchèques sont indépendants, posés ; **au contraire** / **mais** / **par contre** / **en revanche** les Français sont sociables et conformistes.*
	contrairement à + nom / pronom	*Les Tchèques sont indépendants, posés, **contrairement aux** <u>Français</u> qui sont sociables et conformistes.*
	alors que + indicatif	*Les Tchèques sont indépendants, posés, **alors que** les Français <u>sont</u> sociables et conformistes.*
Concession	*mais, pourtant, cependant, (mais) quand même*	*Ces candidats ont des idées très similaires ; **mais** / **pourtant** / **cependant**, ils se détestent (**quand même**) !*
	malgré + nom / pronom	*Plusieurs présidents ont été élus **malgré** <u>des campagnes</u> très dures.*
	même si + indicatif	*Les références sont différentes **même si** la société tchèque et la société française <u>sont</u> très similaires aujourd'hui.*
	bien que + subjonctif	*Les références sont différentes **bien que** la société tchèque et la société française <u>soient</u> très similaires aujourd'hui.*

Attention ! On peut renforcer la concession avec *quand même* en fin de phrase.

*Il n'a aucune chance d'être élu **pourtant** il se présente **quand même**.*

PRÉCIS
de conjugaison

	Présent	Passé composé	Imparfait	Futur
Être	je suis tu es il/elle/on est nous sommes vous êtes ils/elles sont	j'ai été tu as été il/elle/on a été nous avons été vous avez été ils/elles ont été	j'étais tu étais il/elle/on était nous étions vous étiez ils/elles étaient	je serai tu seras il/elle/on sera nous serons vous serez ils/elles seront
Avoir	j'ai tu as il/elle/on a nous avons vous avez ils/elles ont	j'ai eu tu as eu il/elle/on a eu nous avons eu vous avez eu ils/elles ont eu	j'avais tu avais il/elle/on avait nous avions vous aviez ils/elles avaient	j'aurai tu auras il/elle/on aura nous aurons vous aurez ils/elles auront
Aller	je vais tu vas il/elle/on va nous allons vous allez ils/elles vont	je suis allé(e) tu es allé(e) il/elle/on est allé(e) nous sommes allé(e)s vous êtes allé(e)s ils/elles sont allé(e)s	j'allais tu allais il/elle/on allait nous allions vous alliez ils/elles allaient	j'irai tu iras il/elle/on ira nous irons vous irez ils/elles iront
Pouvoir	je peux tu peux il/elle/on peut nous pouvons vous pouvez ils/elles peuvent	j'ai pu tu as pu il/elle/on a pu nous avons pu vous avez pu ils/elles ont pu	je pouvais tu pouvais il/elle/on pouvait nous pouvions vous pouviez ils/elles pouvaient	je pourrai tu pourras il/elle/on pourra nous pourrons vous pourrez ils/elles pourront
Devoir	je dois tu dois il/elle/on doit nous devons vous devez ils/elles doivent	j'ai dû tu as dû il/elle/on a dû nous avons dû vous avez dû ils/elles ont dû	je devais tu devais il/elle/on devait nous devions vous deviez ils/elles devaient	je devrai tu devras il/elle/on devra nous devrons vous devrez ils/elles devront
Vouloir	je veux tu veux il/elle/on veut nous voulons vous voulez ils/elles veulent	j'ai voulu tu as voulu il/elle/on a voulu nous avons voulu vous avez voulu ils/elles ont voulu	je voulais tu voulais il/elle/on voulait nous voulions vous vouliez ils/elles voulaient	je voudrai tu voudras il/elle/on voudra nous voudrons vous voudrez ils/elles voudront
Faire	je fais tu fais il/elle/on fait nous faisons vous faites ils/elles font	j'ai fait tu as fait il/elle/on a fait nous avons fait vous avez fait ils/elles ont fait	je faisais tu faisais il/elle/on faisait nous faisions vous faisiez ils/elles faisaient	je ferai tu feras il/elle/on fera nous ferons vous ferez ils/elles feront
Prendre	je prends tu prends il/elle/on prend nous prenons vous prenez ils/elles prennent	j'ai pris tu as pris il/elle/on a pris nous avons pris vous avez pris ils/elles ont pris	je prenais tu prenais il/elle/on prenait nous prenions vous preniez ils/elles prenaient	je prendrai tu prendras il/elle/on prendra nous prendrons vous prendrez ils/elles prendront

Impératif	Plus-que-parfait	Subjonctif présent	Conditionnel présent
sois soyons soyez	j'avais été tu avais été il/elle/on avait été nous avions été vous aviez été ils/elles avaient été	que je sois que tu sois qu'il/elle/on soit que nous soyons que vous soyez qu'ils/elles soient	je serais tu serais il/elle/on serait nous serions vous seriez ils/elles seraient
aie ayons ayez	j'avais eu tu avais eu il/elle/on avait eu nous avions eu vous aviez eu ils/elles avaient eu	que j'aie que tu aies qu'il/elle/on ait que nous ayons que vous ayez qu'ils/elles aient	j'aurais tu aurais il/elle/on aurait nous aurions vous auriez ils/elles auraient
va allons allez	j'étais allé(e) tu étais allé(e) il/elle/on était allé(e) nous étions allé(e)s vous étiez allé(e)s ils/elles étaient allé(e)s	que j'aille que tu ailles qu'il/elle/on aille que nous allions que vous alliez qu'ils/elles aillent	j'irais tu irais il/elle/on irait nous irions vous iriez ils/elles iraient
	j'avais pu tu avais pu il/elle/on avait pu nous avions pu vous aviez pu ils/elles avaient pu	que je puisse que tu puisses qu'il/elle/on puisse que nous puissions que vous puissiez qu'ils/elles puissent	je pourrais tu pourrais il/elle/on pourrait nous pourrions vous pourriez ils/elles pourraient
dois devons devez	j'avais dû tu avais dû il/elle/on avait dû nous avions dû vous aviez dû ils/elles avaient dû	que je doive que tu doives qu'il/elle/on doive que nous devions que vous deviez qu'ils/elles doivent	je devrais tu devrais il/elle/on devrait nous devrions vous devriez ils/elles devraient
veuillez	j'avais voulu tu avais voulu il/elle/on avait voulu nous avions voulu vous aviez voulu ils/elles avaient voulu	que je veuille que tu veuilles qu'il/elle/on veuille que nous voulions que vous vouliez qu'ils/elles veuillent	je voudrais tu voudrais il/elle/on voudrait nous voudrions vous voudriez ils/elles voudraient
fais faisons faites	j'avais fait tu avais fait il/elle/on avait fait nous avions fait vous aviez fait ils/elles avaient fait	que je fasse que tu fasses qu'il/elle/on fasse que nous fassions que vous fassiez qu'ils/elles fassent	je ferais tu ferais il/elle/on ferait nous ferions vous feriez ils/elles feraient
prends prenons prenez	j'avais pris tu avais pris il/elle/on avait pris nous avions pris vous aviez pris ils/elles avaient pris	que je prenne que tu prennes qu'il/elle/on prenne que nous prenions que vous preniez qu'ils/elles prennent	je prendrais tu prendrais il/elle/on prendrait nous prendrions vous prendriez ils/elles prendraient

	Présent	Passé composé	Imparfait	Futur
Venir	je viens tu viens il/elle/on vient nous venons vous venez ils/elles viennent	je suis venu(e) tu es venu(e) il/elle/on est venu(e) nous sommes venu(e)s vous êtes venu(e)s ils/elles sont venu(e)s	je venais tu venais il/elle/on venait nous venions vous veniez ils/elles venaient	je viendrai tu viendras il/elle/on viendra nous viendrons vous viendrez ils/elles viendront
Parler	je parle tu parles il/elle/on parle nous parlons vous parlez ils/elles parlent	j'ai parlé tu as parlé il/elle/on a parlé nous avons parlé vous avez parlé ils/elles ont parlé	je parlais tu parlais il/elle/on parlait nous parlions vous parliez ils/elles parlaient	je parlerai tu parleras il/elle/on parlera nous parlerons vous parlerez ils/elles parleront
Voir	je vois tu vois il/elle/on voit nous voyons vous voyez ils/elles voient	j'ai vu tu as vu il/elle/on a vu nous avons vu vous avez vu ils/elles ont vu	je voyais tu voyais il/elle/on voyait nous voyions vous voyiez ils/elles voyaient	je verrai tu verras il/elle/on verra nous verrons vous verrez ils/elles verront
Choisir	je choisis tu choisis il/elle/on choisit nous choisissons vous choisissez ils/elles choisissent	j'ai choisi tu as choisi il/elle/on a choisi nous avons choisi vous avez choisi ils/elles ont choisi	je choisissais tu choisissais il/elle/on choisissait nous choisissions vous choisissiez ils/elles choisissaient	je choisirai tu choisiras il/elle/on choisira nous choisirons vous choisirez ils/elles choisiront
Écrire	j'écris tu écris il/elle/on écrit nous écrivons vous écrivez ils/elles écrivent	j'ai écrit tu as écrit il/elle/on a écrit nous avons écrit vous avez écrit ils/elles ont écrit	j'écrivais tu écrivais il/elle/on écrivait nous écrivions vous écriviez ils/elles écrivaient	j'écrirai tu écriras il/elle/on écrira nous écrirons vous écrirez ils/elles écriront
Sortir	je sors tu sors il/elle/on sort nous sortons vous sortez ils/elles sortent	je suis sorti(e) tu es sorti(e) il/elle/on est sorti(e) nous sommes sorti(e)s vous êtes sorti(e)s ils/elles sont sorti(e)s	je sortais tu sortais il/elle/on sortait nous sortions vous sortiez ils/elles sortaient	je sortirai tu sortiras il/elle/on sortira nous sortirons vous sortirez ils/elles sortiront
Réfléchir	je réfléchis tu réfléchis il/elle/on réfléchit nous réfléchissons vous réfléchissez ils/elles réfléchissent	j'ai réfléchi tu as réfléchi il/elle/on a réfléchi nous avons réfléchi vous avez réfléchi ils/elles ont réfléchi	je réfléchissais tu réfléchissais il/elle/on réfléchissait nous réfléchissions vous réfléchissiez ils/elles réfléchissaient	je réfléchirai tu réfléchiras il/elle/on réfléchira nous réfléchirons vous réfléchirez ils/elles réfléchiront
Connaître	je connais tu connais il/elle/on connaît nous connaissons vous connaissez ils/elles connaissent	j'ai connu tu as connu il/elle/on a connu nous avons connu vous avez connu ils/elles ont connu	je connaissais tu connaissais il/elle/on connaissait nous connaissions vous connaissiez ils/elles connaissaient	je connaîtrai tu connaîtras il/elle/on connaîtra nous connaîtrons vous connaîtrez ils/elles connaîtront

Impératif	Plus-que-parfait	Subjonctif présent	Conditionnel présent
viens venons venez	j'étais venu(e) tu étais venu(e) il/elle/on était venu(e) nous étions venu(e)s vous étiez venu(e)s ils/elles étaient venu(e)s	que je vienne que tu viennes qu'il/elle/on vienne que nous venions que vous veniez qu'ils/elles viennent	je viendrais tu viendrais il/elle/on viendrait nous viendrions vous viendriez ils/elles viendraient
parle parlons parlez	j'avais parlé tu avais parlé il/elle/on avait parlé nous avions parlé vous aviez parlé ils/elles avaient parlé	que je parle que tu parles qu'il/elle/on parle que nous parlions que vous parliez qu'ils/elles parlent	je parlerais tu parlerais il/elle/on parlerait nous parlerions vous parleriez ils/elles parleraient
vois voyons voyez	j'avais vu tu avais vu il/elle/on avait vu nous avions vu vous aviez vu ils/elles avaient vu	que je voie que tu voies qu'il/elle/on voie que nous voyions que vous voyiez qu'ils/elles voient	je verrais tu verrais il/elle/on verrait nous verrions vous verriez ils/elles verraient
choisis choisissons choisissez	j'avais choisi tu avais choisi il/elle/on avait choisi nous avions choisi vous aviez choisi ils/elles avaient choisi	que je choisisse que tu choisisses qu'il/elle/on choisisse que nous choisissions que vous choisissiez qu'ils/elles choisissent	je choisirais tu choisirais il/elle/on choisirait nous choisirions vous choisiriez ils/elles choisiraient
écris écrivons écrivez	j'avais écrit tu avais écrit il/elle/on avait écrit nous avions écrit vous aviez écrit ils/elles avaient écrit	que j'écrive que tu écrives qu'il/elle/on écrive que nous écrivions que vous écriviez qu'ils/elles écrivent	j'écrirais tu écrirais il/elle/on écrirait nous écririons vous écririez ils/elles écriraient
sors sortons sortez	j'étais sorti(e) tu étais sorti(e) il/elle/on était sorti(e) nous étions sorti(e)s vous étiez sorti(e)s ils/elles étaient sorti(e)s	que je sorte que tu sortes qu'il/elle/on sorte que nous sortions que vous sortiez qu'ils/elles sortent	je sortirais tu sortirais il/elle/on sortirait nous sortirions vous sortiriez ils/elles sortiraient
réfléchis réfléchissons réfléchissez	j'avais réfléchi tu avais réfléchi il/elle/on avait réfléchi nous avions réfléchi vous aviez réfléchi ils/elles avaient réfléchi	que je réfléchisse que tu réfléchisses qu'il/elle/on réfléchisse que nous réfléchissions que vous réfléchissiez qu'ils/elles réfléchissent	je réfléchirais tu réfléchirais il/elle/on réfléchirait nous réfléchirions vous réfléchiriez ils/elles réfléchiraient
connais connaissons connaissez	j'avais connu tu avais connu il/elle/on avait connu nous avions connu vous aviez connu ils/elles avaient connu	que je connaisse que tu connaisses qu'il/elle/on connaisse que nous connaissions que vous connaissiez qu'ils/elles connaissent	je connaîtrais tu connaîtrais il/elle/on connaîtrait nous connaîtrions vous connaîtriez ils/elles connaîtraient

Carte de l'Europe

ISLANDE

Mer du Nord

Mer Baltique

NORVÈGE

FINLANDE

SUÈDE

RUSSIE

ESTONIE

LETTONIE

LITUANIE

RUSSIE

BIÉLORUSSIE

DANEMARK

IRLANDE

POLOGNE

ROYAUME-UNI*

PAYS-BAS

ALLEMAGNE

UKRAINE

BELGIQUE

LUXEMBOURG

RÉP. TCHÈQUE

SLOVAQUIE

Océan Atlantique

MOLDA

FRANCE

AUTRICHE

HONGRIE

SUISSE   LIECHTENSTEIN

ROUMANIE

SLOVÉNIE

CROATIE

SAINT-MARIN

BOSNIE HERZÉGOVINE

SERBIE

ANDORRE

MONACO

KOSOVO

BULGARIE

MONTÉNÉGRO

FYROM

ITALIE

PORTUGAL

ESPAGNE

VATICAN

ALBANIE

GRÈCE

Mer Méditerranée

MALTE

CHYPRE

0   250   500 km

■ Pays de l'Union Européenne   ■ Autre pays d' Europe   * Le Royaume-Uni a voté par référendum
sa sortie de l'Union Européenne